図解即戦力

オールカラーの豊富な図解と
丁寧な解説でわかりやすい!

エネルギー業界のしくみとビジネスがしっかりわかる教科書

これ1冊で

小山 堅 編
Ken Koyama

技術 社

著者略歴

【小山　堅（こやま　けん）】
一般財団法人日本エネルギー経済研究所　専務理事　首席研究員。
1986年3月早稲田大学大学院経済学修士課程修了後、同年4月一般財団法人日本エネルギー経済研究所入所。2001年6月ダンディ大学博士課程修了。2007年6月から同研究所で理事となり戦略・産業ユニット総括を担当。その後、常務理事・首席研究員・戦略研究ユニット担任などを経て現職。その他、東京大学公共政策大学院客員教授、東京工業大学科学技術創成研究院特任教授としても活躍している。専門分野は国際石油・エネルギー情勢の分析、エネルギー安全保障問題。

【大森　嘉彦(おおもり　よしひこ)】
一般財団法人日本エネルギー経済研究所　理事　化石エネルギー・国際協力ユニット担任。
1986年3月東北大学経済学部経済学科卒業後、石油会社(現ENEOS)において同社(JXエネルギー等)原油グループマネージャー、欧州現地法人社長、内閣府(政策参与)など主に原油・石油製品トレーディング、海外事業開発、政策渉外を担当。また2003年3月に青山学院大学国際マネジメント研究科国際マネジメント科修了。2020年6月一般財団法人日本エネルギー経済研究所に入所、現職。

【橋本　裕（はしもと　ひろし）】
一般財団法人日本エネルギー経済研究所　化石エネルギー・国際協力ユニット　ガスグループマネージャー。
1986年3月東京大学法学部卒業。同年4月東京ガス株式会社入社。2006年6月より2010年3月まで、国際エネルギー機関勤務。2010年4月一般財団法人日本エネルギー経済研究所に入所。2019年7月より現職。

【永富　悠(ながとみ　ゆう)】
元一般財団法人日本エネルギー経済研究所　電力・新エネルギーユニット　電力グループ　主任研究員。
2007年3月東京大学大学院新領域創成科学研究科修士課程修了後、同年4月一般財団法人日本エネルギー経済研究所入所。2016年3月から同研究所主任研究員。2020年3月筑波大学大学院博士課程修了。博士（工学）取得。2022年5月一般財団法人日本エネルギー経済研究所を退職。その他、学会誌編集委員、非常勤講師としても活躍している。専門分野はエネルギー需給及び電力システムに関するモデル分析、電力市場制度の分析。

【笹川　亜紀子（ささかわ　あきこ）】
一般財団法人日本エネルギー経済研究所　電力・新エネルギーユニット再生可能エネルギーグループ　主任研究員。
2018年3月東京大学大学院法学政治学研究科博士課程修了。博士（法学）。同年4月一般財団法人日本エネルギー経済研究所入所。専門分野は、国際行政、エネルギー政策。

【下郡　けい（しもごおり　けい）】
一般財団法人日本エネルギー経済研究所　戦略研究ユニット国際情勢分析第1グループ　主任研究員。
2012年3月東京大学公共政策大学院国際公共政策コース（専門職学位課程）修了後、同年4月一般財団法人日本エネルギー経済研究所入所。戦略研究ユニット原子力グループを経て、2018年から現職。専門分野は、エネルギー政策（欧州地域）、原子力政策。

はじめに

エネルギーは、私たちの暮らしや経済を支える、とても大事なものです。エネルギーなくして、便利で、安全で、快適で、豊かな生活を送ることはできません。そのエネルギーを私たちに供給する、世の中にとって必要不可欠な仕事をしているのが「エネルギー業界」です。

本書では、その業界について、主に電力、石油、ガスの３業種を取り上げ、海外から資源を調達し、その資源を直接利用できるエネルギー（例えばガソリンや電力など）の形に転換し、それを消費者に届けるまでのサプライチェーンに沿って、それぞれどのような仕事が実際に行われているのかをわかりやすく説明しています。

また、その重要なエネルギー業界が今どのような課題に直面し、どのような対応策・取り組みを進めようとしているのかについても解説しています。2022年２月に発生したロシアによるウクライナへの軍事侵攻で国際エネルギー市場では価格が高騰し、消費者に対してのエネルギーの安定供給が極めて重要になりました。同時に、日本も世界も、気候変動防止のため二酸化炭素などの温室効果ガスの排出の大幅削減を求められ、エネルギー利用のあり方の根本的変革を迫られています。

こうした課題に対応するためには、政府の政策や私たち一人一人の心がけや実際の取り組みが不可欠ですが、エネルギー事業に直接携わる業界の対応が問題解決に向けた鍵を握ります。そして、これらの課題への取り組みはエネルギー業界にとっては難しい挑戦であるとともに、大きなビジネス機会をもたらす可能性も期待されているのです。

こうした内容を持つ本書をお読みいただくことで、エネルギー業界に関心を持っている読者の皆さんにとって、業界の特徴や現実、業界を取り巻く環境や課題、業界が取り組んでいる対応戦略、そして業界にとっての挑戦と機会について、よりよい理解につながることになれば、筆者代表として、これほど喜ばしいことはありません。本書が読者の皆様にとって少しでもお役に立つことを心から祈念しています。

小山堅

CONTENTS

Chapter 3

電力産業の構造

Chapter 4

石油産業の構造

Chapter 5

ガス産業の構造

Chapter 6

エネルギーのグローバル動向

Chapter 7
エネルギー業界の主要企業とステークホルダー

Chapter 8

低炭素エネルギーと関連技術・システム

Chapter 9

エネルギー業界の課題と展望

第1章

エネルギーの基礎知識

エネルギーは私たちの暮らしだけでなく、経済や社会の運営にも密接に関わっています。まずはエネルギーとは何か、エネルギー源の種類、エネルギー市場の自由化と規制緩和、さらにはエネルギー業界の主要３分野など、基礎知識から押さえておきましょう。

エネルギーとは

エネルギーは私たちの暮らしや経済を支えるとても大事なもの

エネルギーとは、物を動かしたり、熱・光・音を出したりする「仕事」をする能力のことです。エネルギーは私たちの暮らしと密接に関わっており、社会の運営に不可欠です。

さまざまな種類からなるエネルギー

エネルギーの種類には、物が高いところにあるときに持っている「位置エネルギー」や物が運動しているときに持っている「運動エネルギー」などがあります。そのほかにも物を温めたりする「熱エネルギー」、モーターを回したりする「電気エネルギー」、物が化学反応で熱を出したりする「化学エネルギー」、太陽の光などが持っている「光エネルギー」、**核分裂**や**核融合**などの反応から生まれる「原子エネルギー」などがあります。これらのエネルギーは、さまざまな形に変換します。例えば、発電所では発電タービンを回す運動エネルギーが電気エネルギーに変わります。その電気エネルギーでテレビをつけると「熱エネルギー」や「光エネルギー」などが生まれます。手のひらをこすり合わす「運動エネルギー」から手が温かくなる「熱エネルギー」が生まれます。

このようにして、エネルギーはさまざまな姿に移り変わりながら、私たちの暮らしや経済と密接に関わっているのです。

核分裂
原子核が分裂して2つ以上の別の原子核となること。その際にエネルギーが生まれる。

核融合
2つの原子が衝突して別の原子となること。その際にエネルギーが生まれる。

暮らしと経済を支えるエネルギー

エネルギーがなければ、私たちの暮らしは成り立ちません。例えば、自動車での移動や調理、照明や暖房・冷房の使用、スマホでの連絡や音楽鑑賞、工場の操業や商品・原材料の輸送、店舗の営業など、あらゆることにエネルギーは使われているのです。

さらに、エネルギーがなければ、経済も成り立たず、国の運営にも大きな問題が生まれます。国民の暮らし・経済、そして安全を守るための国の仕事にもエネルギーは不可欠なのです。特に現在の高度に発達した便利な社会の運営を支えていくにはたくさんのエネルギーが必要になっています。

家庭で使われているエネルギーの例

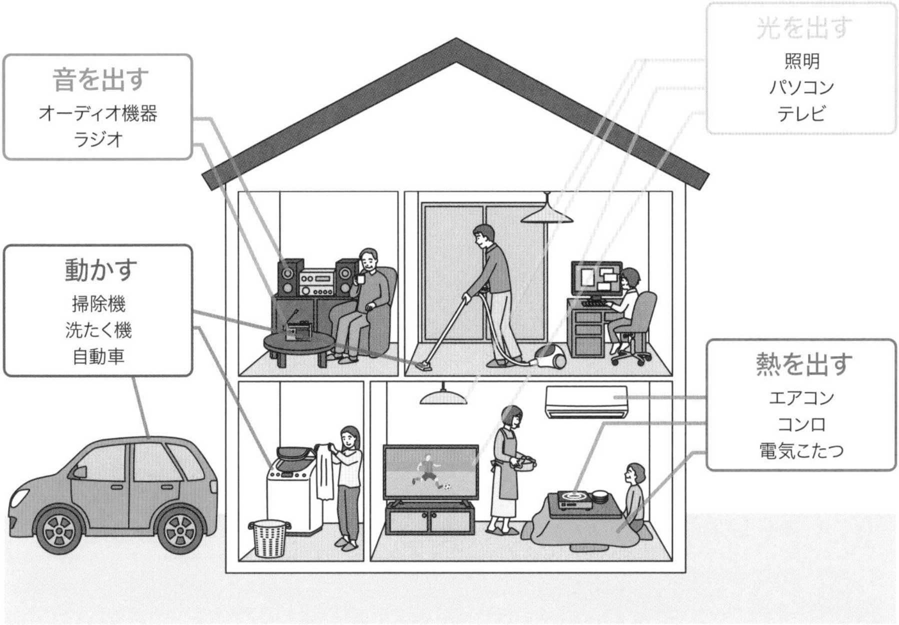

ONE POINT

暮らしと経済を支えるエネルギーの発展の歴史

人は暮らしのためにエネルギーを使い、利用してきました。火の発見と利用がその最初です。それから、人は人や動物の力を使ってエネルギーを得たり、薪を燃やしたり、風車や水車を使ったりして、エネルギーを用いた生活を送ってきました。しかし、産業革命で工業・産業が発展すると、大量のエネルギー生産と消費が必要になり、それは主に石炭で賄われました。その後、中東などで大量の石油が見つかり、自動車の普及などが後押しとなって、エネルギーの中心は石油に移りました。暮らしや経済の発達の中で、電気がより多く使われるようになる傾向もはっきりしてきました。エネルギーの利用も社会の発展とともに変化しています。

Chapter1
02

エネルギー源の種類

化石エネルギーと非化石エネルギー それぞれの長所・短所

エネルギー源には、化石エネルギーと非化石エネルギーがあり、それぞれ長所と短所があります。CO_2の排出量だけでなく、エネルギー密度や輸送・貯蔵の容易さ、資源の埋蔵量といった視点も重要です。

化石エネルギーと非化石エネルギー

エネルギー源には、化石エネルギーと非化石エネルギーがあります。化石エネルギーは、大きく分けて石油、石炭、天然ガスといった化石燃料からなり、その燃焼などによって得られるエネルギーを用います。化石燃料は、かつて地球に生存した動植物が死滅後に堆積し、地中の圧力や地下の熱の影響で炭化水素を主成分とする燃えやすい成分に変化したものです。

非化石エネルギーには、原子エネルギー、再生可能エネルギーがあります。原子エネルギーには、核分裂エネルギーと核融合エネルギーがあり、現在多くの国で利用されている原子力発電所の技術は核分裂エネルギーを利用しており、核融合エネルギーは利用に向けて研究開発が進められています。再生可能エネルギーには、太陽光や水力、バイオマス、地熱、風力などが含まれます。

エネルギー源の特徴

エネルギー源にはそれぞれ長所と短所があります。例えば、化石エネルギーは、エネルギー密度が高く、輸送や貯蔵が比較的容易であるという長所がありますが、燃焼時にCO_2などを排出し、資源量が有限であるという短所があります。なお、資源の確認埋蔵量は、技術革新や新たな油田・ガス田の発見により変化します。

非化石エネルギーは発電の際にCO_2などを排出しません。再生可能エネルギーは、資源がなくなる恐れがないという長所がありますが、単位面積当たりの発電電力量が小さく、太陽光などはエネルギーの発生量が自然環境に左右されるという短所があります。原子力は大量のエネルギーを安定的に供給することができますが、万一の事故の際には放射線の影響が懸念されます。

エネルギー密度
燃料の重量・容積に対するエネルギーの発生量のこと。エネルギーの発生量が大きければ、その燃料のエネルギー密度は高い。

確認埋蔵量
資源の所在が明らかで、現在の技術で採掘でき、その採掘が経済的に見合う条件を満たす埋蔵量のこと。

エネルギー源の分類

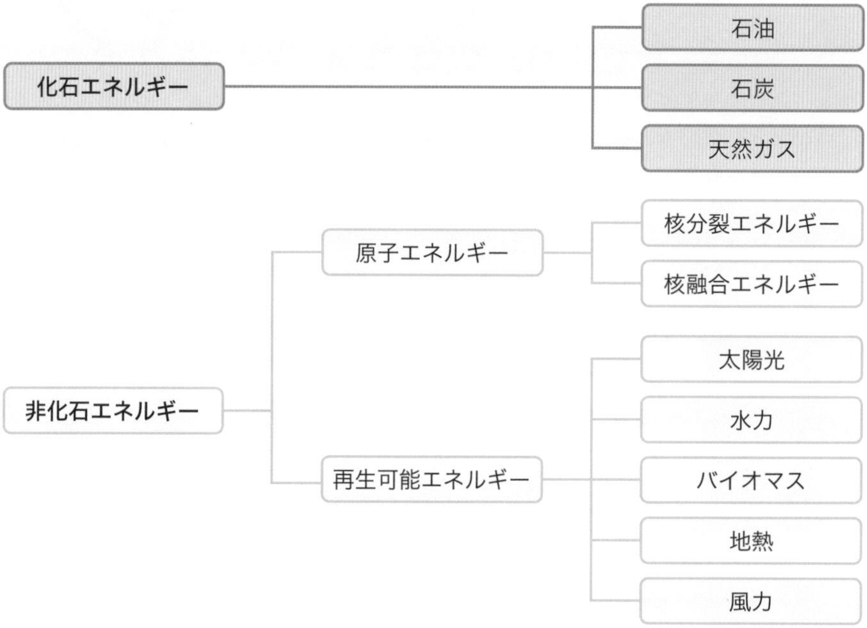

世界のエネルギー資源の確認埋蔵量

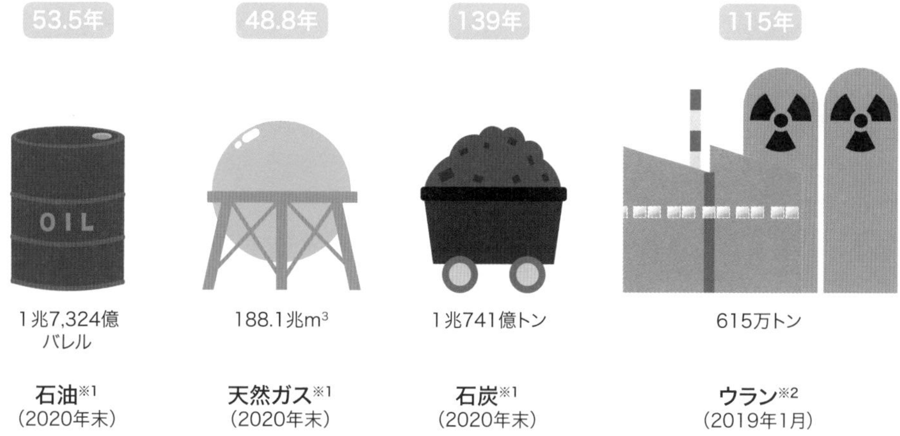

(注) 可採年数＝確認可採埋蔵量／年間生産量
ウランの確認可採埋蔵量は費用130ドル／kgU未満

出典：(※1) bp「Statistical Review of World Energy 2022」、(※2) OECD/NEA-IAEA「Uranium 2020」より作成

出所：日本原子力文化財団「原子力・エネルギー図面集」(https://www.ene100.jp/zumen/1-1-6) をもとに作成

Chapter1

03

一次エネルギー供給と最終エネルギー消費

形態を変化させながら私たちの暮らしや経済活動を支えるエネルギー

エネルギーは、自然界に存在し変換や加工がされていない形態から、発電や精製等の過程を経て、私たちが最終的に消費する形態のエネルギーまでさまざまな段階に移り変わりながら利用されています。

さまざまな形態に移り変わるエネルギー

自然界に存在し、変換・加工されていないエネルギーを「一次エネルギー」といいます。一次エネルギーには、石油、天然ガス、石炭といった採掘資源および太陽光、風力、水力などの再生可能エネルギーや原子力などが含まれます。一次エネルギーを発電や精製等の過程を経て変換・加工して、電力、熱、ガス、石油製品（ガソリン、灯油、重油等）等、私たちが最終的に消費する形態のエネルギーが生産されます。家庭、オフィス、工場、交通機関などにおいて、最終的に消費されるエネルギーを「最終エネルギー」といいます。一次エネルギーが最終消費者のもとへ供給されるまでの間、発電や輸送、変換時にエネルギー・ロスが生じるため、最終エネルギー消費量は、一次エネルギー供給量からこうしたロスを差し引いた値となります。

日本のエネルギーフロー

日本は、1960年代には一次エネルギーとして国産の石炭や水力を豊富に活用しており、**エネルギー自給率**は6割程度でした。しかし、国産の石炭が価格競争力を失い、海外の石油が主要なエネルギー源となる中、エネルギー自給率は大幅に低下しました。1970年代に2度の石油危機を経験した日本は、石油依存度を低減させ一次エネルギー供給の多様化を図るために原子力、天然ガス、石炭などの導入を推進してきましたが、2011年の東日本大震災を経て、原子力を代替する一次エネルギーとして石炭やガスの割合を増加させました。近年は、低炭素社会を目指す潮流やエネルギー自給率向上のための取り組みを踏まえ、再生可能エネルギーが一次エネルギー供給に占める割合が増加しつつあります。

エネルギー自給率
一国の社会経済活動のために必要とされる一次エネルギーのうち、輸入に頼らず自国内で確保できる比率のこと。

日本の一次エネルギー供給実績（1953～2020年度）

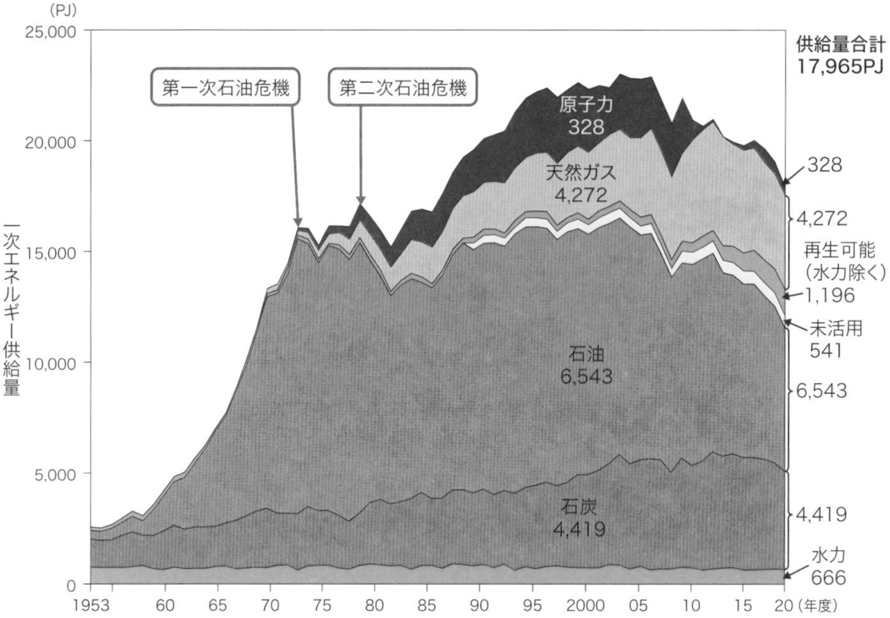

出所：日本原子力文化財団「原子力・エネルギー図面集」（https://www.ene100.jp/zumen/1-2-3）をもとに作成

ONE POINT

エネルギー自給率向上にむけて

主要７か国（G7）の中でもエネルギー自給率が低い日本は、資源の海外依存をいかに低減しエネルギーの安定供給を実現するかという課題に長年直面しています。ロシアのウクライナ侵攻に端を発するエネルギー価格の高騰と需給ひっ迫により、日本のみならず世界の多くの国で、エネルギー安定供給の重要性が改めて強く認識されました。エネルギー自給率を向上させるための取り組みの１つとして、再生可能エネルギーの導入に力を入れる動きが広くみられます。しかし、天候で変動する太陽光や風力を安定的に活用することは容易ではありません。蓄電システムの開発や電力系統の増強に加え、AIやブロックチェーンなどのデジタル技術を生かした電力取引やエネルギーの最適化を促進する取り組みが重要となります。

エネルギーと3つの「E」

Chapter1 04

エネルギーの安定供給、環境への適合、経済効率性がエネルギーの3大課題

エネルギーの安定供給（Energy Security）、環境への適合（Environment）、経済効率性（Economic Efficiency）の3つをエネルギーの3大課題、3つの「E」と呼びます。3つのEは日本のエネルギー政策の基本となる概念です。

3つの「E」を同時に追求する

エネルギーを暮らしや経済のために利用していく中では、エネルギーを安定的に、かつ手頃な値段で確保すること（エネルギーの安定供給）がまず大事です。同時にそのエネルギーを環境に優しい形で利用していくことも非常に重要です（環境への適合）。加えて、エネルギー利用を進めるにあたって、市場メカニズムをできるだけうまく使って、効率性を求めていくことも大事です（経済効率性）。これらの3つの「E」目標を、バランスよく、偏ることなく、同時に追求していくことが最も重要なのです。

2011年の福島第一原発事故後は、安全性（Safety）が前提として重視され、「S＋3E」と呼ばれるようになりました。

市場メカニズム
競争市場で需要と供給の相互関係で価格が決まると効率性追求が期待できること。

3つの「E」の関係は複雑：トリレンマ

3つの「E」の関係は複雑で、時には、お互いが矛盾し合うことがあります。これをエネルギーのトリレンマと呼ぶことがあります。例えば、石炭は世界的にも豊富に存在し、安価なエネルギー源であるため、石炭を利用することは、エネルギー安全保障の面で優れた効果が期待できます。ところが、石炭を利用すると、二酸化炭素の排出が増え、環境負荷が高まります。逆に、再生可能エネルギーについては、国産エネルギーでありエネルギー安全保障への効果や二酸化炭素を排出しないクリーンエネルギーとして期待されますが、コストが高くなってしまう可能性があります。市場効率を追求して無駄を省こうとすると、供給の余力が減少し、いざというときに供給不足が発生してしまうことなどが起こります。だからこそ、これらの問題が深刻化しないよう、バランスよく、3つの課題を同時に追求していくことが大事なのです。

トリレンマ
Trilemma。2つのことが相互矛盾する場合、ジレンマ（Dilemma）というが、3つが相互矛盾するためトリレンマと呼ぶ。

エネルギー安全保障
エネルギーを安定的に、かつ手頃な値段で確保すること。

エネルギーの3つの「E」と「S」

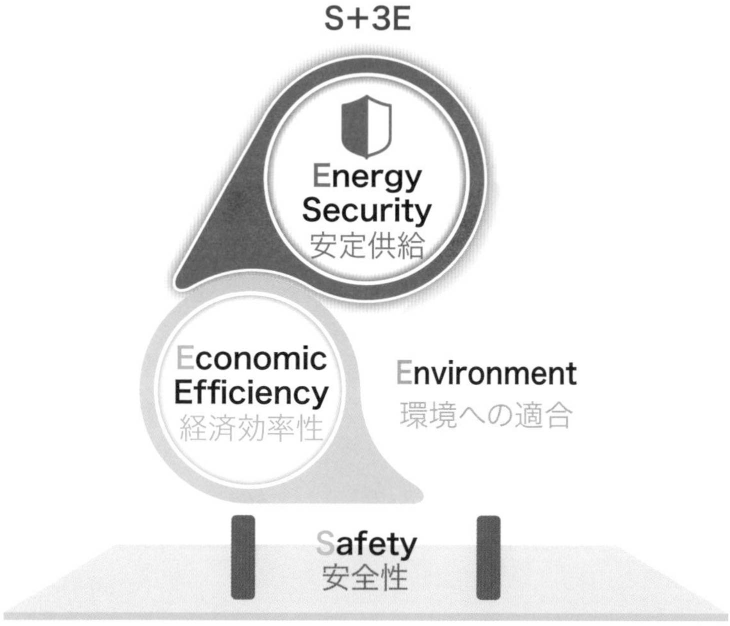

出所：経済産業省資源エネルギー庁webサイト（https://www.enecho.meti.go.jp/about/special/johoteikyo/3es_graph01.html）をもとに作成

ONE POINT

日本での「S＋3E」の追求

日本では、2002年に「エネルギー政策基本法」が成立して、3つの「E」が重要であることがエネルギー政策で明記されました。この3つの「E」の同時追及を目指す「エネルギー基本計画」が同法の下でおおむね3年に一度策定され、日本が長期的に目指すエネルギー政策の方向性が具体的なエネルギー需給の将来像とともに示されることになりました。2011年に東日本大震災と福島事故が発生すると、安全性（Safety）が重視され、「S+3E」の同時追及が新しいエネルギー政策の柱になりました。最新の第6次エネルギー基本計画は、2021年10月に閣議決定され、2030年のエネルギーミックス（需給）目標や2050年の長期目標を掲げたものになっています。

エネルギー安全保障（安定供給）

エネルギーの安定供給が暮らしと経済を守る

エネルギーは、私たちの暮らしや経済活動にとって必要不可欠なものです。したがって、その大事なエネルギーを、安定的に、かつ手頃な値段で確保すること（エネルギー安全保障）は、エネルギー政策の要となります。

なぜエネルギー安全保障は重要なのか

エネルギー価格が大幅に高くなると、消費者にとってはエネルギーへの支払い（ガソリン代や電気代など）が増え、その他の消費・支出に回す分が減ってしまいます。企業にとっては、エネルギーコストが増え、経営が圧迫されます。日本のようなエネルギー輸入国は、海外への支払いが増え、**国富の海外流出**が発生します。また万一、エネルギーが手に入らなくなった場合、暮らしも経済も大混乱に陥ります。そのためエネルギーを安定的に、手頃な値段で確保すること（エネルギー安全保障）が重要なのです。

国富の海外流出
輸入エネルギーへの支払い増加の分だけ、国内から所得が海外に逃げてしまうこと。

ただし、安くなりすぎると、エネルギー資源国の経済が破綻し、かえってエネルギー供給が不安定になります。また、エネルギーへの投資も減って、将来の供給が低下してしまいます。消費者にとっても供給者にとっても安定をもたらす手頃な価格が重要です。

エネルギー安全保障へのリスクと対策

これまでもエネルギー安全保障には、戦争・テロ・紛争やエネルギーの供給施設での事故、経済制裁・禁輸、自然災害など、さまざまな問題が起きてきました。需要の急速な増加、投資不足による供給低下、資源の不足・枯渇なども問題となります。

エネルギー安全保障を守るためには、国産エネルギーを増やし、省エネルギーを進めてエネルギー自給率を高めること、エネルギー源や輸入元を多様化してリスク分散を図ること、消費・供給双方での国際協力を進めること、不測の事態に備えて十分な供給余力（設備）や備蓄を準備すること、などが必要です。これらを実施・具体化するためには、国とエネルギー関係企業が双方で必要な取り組みを進めていくことが大事になります。

主要国のエネルギー自給率の比較（2021年）

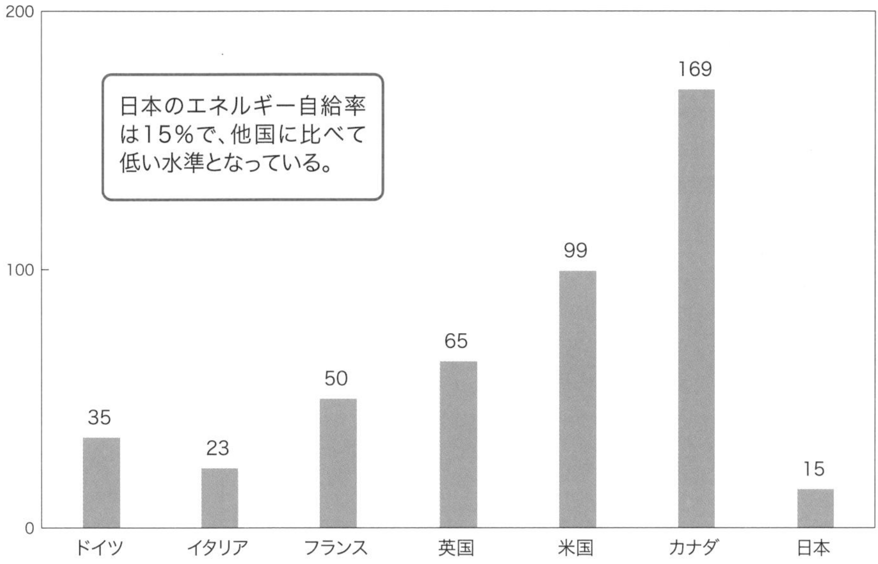

出所：bp「Statistical Review of World Energy 2022」をもとに作成

ONE POINT

エネルギー安全保障を脅かした危機の数々

1973年に発生した第一次石油危機は、日本や世界にとって初めてとなった深刻なエネルギー危機でした。中東での戦争とアラブ産油国による石油の禁輸で、原油価格が大幅に上昇し、日本は石油が手に入らなくなるのではないかとの懸念に襲われました。1970年代の終わりには、イラン革命で第二次石油危機が発生し、その後も、中東での戦争などでエネルギー安全保障が脅かされる事態がありました。2011年に発生した東日本大震災と福島事故では、甚大な自然災害と原子力発電所での重大事故で、日本のエネルギー安全保障が大きく揺さぶられました。2020年に発生した新型コロナウイルス感染症のパンデミックで国際エネルギー市場は供給過剰となりましたが、その後急速に価格が上昇し、2022年2月のロシアによるウクライナ侵攻で、ロシアからのエネルギー供給に大きな不安が発生し、第一次石油危機以来の深刻なエネルギー安全保障上の問題が起きています。

Chapter1 06

気候変動問題とエネルギー

化石燃料の利用と気候変動・温暖化への影響

化石燃料の利用で発生した二酸化炭素（CO_2）が大気中に蓄積し、地球の気温が上昇する温暖化を引き起こすと言われています。地球・人類にさまざまな悪影響を及ぼす気候変動は世界の重要課題になっています。

エネルギー利用が環境に大きな影響を及ぼす

エネルギー、とりわけ化石燃料を利用すると、さまざまな環境問題が発生することが知られています。例えば、石炭や石油を燃焼すると、汚染物質が発生し、大気汚染が深刻化する問題が指摘されてきました。しかし今日、最も関心を集めているのが、気候変動問題です。化石燃料の燃焼などからはCO_2が発生します。大気中のCO_2の濃度が上昇すると、「温室効果」によって地球が暖められ気温が上昇する「地球温暖化」が発生する、との科学者の分析が有力視されています。温暖化によって気候変動が起こり、異常気象の頻発、海面上昇や砂漠化、食糧生産など、地球規模の問題が発生することが深刻に懸念されるようになっています。

なお、CO_2のような効果を持つガスを温室効果ガス（GHG）と呼びます。GHGの排出は、19世紀の産業革命以来、化石燃料消費の爆発的な増加によって大きく増えてきました。1990年代以降、気候変動問題が世界の注目を集め、気候変動防止のための取り組み強化が各国で、また国際協力の下で進められています。

温室効果ガス（GHG）
Green House Gasによって地球外へ放出される赤外線の一部が還流し、温室のように地球を暖める。

気候変動防止とエネルギー

気候変動防止のため、エネルギー利用のあり方を大きく変えることが求められるようになっています。全体として省エネルギーを促進する中で、特に化石燃料の消費を減らし、再生可能エネルギーや原子力などの非化石エネルギーの促進が図られています。

また、利用の際だけでなく製造の際にもCO_2を出さない水素など革新的なクリーンエネルギーの開発も重要視されています。さらには、発生したCO_2を回収し、地下に貯蔵するなどの技術や植林・森林吸収などへの期待も高まっています。

水素
Hydrogen。もともと燃焼時にCO_2を出さないクリーンエネルギー。製造時にもCO_2排出のない水素開発が進んでいる。

温室効果と地球温暖化

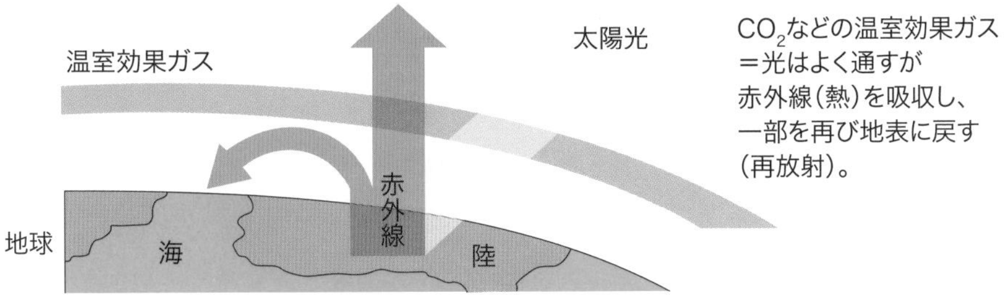

さらに温室効果ガスが増加すると…

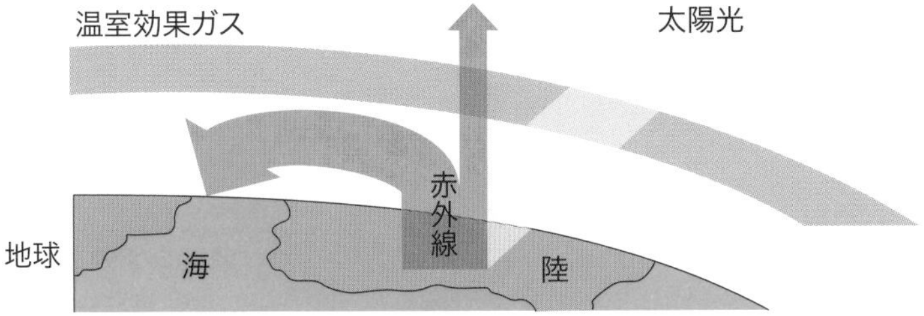

出典：経済産業省「平成17年度エネルギーに関する年次報告」(エネルギー白書2006) をもとに作成

ONE POINT

気候変動対策に関する国際協力

地球温暖化・気候変動問題は、地球規模の問題です。その解決には国際協力が不可欠です。1990年代にはリオデジャネイロで「地球サミット」が開催され、国連気候変動枠組条約が締結され、締結国の会議(COP)の開催が始まりました。1997年のCOP3では、京都議定書がまとまり、日本や欧州連合などがGHG排出削減義務を負って取り組みを進めることになりました。2015年にはCOP21で世界の大多数の国が参加する「パリ協定」が成立し、さらに2021年にはCOP26で「グラスゴー気候協定」が合意されました。多くの国がGHG排出を実質的にゼロにする目標を掲げて取り組む中で、国際協力をどう強化していくのかも重要です。しかし現実には取り組みの進め方を巡って、先進国と途上国・資源国の対立が厳しくなるなど、課題は山積しています。

Chapter1
07

競争原理が導入されたエネルギー市場

エネルギー安全保障や環境保全のため、エネルギー市場・産業は、政府の規制の下に置かれてきました。しかし、効率追求のためエネルギー市場にも競争原理の導入が図られ、規制緩和と市場自由化が進められています。

規制緩和、自由化に向かったエネルギー市場

これまでは、政府によるエネルギー市場の規制・管理が行われてきました。エネルギー利用に関連した環境問題に対応したり、安全性を確保したりするために必要と考えられてきたのです。大規模なインフラに支えられるエネルギー産業は、「**規模の経済性**」を追求したほうが効率的であるとの考えもあり、巨大で独占的な力を有するエネルギー企業が生まれる素地となりました。そこで「独占」の弊害を回避するためにも政府の規制・管理が必要、とされたのです。しかし、1980年代からエネルギー市場にも自由化・規制緩和を進める動きが欧米を中心に始まり、日本でも1990年代以降、エネルギー市場の自由化が本格化しました。

規模の経済性
事業規模が大きくなるほど、単位当たりコストが低下する効果が得られること。

2011年の東日本大震災と原発事故の後、エネルギー政策の総点検が行われ、**電力・ガスシステム改革**が実施され、日本のエネルギー市場も本格的な自由化・規制緩和が実施されました。

電力・ガスシステム改革
事業抜本改革で小売全面自由化や事業部門の法的分離などを包括的に進めること。

エネルギー市場の規制緩和と自由化の課題

こうして、日本でも本格的なエネルギー市場自由化・規制緩和が行われ、新規参入が増加、競争が激化し、効率化やコスト削減の取り組みが行われてきました。市場原理が機能しやすくなったともいえます。ただし、競争的な市場ではエネルギー価格の変動が大きくなり、時には大幅に高騰することもあります。また、効率化追求によって、採算性が悪化した発電所の閉鎖が進み、電力需給のひっ迫が起こりやすくなったり、新規の投資が難しくなったりするなどの問題も顕在化するようになっています。

エネルギー安全保障や気候変動問題への対応が重要になる中、市場原理の活用とのバランスの図り方が大きな課題になっています。

日本の石油市場の自由化

第一段階の規制改革

1987年7月	二次精製設備許可の弾力化
1989年3月	ガソリンの生産枠(PQ)指導の廃止
1989年10月	灯油の在庫指導の廃止
1990年3月	SS建設指導と転籍ルールの廃止
1991年9月	一次精製設備許可の弾力化
1992年3月	原油処理指導の廃止
1993年3月	重油関税割当制度(TQ)の廃止
1996年3月	特石法の廃止 石油製品の輸入自由化

第二段階の規制改革

1996年4月	揮発油等の品質の確保等に関する法律(品確法) 揮発油販売業法の改正 ①強制規格、SQマークの導入 ②指定地区制度の廃止など
1996年4月	石油備蓄法改正
1997年7月	石油製品輸出承認制度見直し 包括承認制の導入・輸出の自由化
1997年12月	SSの供給元証明制度の廃止
1998年4月	有人給油方式のセルフSS解禁
2001年12月	石油業法の廃止 需給調整規制の廃止
2002年1月	石油の備蓄の確保等に関する法律(新石油備蓄法)

出所：石油連盟「今日の石油産業2017」
出所：経済産業省資源エネルギー庁「エネルギー白書2018」をもとに作成

電力小売自由化の段階的進展

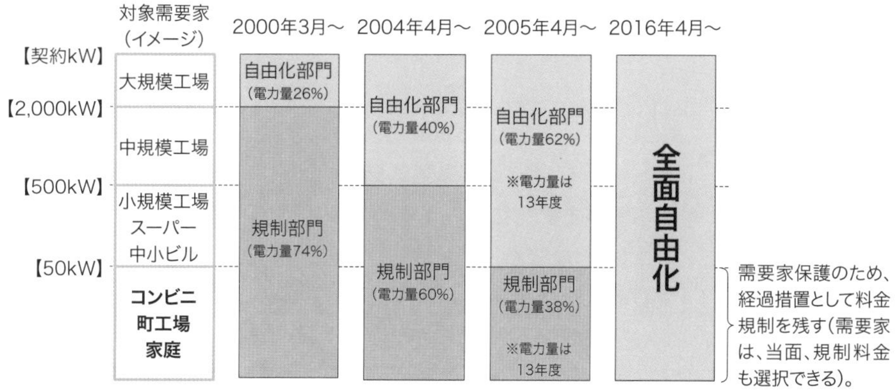

出所：経済産業省資源エネルギー庁webサイト
(https://www.enecho.meti.go.jp/about/special/johoteikyo/history5heisei.html）をもとに作成

ONE POINT

電力・ガスに先駆けて自由化・規制緩和が進展した石油

多くの場合、電力・ガス市場より、石油市場で自由化・規制緩和が先に進められました。日本でも同様で、1980年代後半から石油市場・産業の自由化・規制緩和が段階的に進められ、事業運営に関わるさまざまな規制が撤廃され、石油製品輸入の自由化などが行われました。その結果、石油市場は競争が激しくなり、2000年代以降の石油需要の減少傾向の影響も相まって、自由化・規制緩和前には10社以上あった石油精製・元売り会社の統合・合併が進み、石油産業の再編成が行われることになりました。自由化・規制緩和は個別企業や産業全体にとって大きな影響を及ぼすものです。

Chapter1 08

エネルギーの安定供給を担う3分野 脱炭素化などへの対応も重要に

エネルギー業界の主要3分野は、消費者のためにエネルギーを生産して安定的に供給するという役割を担っています。3分野はそれぞれの事業において、脱炭素化への取り組みを進めています。

エネルギーの生産と安定供給を担う3分野

エネルギー業界には大きく分けて石油、電力、ガスの3つがあり、これら3分野が業界の中心となります。3分野は取り扱うエネルギーが異なりますが、消費者のためにエネルギーを生産して安定的に供給する（運ぶ・販売する）という点で共通しています。

石油分野では、石油の探鉱・開発を行う企業と石油の精製や石油製品の販売を行う企業に分かれています。脱炭素化の取り組みとして、石油業界は事業活動に伴うCO_2排出量の実質ゼロを目指しています。省エネルギーや再生可能エネルギーの活用・開発促進に加え、CO_2フリー水素の活用といった技術開発による精製プロセスの変革やカーボンリサイクルなど、2030年までの革新的技術開発と、その後2050年に向けた社会実装を目指しています。また、石油の安定供給のため、石油備蓄制度が導入されており、一部の企業には民間備蓄が義務付けられています。

石油製品
原油を精製することで生産される製品。燃料油（ガソリン、灯油、軽油など）やLPG、アスファルトなどの製品もある。

電力・ガス分野における脱炭素化の取り組み

電力分野は発電・送配電・小売り、ガス分野は製造・導管・小売りといった企業に分かれます。電力業界では脱炭素化に向けて、供給側では、再生可能エネルギーの主力電源化、原子力の再稼働や既設炉の活用、リプレース・新増設、火力発電の脱炭素化（水素・アンモニアを燃料として利用、CCUS（二酸化炭素回収・利用・貯留）やカーボンリサイクル技術の導入）を推進しています。また、需要側の電化の推進に取り組んでいます。ガス業界では、まずは石油・石炭から天然ガスへの燃料転換を徹底し、さらにガス自体の脱炭素化に向けてCCUSの技術開発・活用や水素の利用、メタネーション技術の開発などに取り組んでいます。

リプレース
建て替え。運転寿命を迎えて廃炉となる原子炉の代わりに、新しい原子炉を建てること。

新増設
新設は、新たに発電所敷地を選んで原子炉を建てること。増設は、既存の原子力発電所敷地内に原子炉を新規に追加すること。

メタネーション
水素とCO_2から都市ガス原料の主成分であるメタンを合成すること。

エネルギー業界の主要3分野の代表的な企業と売上高

【石油】

企業名	概要	売上高（2021年度）
ENEOSホールディングス	傘下のENEOSは元売り国内シェア1位	10兆9,218億円
出光興産	石油元売りとして国内シェア2位	6兆6,868億円
コスモエネルギーホールディングス	傘下のコスモエネルギーは国内の元売り3位	2兆4,405億円
INPEX	海外を中心とした石油・天然ガス開発事業の国内大手	1兆2,444億円
太陽石油	西日本に強みを持つ石油元売りの中堅	6,167億円
三愛オブリ	石油製品や化学品に加え、ガス等の物流、販売事業を展開	5,987億円
富士石油	石油精製専業。旧アラビア石油と経営統合	4,853億円
西部石油	石油精製専業。出光興産グループ	4,800億円
キグナス石油	石油販売事業。全国452か所のサービスステーションを展開	3,495億円
石油資源開発	開発専業。国内外で石油・天然ガス田の探鉱、開発、生産	2,491億円

【電力】

企業名	概要	売上高（2021年度）
東京電力ホールディングス	傘下に送配電や再エネ事業会社等を持つ	5兆3,099億円
関西電力	エネルギー事業のほか、情報通信や不動産事業等も展開	2兆8,518億円
中部電力	再エネ開発や海外事業を推進。東京電力とJERAを設立	2兆7,051億円
東北電力	原子力・火力の活用、再エネ開発を推進。VPP事業化等に取り組む	2兆1,044億円
九州電力	再エネ・原子力を活用。ICTサービスや都市開発事業等も展開	1兆7,433億円
中国電力	原子力や高効率石炭火力・バイオマス等も活用。情報通信事業を強化	1兆1,366億円
北海道電力	原子力を活用しつつ、再エネや海外事業、ガス供給の拡大を目指す	6,634億円
四国電力	再エネ・原子力を活用。情報通信や国際事業の拡大を目指す	6,419億円
北陸電力	水力やバイオマス発電の拡大、地域の課題解決等の新規事業を開拓	6,137億円
沖縄電力	火力発電の比率が高い。再エネ拡大や火力の排出削減に取り組む	1,762億円
エネット	新電力で販売電力量トップ。ガス火力中心、再エネも展開	2,570億円
SBパワー	新電力、通信サービスと組み合わせたメニューも展開	2,561億円

【ガス】

企業名	概要	売上高（2021年度）
東京ガス	電力小売やLNG事業、海外事業の展開、VPP規模拡大等に取り組む	2兆1,451億円
大阪ガス	脱炭素化の技術開発やDX推進、海外事業の拡大等に取り組む	1兆5,868億円
東邦ガス	都市ガスやLPG、電気の供給拡大、再エネ活用に取り組む	5,153億円
西部ガス	電力小売や再エネ活用、不動産事業を強化	2,152億円

COLUMN 1

石油、ガス、電力分野でよく使われるエネルギーの単位

多様な形態をとるエネルギーは、それぞれの特性に応じ異なった単位が利用されています。原油やガソリンなどの石油製品は、「バレル」や「リットル」などの体積を表わす単位で取引が行われています。都市ガスやLPガスについては、ガスが気体の状態で存在している場合の体積を表すm^3（立方メートル）を計量の単位としています。電力に関しては、電気の流れる量（電流）や電気を流す力（電圧）に基づき電力が計測され、1時間当たりの電力消費量が示されます。

下表のとおり、WやWhの前に、k、M、G、Tを付すことでWを基準とした倍数を示すことができます。なお、「MWh」は、電力分野だけでなく、欧州におけるガス取引の単位としても利用されています。

下表では、石油、ガス、電力分野でよく使われるエネルギー単位を紹介します。

■石油、ガス、電力分野の主要単位の名前と意味

	単位名	意味
石油	B、bbl（バレル）	石油製品の体積を表す単位。1バレルは約158.9リットル
	B/D（barrel per day）（バレル／日）	1日当たりに生産や処理される原油のバレル数
	gallon（ガロン）	米国等でガソリンなどに使用される単位
	boe（barrels of oil equivalent）	石油換算バレル。天然ガスの体積単位（立方メートルなど）を原油の体積単位に換算した値
	boe/d（barrels of oil equivalent per day）	石油換算バレル/日。石油換算バレルでの日量
	t（tonne）（トン）	質量単位。比重によるが、おおむね1トン=7.3バレル程度
ガス	Pa（パスカル）	都市ガスの圧力の単位
	J（ジュール）	ガスが燃焼することで発生する熱量の単位
	m^3（立方メートル）	LPガスや都市ガスが気体の状態での体積を表す単位。1m×1m×1mの立方体
	cf（cubic feet）（キュービックフィート）	立方フィート。「bcf」は、10億立方フィート（bはbillionを意味する）、「tcf」は、兆立方フィート（tはtrillionを意味する）
	Nm^3（ノルマルリューベ）	0℃1気圧の標準状態に換算した場合の1m^3当たりのガス量。主に排出ガス量等を表すのに用いる単位
	BTU（British Thermal Unit）（英国熱量単位）	天然ガス取引で利用される単位
電力	A（アンペア）	電気の流れる量（電流）
	V（ボルト）	電気を流す力（電圧）
	W（ワット）	電力を表す単位。電力（W）＝電圧（V）×電流（A）
	Wh（ワットアワー）	1時間当たりの電力量。電力量（Wh）＝電力（W）×時間（h）
	kW（キロワット）	Wの1,000倍を表す単位。1kW＝1,000W
	kWh（キロワットアワー）	1kWの機器を1時間使用したときの電力量
	MW（メガワット）	Wの100万倍を表す単位。1MW＝1,000kW＝1,000,000W
	MWh（メガワットアワー）	1MWの機器を1時間使用したときの電力量
	GW（ギガワット）	Wの10億倍を表す単位。1GW＝1,000MW＝1,000,000kW
	GWh（メガワットアワー）	1GWの機器を1時間使用したときの電力量
	TW（テラワット）	Wの1兆倍を表す単位。1TW＝1,000GW＝1,000,000MW＝1,000,000,000kW＝1,000,000,000,000W
	TWh（テラワットアワー）	1TWの機器を1時間使用したときの電力量

出所：石油資源開発株式会社（JAPEX）、ENEOSホールディングスHPなどを参照の上筆者作成

第2章

電力・石油・ガスの基礎知識

電力・石油・ガスは、エネルギー業界の中心となる主要3分野です。本章では電力・石油・ガスそれぞれの言葉の定義や用途、生産方法、消費量の変遷などを解説していきます。

Chapter2
01

電気が持つエネルギー

電力とは電気が持つエネルギーのことであり、現代社会では電気を利用することでさまざまな仕事やサービスが提供されています。利用時に二酸化炭素を排出しない電気は、将来の脱炭素社会を支える存在です。

電力とは電気が持つエネルギー

エネルギーには運動エネルギー、位置エネルギー、熱エネルギー、化学エネルギー、電気エネルギーなどがあります。自然界、人間社会ともにエネルギーを活用することで成り立っています。

電気エネルギーは自然界では雷や静電気に代表されるような形で存在していますが、これを人間が自由に活用することは容易ではありませんでした。電気エネルギーを電力としてまとまった形で人間が活用できるようになったのは、電池や蒸気機関のようにほかのエネルギーを電気のエネルギーに変換できる技術の開発によるものです。

また、近年では風や太陽が持つエネルギーを電気として利用する技術の開発が進んでいます。

現代社会と将来の脱炭素社会を支える電力

電気エネルギーは、送電線を通じて一瞬で需要地へ送ることができます。また、電気は利用時の可燃性が低く、電気エネルギーからは熱エネルギーや運動エネルギーへ変換できるため利便性が高いエネルギーです。例えば**ヒートポンプ**を用いたエアコンは電気エネルギーを冷暖房の熱エネルギーに変換し、モーターは電気エネルギーを運動エネルギーに変えてものを動かしています。

エネルギーの中でも利用時に二酸化炭素を排出しない電気は**脱炭素社会**を支える存在であり、ほかのエネルギーからの置き換えが期待されています。

脱炭素社会の実現のためには環境への影響を抑える形で大規模な電力を確保し、さまざまな用途に使える電気エネルギーをロスなく利用することが求められています。

ヒートポンプ
冷媒を用いて空気等から熱を回収し利用する技術。エアコンや冷蔵庫、給湯器等に利用されている。

脱炭素社会
人間の社会活動に伴う二酸化炭素の排出について、植物による吸収などを含めて実質的な排出量ゼロを達成している社会。

風車による電気エネルギーへの変換

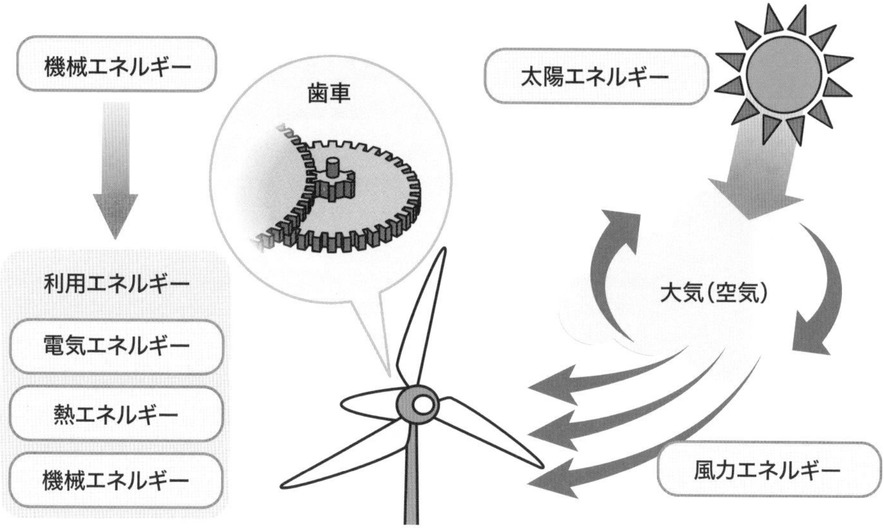

出所：特定非営利活動法人自然エネルギー・環境協会（REO）（http://green-reo.com/natural/wind.html）をもとに作成

ヒートポンプの仕組み

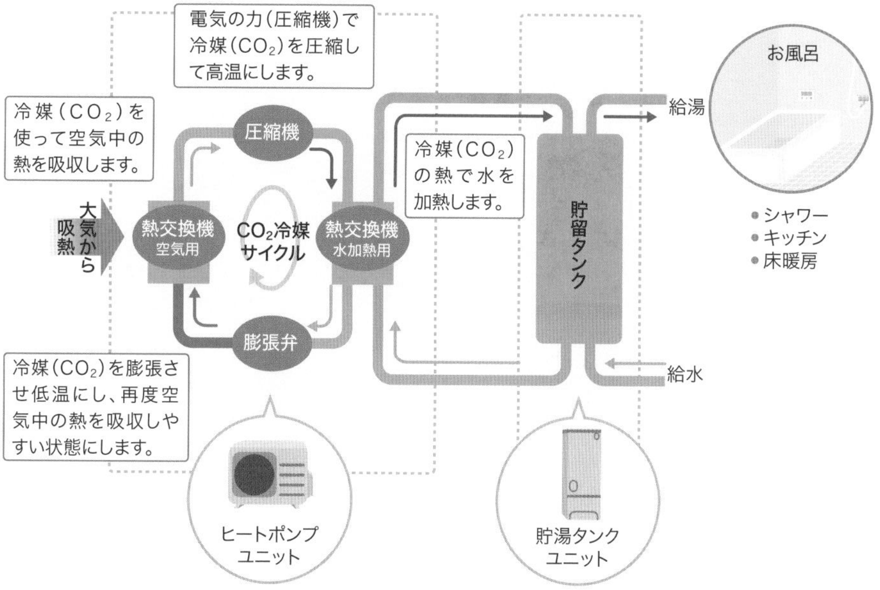

出所：パワーアカデミー「第4回 ヒートポンプと打ち水　ヒートポンプの元祖は、「打ち水」でした。」（https://www.power-academy.jp/electronics/familiar/fam00400.html）をもとに作成

Chapter2
02

電力はどのように使われているか

さまざまなエネルギーの橋渡し役 用途に応じた電気の利用

電気エネルギーは、発電機の回転や化学反応等の多様な方法で取り出すことができます。発電された電気のエネルギーは運動エネルギーや熱エネルギーに変換することもできるため電気は利便性の高いエネルギーです。

さまざまなエネルギーの橋渡し役となる電気

現代社会では、電気エネルギーは化石燃料を燃焼させる発電機や化学反応で得られるエネルギーを取り出す乾電池のように、ほかのエネルギーを変換して電力として活用されています。

電力の特有の用途として半導体を活用した機器を中心に直接電気エネルギーを利用している事例のほかに、モーターを回す回転エネルギーや熱エネルギーに変えることも容易なため、電気はさまざまなエネルギーの橋渡し役として活用されています。ただし、ほかのエネルギーへの変換にはロスが生じるため、効率的なエネルギーの利用のあり方の検討が進められています。

用途に応じた電気の利用と電力の確保

私たちの家庭の中でも、エアコンや一般的な家電機器はすべて電気エネルギーを用いて動いています。家庭によっては、調理の際にガスではなく電気を使っていることもあると思います。また、自動車もガソリン自動車から電気自動車への移行が進められているところです。

可燃性の化石燃料に対して安全に利用できることもあり、私たちの生活のあらゆる場面で電力の活用（**電化**）が進んでいます。他方で高温の熱を利用する工場や高い**エネルギー密度**が求められる航空機では電力ではないエネルギーのほうが向いていることから、社会全体として多様なエネルギーの組み合わせが重要になります。

ほかのエネルギーと比較してエネルギーをためることが難しいと言われる電気エネルギーの課題を克服し、効率的な利用を進めることが、脱炭素社会に向けてさらに重要になってきています。

電化
電力を利用して動力、光、熱等のエネルギーを得ること。エネルギー源を化石燃料などから電気エネルギーに変えることを指す場合が多い。

エネルギー密度
単位体積当たり、もしくは単位重量当たりなど、ある単位の物質が持つエネルギー量。

電気エネルギーとほかのエネルギー

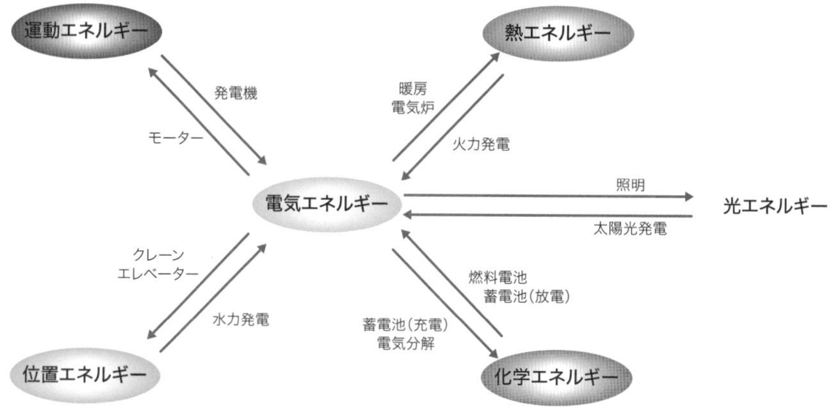

出所：パワーアカデミー「第15回 野球と電気エネルギー万能選手！電気は多才なエネルギー」(https://www.power-academy.jp/electronics/familiar/fam01500.html) をもとに作成

暮らしと電気エネルギー

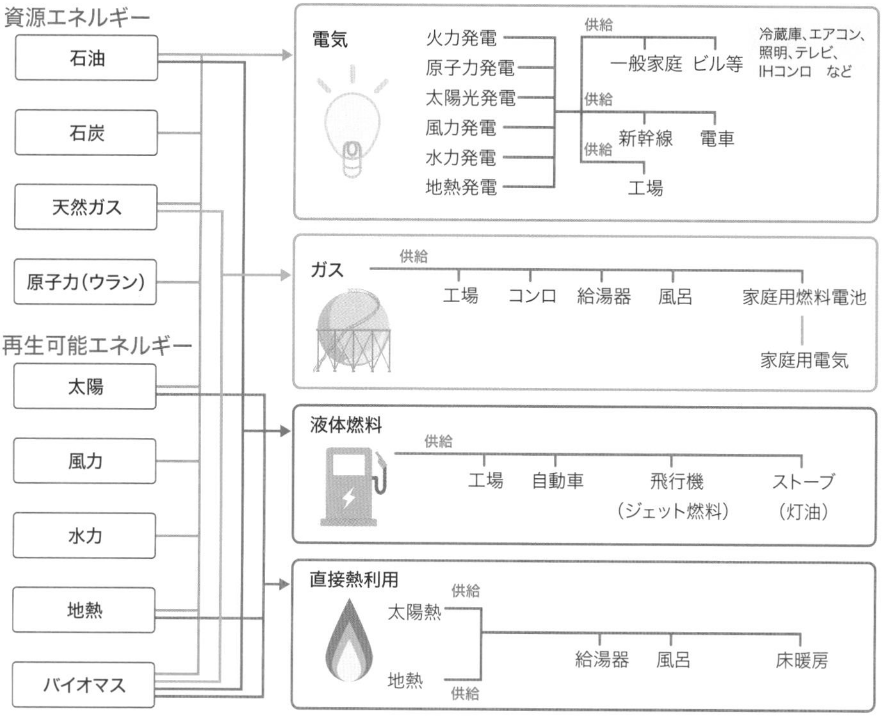

発電方法

Chapter2
03

多様な発電方法の活用 効率的な資源利用と電源の多様化

発電方法として、火力発電、水力発電、原子力発電など多様な技術が開発されてきました。資源の種類や量に合わせて発電方法を組み合わせることで効率的に電力を得ることを目指しています。

多様な発電方法の活用

現在最も多く使われている発電方式は、化石燃料を燃やして得られた蒸気を利用して発電機を動かす火力発電です。火力発電の発電機は磁石を回転させることで磁界が変化しコイルに電流が流れる現象を活用したものであり、磁石を回す動力に化石燃料を燃やした熱エネルギーを利用した発電といえます。同様に磁石を回す動力に水の力を用いれば水力発電であり、風の力を用いれば風力発電になります。原子力発電はウラン等の**核分裂**によって得られる熱エネルギーを用いて蒸気タービンを回して発電しています。

核分裂
ウランなどの質量数の大きい重い原子核がほぼ同等の質量数を持つ２つ以上の原子核に分裂する現象。分裂時に大量のエネルギーを放出する。

一方で、太陽光発電は半導体に光が当たる際に電流が流れる現象を利用して太陽の光エネルギーを電気エネルギーに変換する発電方法です。

このほかにも水の電気分解とは逆向きに水素と酸素を化学反応させて電気を取り出す燃料電池や化学反応を用いた乾電池、また、海水の温度差を利用した海洋温度差発電等もあります。

効率的な資源利用と電源の多様化

各国、各地域の資源の特性に合った発電方法を適用することで効率的なエネルギー利用を進めています。また、環境問題の観点から汚染物質の排出や電源の開発に伴う環境破壊を抑えることも重要であり、地域環境に合った発電方法が検討されています。

発電された電気は発電方法によって電圧の高さ、電流の量や**交流と直流**の違い等があります。また、電気は大量に貯蔵することが難しいため、多様な方法で発電された電気を安定した電圧、電力量に調整し、消費者に使いやすい形で送り届けながら瞬時の需給バランスを合わせていく役割が重要になります。

交流と直流
交流とは電気の流れる向きや電流、電圧が周期的に変化する流れ方であり、直流はこれらが周期的に変化しない流れ方。

交流発電の仕組み

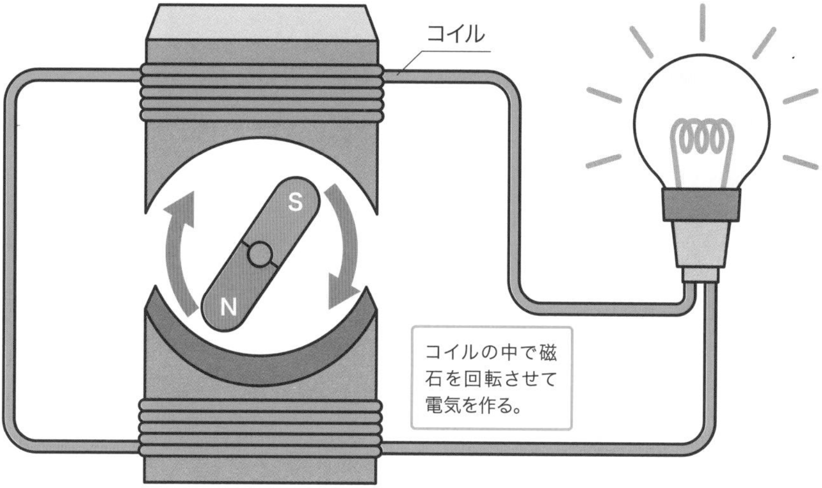

火力発電の仕組み

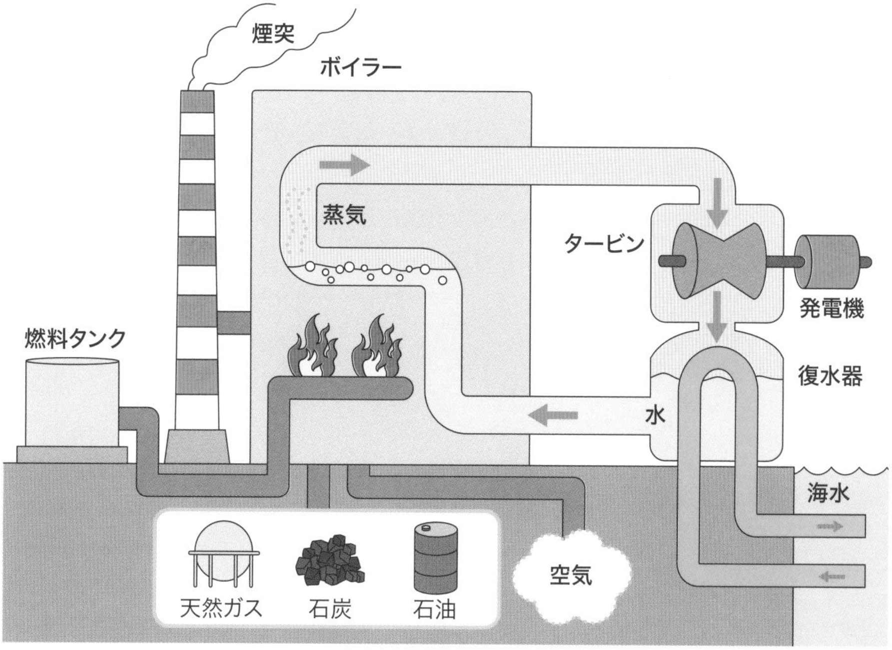

電力消費量の変遷

Chapter2 04

電力消費の拡大から省エネの進展 1日の電力需要の変化と電化の影響

電力の消費量は、戦後の経済成長とともに堅調に増加してきましたが、2010年ごろからは減少傾向になっています。将来の脱炭素には化石燃料から電力への転換が重要であり電力消費量の伸びが見込まれています。

経済成長を支えた電力消費の拡大から省エネへ

戦後の経済成長の下で、産業の規模の拡大や一般家庭の生活レベルの向上に伴って電力の消費量は堅調に伸びてきました。1973年の**石油危機**後も電力消費は増加しており、1965〜1990年の25年間で電力消費量は4.7倍に増加し、1990年時点では電力消費量に占める産業部門のシェアは56%に上りました。1990年以降は産業部門の電力消費は生産活動の伸び悩みと省エネの進展により減少傾向となりました。同時期に電力消費量の伸びをけん引した家庭や、オフィス等の**業務他**の部門でも2000年以降は家電機器の保有率が飽和することに伴って横ばいから2010年ごろをピークに減少傾向となりました。結果として1990〜2015年までの25年間での電力消費量の伸びは1.2倍程度にとどまり、電力消費量のシェアは産業、業務他、家庭の各部門でおおむね3分の1ずつとなっています。

今後は脱炭素に向けて電化を推し進めることが検討されており、電力消費量の伸びが見込まれています。

1日の電力需要の変化

電力の使い方としては夏の昼間に需要のピークに達する傾向にあり、夏の昼間と夜間の電力需要の差が拡大してきました。1975年では夜と昼の電力需要の差は40百万kW程度でしたが、2001年には100百万kW程度に拡大しており、1日の間で発電設備の出力をより大きく変動させることが必要になっていました。

近年は省エネの取り組みや消費者自らが太陽光発電を設置する事例が増えたことで、太陽光発電が発電しない冬の夕方に**系統から供給される電力**の需要のピークがくることが増えています。

石油危機
1973年の第四次中東戦争、1979年のイラン革命を契機に原油の供給ひっ迫および原油価格の高騰が発生し、世界経済に大きな影響を及ぼした。

業務他
資源エネルギー庁「総合エネルギー統計」の分類名。最終エネルギー消費のうち、第三次産業（電気ガス熱供給水道業、情報通信業、運輸業・郵便業、卸売業・小売業など）に属する法人や個人の産業活動により事業所内で消費されたエネルギーやほかのどの部門にも属さない最終エネルギー消費を表現する部門のこと。

系統から供給される電力
電力系統から供給される電力。近年は太陽光発電等の普及が進んでおり電力系統からの供給を受けず自家発電で需要を賄う需要家も増加している。

部門別電力最終消費の推移

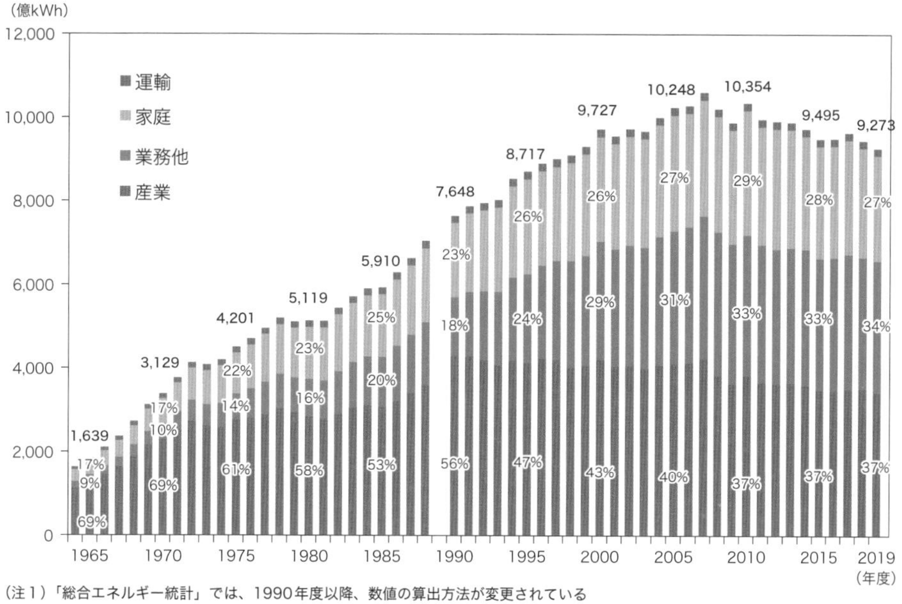

(注1)「総合エネルギー統計」では、1990年度以降、数値の算出方法が変更されている
(注2)民生は家庭部門および業務他(第三次産業)。産業は農林水産鉱建設業および製造業
出所:経済産業省資源エネルギー庁「総合エネルギー統計」をもとに作成

最大電力発生日における1日の電気使用量の推移(10電力※計)

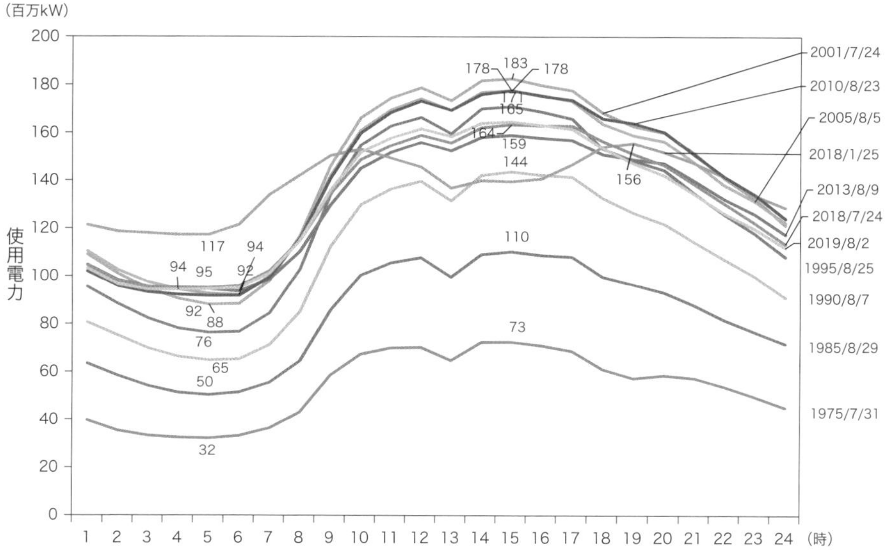

(注)1975年度は沖縄電力を除く。出典:電力広域的運営推進機関「系統情報サービス」
※北海道電力、東北電力、東京電力、中部電力、北陸電力、関西電力、中国電力、四国電力、九州電力、沖縄電力
出所:経済産業省資源エネルギー庁「令和3年度エネルギーに関する年次報告(エネルギー白書2022)」をもとに作成

Chapter2
05

原油や石油製品の総称で、エネルギー源の中心の炭化水素

石油は油田から生産されたままの原油と、それを精製して製造するガソリンや軽油などの石油製品を合わせた総称です。貯蔵や運送などにおける取り扱いやすさなど、バランスの取れた特徴からも利便性の高いエネルギーです。

石油とは炭化水素を主な成分とする液体の資源

原油は、炭素と水素が結合した炭化水素を主な成分とする液体の資源で、その生成過程は海や湖で繁殖したプランクトンなどの死骸が岩石になる途上、有機物となったものです（右図参照）。

この原油やそれから精製される石油製品の総称たる石油は、古くから世界各地で利用されてきました。近代石油産業は、1859年にドレークが米国で石油試掘に成功したことによって始まりました。当初はランプ用燃料として使用され、その後自動車保有数の増加とともに、特に輸送部門を中心に原油から製造される石油製品の需要は急増しました。需要が増えたことに呼応し、供給面ではシェールオイル（p.40参照）などの技術革新もあり、原油生産量も著しく増加していきました。

ドレーク
(Edwin L. Drake)
米国人起業家。ペンシルバニア州タイタスビルで蒸気機関を利用した掘削機で試掘を行い、1859年8月に原油を発見した。

使い勝手のよいバランスの取れたエネルギー

石油と同じ化石燃料には石炭と天然ガスがあります。どれも炭化水素を主成分にするという点で同じです。一方常温で石油は液体であるのに対して石炭は固体、天然ガスは気体という違いがあります。貯蔵や輸送面など取り扱いという点では石油が最も便利です。暖房用の灯油として販売されるなど、常温で容易に取り扱うことができます。石炭はかさばるほか、大量に貯蔵すると自然発火する恐れがあります。また、メタンが主成分の天然ガスは、大量に貯蔵しようとすれば超高圧か－162℃以下の超低温にしなければなりません。エネルギー密度は重量当たりでは水素の含有量が多い天然ガスが、体積当たりでは炭素の含有量が多い石炭が有利ですが、石油は常温でも液体で、熱を作るための燃えやすさも考えると総合的にバランスが取れています。

常温
一般的にJIS規格では5～35℃。なお寒冷地用JIS石油製品規格では–30℃まで液体仕様となる。

石油誕生までの生成過程

①有機物と土砂の堆積

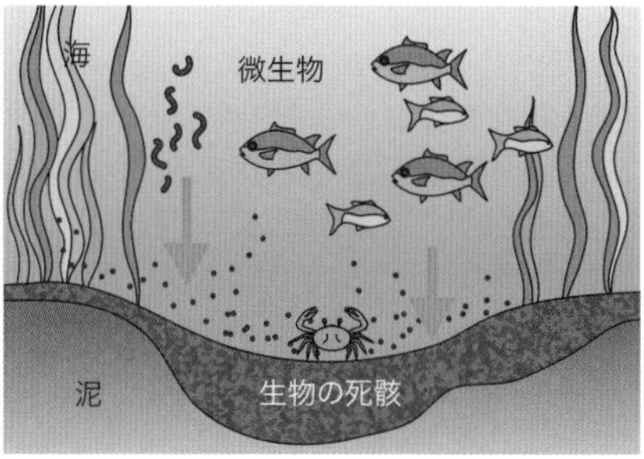

海や湖にいた植物性プランクトンや藻類、それらを餌に育った生物などの死骸が、砂や泥で覆われる。

②ケロジェンの生成

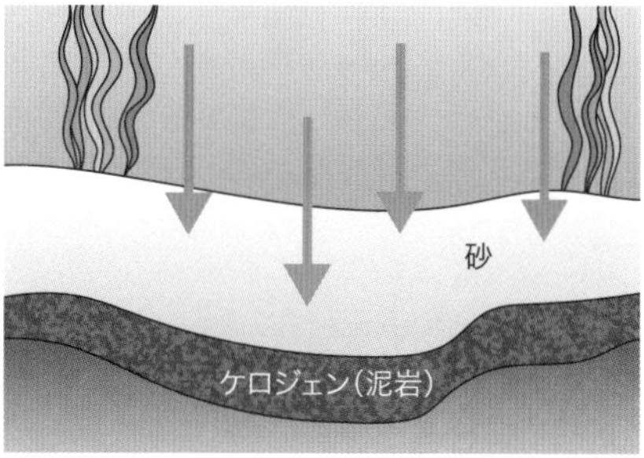

海底に堆積して岩石となる途上で、有機物が重なり合ったケロジェンと呼ばれる泥岩となる。

③熟成・石油の生成

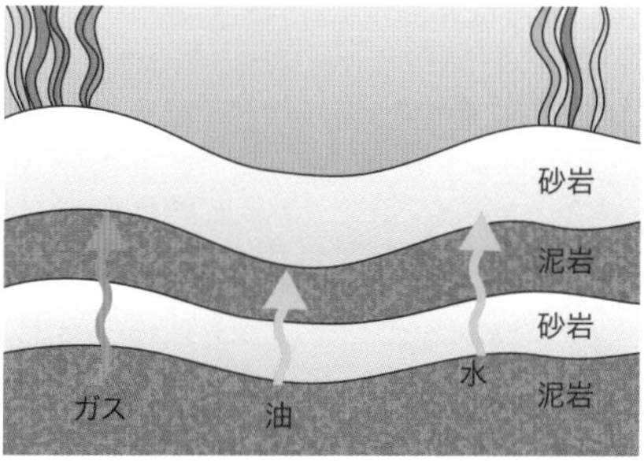

長い時間にわたって、バクテリアや地熱の作用を受け、石油系炭化水素に変化する。

④石油の移動・集積

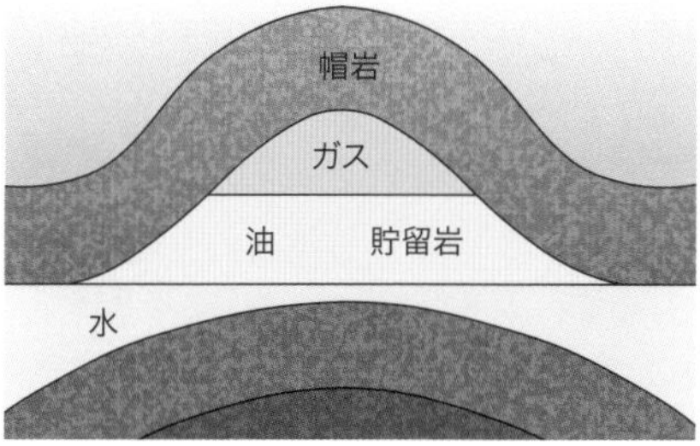

このようにしてできた石油は、地下の圧力で上へ上へと移動し、湾曲した岩石の下の隙間にたまっていく。

出所：石油連盟「石油のQ&A」をもとに作成

化石エネルギーの特徴

	石炭	石油	天然ガス
常温で	個体	液体	気体
貯蔵、取扱い	△	○	△
重量当たりのエネルギー密度	△	○	◎
体積当たりのエネルギー密度	◎	○	△
燃えやすさ	△	○	◎

出所：IEEJ 久谷研究理事作成資料をもとに作成

Chapter2
06

石油資源の種類

比重や硫黄の含有量による分類と生産方法による分類

石油は比重や硫黄分の含有率でも価値が異なり種類分けされます。また世界で生産されている原油は生産方法により在来型と非在来型に分かれます。非在来型石油が大きく拡大しましたが、生産の主力は在来型石油です。

比重と硫黄含有量による分類と価値

原油の特徴を表す主な指標には、比重と硫黄の含有量があります。比重にはアメリカ石油協会が定める**API比重**がよく使われます。API比重の高い軽質な原油は粘度が低いため生産やその後の精製における取り扱いが容易で、ガソリンや軽油を多く作ることができるため、価格は高めになります。逆に重質油は粘度が高いため生産や輸送、精製に手間がかかり、取引価格は安くなります。

硫黄については、硫黄を含む硫化水素の多寡に応じて、**スイート原油とサワー原油**があります。硫化水素は腐食性があり、燃焼すると酸化硫黄（SOx）が発生し大気汚染の原因になります。精製の過程で取り除きますが、硫黄が少ないほど除去の手間が少なく、より高値で取り引きされます。

生産方法による在来型、非在来型それぞれの特徴

在来型石油は硬い岩盤に覆われているため、ドリルで到達すると油田から自らの圧力によって噴き出してきます。生産を続けると圧力が次第に低下していきますが、ポンプを使ってくみ出します。一方、非在来型原油は硬い地層の中に閉じ込められており、固い岩石をドリルで掘削しただけでは自噴せず、地下から取り出すことができませんでした。そこで、**シェールオイル**と呼ばれる非在来型原油が2000年に入り、原油価格高騰に伴いアメリカなどで開発が進みました。従前より在来型でも技術革新や経済性の改善により原油の確認埋蔵量は増加を続けています。需要量の増加にもかかわらず可採年数は1975年の35年から50年近くに伸び、うち非在来型は急速にその生産量を伸ばすアメリカで、約1億**B/D**の世界需要に対し約8百万B/D（IEA）となっています。

API比重
アメリカ石油協会（American Petroleum Institute）の規格総称。比重（体積当たりの重量で、大気圧4℃の水を1とする）の逆数を使って計算。API比重が高いほど比重は小さく軽質な原油、API比重が低いほど比重は大きく重質な原油と区分される。

スイート原油とサワー原油
硫黄と水素の無機化合物である硫化水素の含有量が0.04mol％未満のものをスイート原油、多いものをサワー原油という。

シェールオイル
頁岩（けつがん）層という硬い地層に閉じ込められている原油。水圧で岩盤に亀裂を入れる高圧粉砕といった特殊な生産方法を用いて原油を取り出す。

B/D
Barrel per Day。一日当たりの石油生産、消費量を示す。1Barrel（バレル）は159L。p.87参照。

比重（API比重）による原油の区分

分類	API比重
超軽質原油	39.00以上
軽質原油	38.99-34.00
中質原油	33.99-30.00
重質原油	29.99-26.00
超重質原油	26.00未満

出所：石油学会webサイト（https://www.sekiyu-gakkai.or.jp/jp/dictionary/petdiccrude.html）をもとに作成

シェールオイル・シェールガス掘削の仕組み

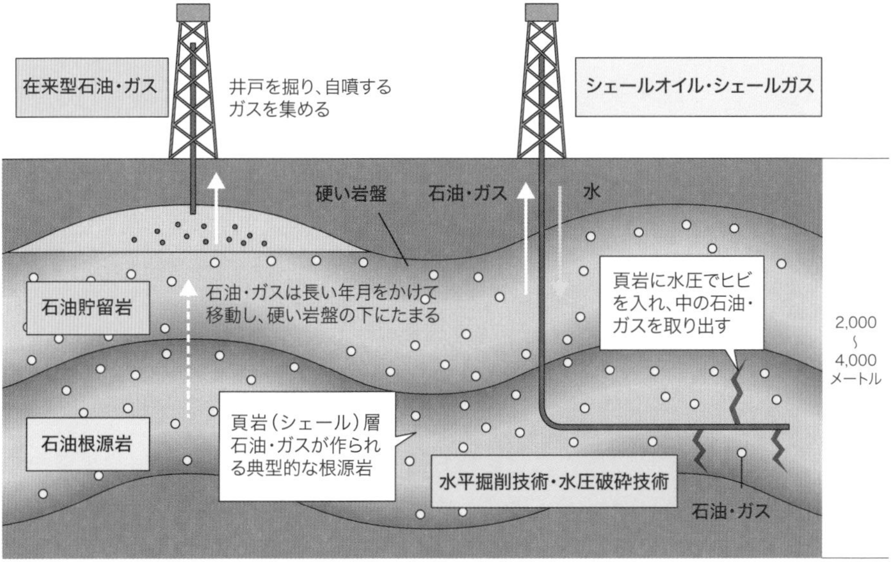

出所：石油連盟「今日の石油産業2022」をもとに作成

ONE POINT

在来型原油の成り立ち

在来型原油が熟成される地層を石油根源岩、また地殻変動や圧力で近隣の岩石の隙間に排出、移動、集積された地層を石油貯留岩と呼びます。原油はこの貯留岩の上に硬い岩盤からなる帽岩（ぼうがん。200mの厚さにも達する岩石）で上部を覆われた石油鉱床に蓄積され、貯留岩の隙間にしみ込んだ状態で存在しています。

石油はどのように使われているか

Chapter2
07

最も多く消費しているのは運輸部門

石油は世界で最も多く利用されているエネルギー源です。国内外を問わず石油を最も多く消費しているのは運輸部門、中でも自動車用燃料、ほかにも石油化学原料などの産業用や灯油などの民生等幅広い用途があります。

消費量の中心は自動車の燃料

石油を最も多く消費しているのは自動車等輸送用で、世界の石油消費の過半を占めています。

自動車のほかには、さまざまな産業で石油が利用されています。産業では、蒸気などを作るエネルギー源として石油を使うほか、プラスチックなど化学品の原料としても利用されています。このほかには建物で暖房や調理のエネルギーとして石油が利用されているほか、発電などにも消費されています。石油の需要は伸び続けていますが、内訳に目を転じると、**途上国での増加**が顕著な一方、先進国はエネルギー効率の改善や省エネ等により自動車用と化学品の原料用以外の消費量は次第に減少する傾向にあります。

途上国での需要増加
国際エネルギー機関（IEA）によれば、過去2010年から2020年の10年間で中国、インドや東南アジア、アフリカの石油需要は7百万B/Dの増加となっている。

国内でも幅広い多様な用途

日本国内に目を転じると、ガソリンは国内燃料油消費の約30％を占め、軽油と合わせて主に全国の給油所で一般消費者に販売されています。ジェット燃料は航空会社や自衛隊などに販売され、軽油や重油は船舶用燃料としても使用されています。石油化学原料用**ナフサ**は、燃料油消費の約25％に上り、産業用として石油化学会社へ販売されています。またほかにも軽油などは発電用のディーゼルエンジン燃料や工場での機械洗浄・塗料などの使用目的でメーカーに納入され、潤滑油は自動車メーカーなど、アスファルトは建設会社などで利用されています。

ナフサ
石油製品の1つでLPGの次に沸点が低い留分。ナフサからはエチレンやプロピレンなどの基礎化学品が作られ、プラスチックや合成繊維などの原料となる。

その他民生用として灯油は、暖房・給湯用として給油所などでの販売のほか、病院や学校などの公共施設などで利用されています。灯油需要は燃料油消費の9％程度、オール電化などの進展により減少傾向にあります。

世界と日本国内の用途別石油需要（2020年）

	世界（百万トン）	世界のシェア（%）	日本国内（百万トン）	国内のシェア（%）
輸送用燃料	2,268	63%	64	44%
産業用原・燃料	963	27%	51	35%
民生業務用燃料	215	6%	20	14%
発電用燃料	154	4%	11	8%

出所：IEA WEO2021、日本エネルギー経済研究所　　エネルギー・経済統計要覧2022をもとに作成

わが国の石油製品別（燃料油）需要の推移

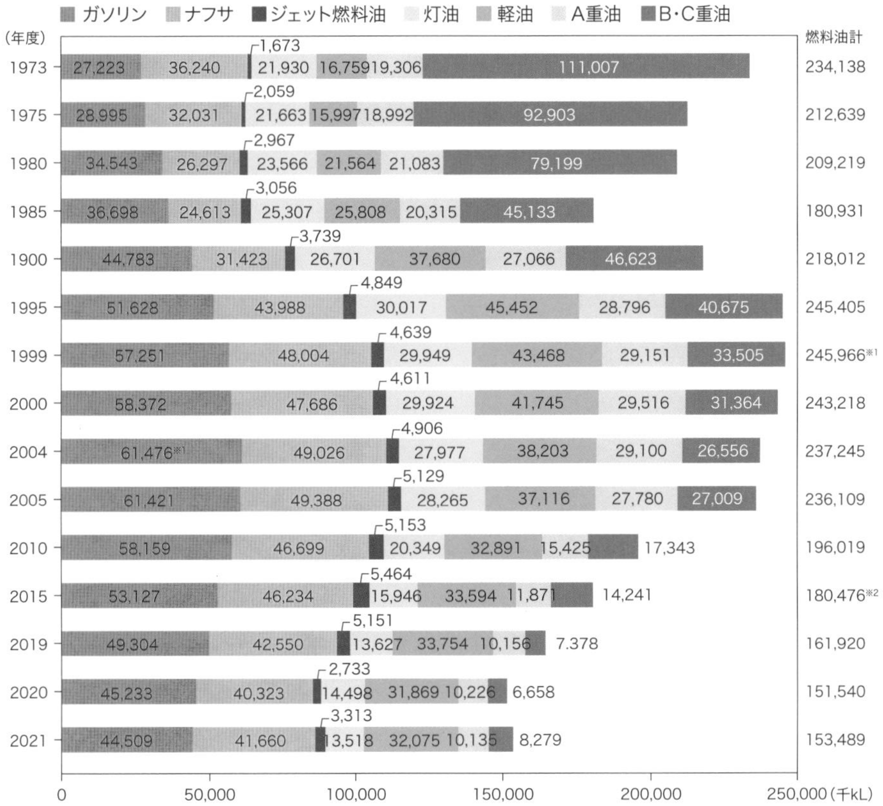

※1　1999年度は燃料油計、2004年度はガソリン、それぞれの需要の最大値
※2　2015年度の実績は、資源・エネルギー統計が遡及修正されたがその修正値が公表されていないため、公表されている修正前の数値を掲載
（注）四捨五入の関係により合計が一致しない場合がある
出所：経済産業省「資源・エネルギー統計」出所：石油連盟「今日の石油産業2022」をもとに作成

Chapter2
08

沸点の違いを利用して原油を分離

基本的に石油製品は、それぞれの成分の沸点の差を利用して石油を分離し製造します。石油には、特定の製品だけを製造することができない「連産品」という特徴があります。

常圧蒸留装置
トッパーとも呼ばれる細長く高い塔で、中には数十段のトレーが設置されている。

さまざまな処理
常圧蒸留装置以降も製品化に向けて、製油所では硫黄分を取り除く脱硫、ガソリンのオクタン価向上のための改質、さらに成分を分解するなどの二次処理精製プロセスが続く。p.100参照。

原油精製のプロセスはまずは常圧蒸留装置での分離

石油製品は、沸点の差を利用して製造します。原油を約350℃に加熱して蒸気になった原油を常圧蒸留装置に吹き込みます。

常圧蒸留装置の下部へ注入された高温の原油蒸気は、重油などの重たい成分は塔の下部にとどまり、ガソリンなどの軽い成分は上の方へ移動していきます。その結果、塔の中には、密度の違いによる上下方向の分布ができ、これをトレーで回収します。

このように沸点を利用して分離された石油は、さまざまな処理を加えて石油製品になります。最も軽い成分は気体のまま蒸留装置の上部から取り出され、LPガスの原料や、製油所内で使う燃料になります。次に軽い成分は、ガソリンやさまざまな化学品の原料であるナフサになります。その次は灯油やジェット機の燃料に、その次は軽油になります。最も重い成分は、重油や潤滑油、アスファルトなどになります。

石油は連産品

原油は沸点を利用した蒸留によって多品種の石油製品を同時に製造しますが、このことは原油からは必ず多品種の石油製品が同時に製造されてしまう、と言い換えることもできます。例えば原油からガソリンだけを作るということができないのです。この特徴を「石油は連産品である」といいます。

現在の社会では、自動車用のガソリンや軽油の需要が多く、逆に重油の需要は少なくなっています。ガソリンや軽油だけを多く作ることはできません。さまざまな工夫によってガソリンや軽油の製造割合を増やすことが行われていますが、そのためには専用の装置が必要で、コストアップの要因になります。

石油精製の原理

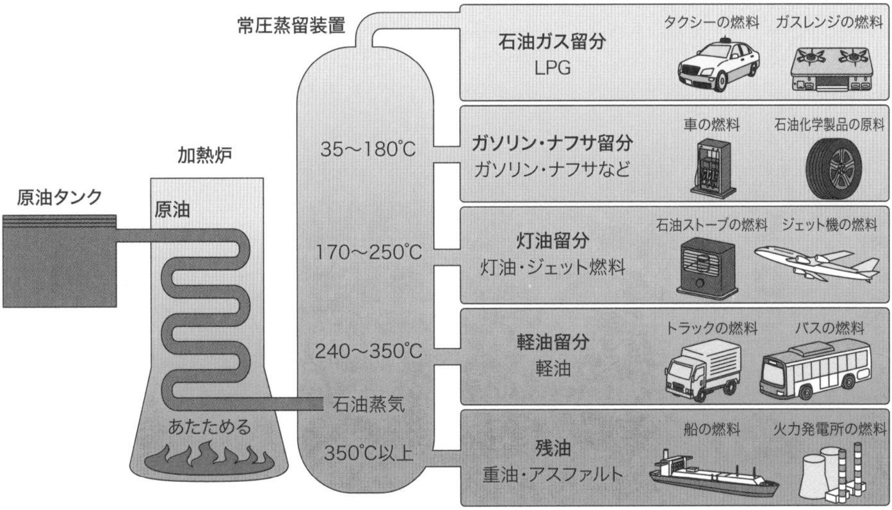

出所：石油情報センターwebサイト「What's石油」（https://oil-info.ieej.or.jp/whats_sekiyu/1-11.html）をもとに作成

各成分の沸点の範囲

ガス分	メタン（沸点－163℃） エタン（沸点－89℃）
LPG	プロパン（沸点－42℃） ブタン（沸点－1℃）
ガソリン	35〜180℃
灯油	170〜250℃
軽油	240〜350℃
残油	350℃以上

出所：ENEOSwebサイト「石油便覧」（https://www.eneos.co.jp/binran/part01/chapter02/section03.html）をもとに作成

ONE POINT

オクタン価

車の異音や振動、すなわち、いわゆるノッキングを生じさせる度合いがオクタン価で変化します。オクタン価が高いほどノッキングは生じにくく、ハイオクガソリン規格はオクタン価が95以上、レギュラーガソリンの85以上のオクタン価指標より高くなっています。

石油消費量の変遷

Chapter2 09

日本の消費量は減少傾向 世界では特に新興国で増加傾向

日本では約50年前は75%あった一次エネルギーの石油依存度はエネルギー源の多様化等により40%弱まで低下し消費量も減少しています。一方、世界の消費量は増加しており特に新興国での消費量は増加傾向にあります。

減少する日本の石油需要

日本のエネルギー最終消費は技術革新に伴う省エネ、産業構造や人口構成の変化に伴い、2000年をピークに減少に転じています。全体の総需要が減少する中、一次エネルギーの中ではGHG排出量の少ない天然ガスや再生可能エネルギーなどのシェアが伸び、石油の消費量が減少しているのです。特に1980年にその約半分を占めていた発電部門での石油消費が大幅に低下しました。一方でガソリンや軽油などの運輸用の燃料や石油化学原料としてのナフサ需要は根強くあります。

一次エネルギー
例えば電化や化学変換プロセスなど人為的加工を経ない、自然界にそのまま存在するエネルギー源。原油やガスなどの化石燃料はもとより太陽光や風力、薪や木炭など。

GHG
Greenhouse Gas（温室効果ガス）のこと。地表面から宇宙への熱の放出を逃がさず吸収する性格の二酸化炭素やメタンなどを指す。

世界では消費量増加の中心は自動車と発展途上国

世界の石油消費量は増え続けています。1971年の世界の石油消費量は約2,400百万石油換算トン（Mtoe）でした。コロナ禍によって世界の石油需要は減少したにもかかわらず、これが2020年には1.7倍の4,100Mtoeになりました。近年は太陽光や風力などの再生可能エネルギーへの注目が集まり消費量が増えていますが、石油と比較するとその量はまだ約2割にすぎません。ほかに石炭や天然ガス、原子力などさまざまなエネルギーの消費量も増えていますが、現在でも、石油が世界で最も多く利用されているエネルギーです。

過去を振り返ると、石油消費の中心は先進国でした。しかし、先進国では日本同様に経済の成熟や省エネルギー等により消費量の伸びが鈍っています。日本の世界需要に占めるシェアは3.6%(2020年IEA)、一方、発展途上国では石油消費量が急増しており、2013年にはついに世界の半分を超えました。なお、世界の石油消費はアメリカ、中国、欧州、インド等が多く多数を占めます。

日本の一次エネルギー供給構成の推移

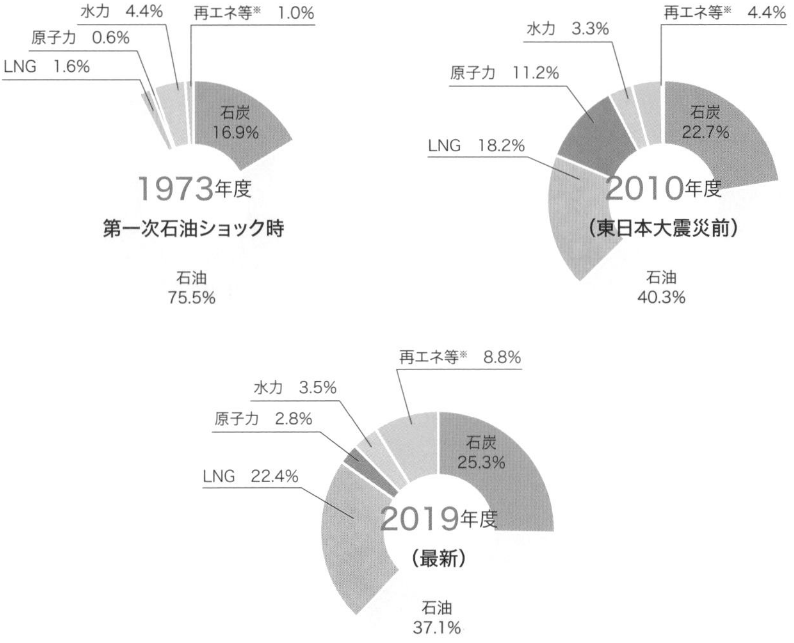

出典：経済産業省資源エネルギー庁「総合エネルギー統計」の2019年度確報値
※四捨五入の関係で、合計が100%にならない場合がある
※再エネ等（水力除く地熱、風力、太陽光など）は未活用エネルギーを含む
出所：経済産業省資源エネルギー庁 広報パンフレット「日本のエネルギー 2021年度版」をもとに作成

日本国内のエネルギー源別最終消費の推移

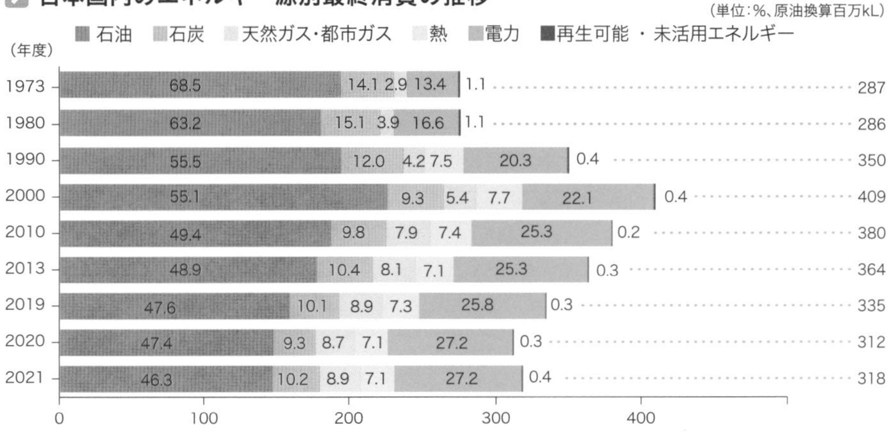

出所：経済産業省「総合エネルギー統計」をもとに作成

Chapter2
10

普段の生活で使用する都市ガスとLPガス

エネルギーとして利用される気体、すなわちガスは、まず普段私たち（一般消費者）が使う「都市ガス」と「LPガス」があります。これに加え、火力発電所でも発電用燃料として、ガスが使われています。

都市ガスとLPガスでは成分が違う

都市ガスは、メタンを主成分とするLNG（液化天然ガス）や、少量ですが日本でも生産される天然ガスから製造されます。LNGは、海外からタンカーで輸送するため、天然ガスを超低温に冷却・液化し体積を600分の1にしたものです。LPガスは、プロパン・ブタンを主成分とするLPG（液化石油ガス）から製造されます。LPガス（いわゆるプロパンガス）は都市ガスより体積当たりでは2.2倍の火力（熱量）があります。

都市ガスとLPガス、発電用ガス（LNG）は供給方法が違う

都市ガスは、地下などにあるパイプライン網を通じて供給されます。LPガスは、ガスが入ったボンベを事業者が配送します。ボンベ内のガスが消費されるため、定期的に入れ替えが必要です。配送面でコストもかかるため、価格が高くなる傾向にあります。一方で都市ガスのパイプライン網の整備にもコストがかかるため、全国には行き渡らず日本では両形態の小口需要家件数が拮抗していますが、近年は都市ガス需要家件数が相対的には多くなっています。LNGは発電用としても利用されています。発電用LNGについては、大手電力会社が自社で、あるいは地域の都市ガス会社と共同でLNG受入基地を建設し、受け入れたLNGを気化して、基地と隣接するガス火力発電所で燃料として消費しています。

全国のガス会社の数については、都市ガスは小売事業270、導管事業193社あります。LPガスは、16,825事業者が存在します。都市ガス事業者については、2017年4月の小売自由化以前は地域独占規制となっていましたが、自由化以降、従来よりLNGを利用していた電力会社を中心に、新規参入が増加しています。

メタン（CH_4）
無色透明で無臭の気体で、天然ガスの主成分。1個の炭素原子に4個の水素原子が結合してできた炭化水素。

プロパン（C_3H_8）
無色の気体で、天然ガスの成分の1つ。プロパンは天然ガス・石油生産からの分離抽出、石油精製過程のガソリンや灯油の副生成物として得ることもできる。

熱量
LNGを主原料とする都市ガスの火力（熱量）は1m^{3}当たり45MJ（メガジュール）であるが、プロパンガスは1m^{3}当たり100MJである。LPガスは都市ガスよりも体積当たりで高い熱量を持っている。

ガス事業の家庭用需要家件数と事業者数

	家庭用需要家件数	事業者数
都市ガス事業	約2,662万件※1	270※2（193）※3
LPガス事業	約2,219万件※4	16,825※5
参考：総世帯数	約5,976万件※6	-

※1 電力・ガス取引監視等委員会「ガス取引報（2022年6月分）」
※2 ガス小売事業者数
※3 みなしガス小売事業者数
※4「LPガス資料年報2022」（2022年3月）
※5 2021年12月末実績
※6 総務省HP 2022年1月1日現在

都市ガス・LPガス供給の流れ

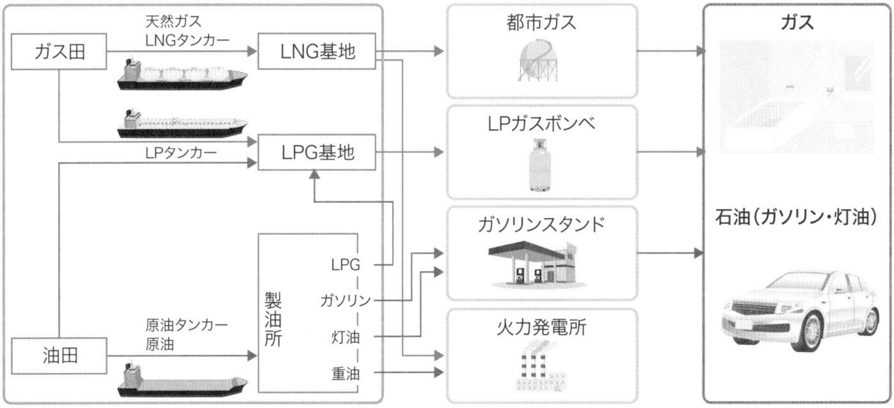

ONE POINT

エネルギー間競争と、ガス体エネルギーとしての協力

都市ガスとLPガスに関しては、顧客獲得を巡って競争し合う地域も多くありますが、さらに他種のエネルギーとの競合場面において、いずれもガス体エネルギーとして、同じ立場となります。一般社団法人日本ガス協会、日本LPガス団体協議会、一般社団法人日本コミュニティーガス協会は、従来からの連携・協力をさらに強化充実させ、組織的かつ継続的な活動を展開するために、2005年に日本ガス体エネルギー普及促進協議会（コラボ）を創設しました。ガス体エネルギーの一層の普及促進を図り、生活・文化の安定・向上、産業・地域の振興・発展、環境の改善、安全な社会の実現等に寄与していくとしています。

ガスはどのように使われているか

Chapter2

11

日本では照明用で始まり、その後、家庭用、工業用、発電用として活躍

日本のガス利用は、明治時代初期の照明用から始まりました。その後都市ガスとして家庭用、商業用、工業用のエネルギーとしても普及し、1970年代以降は発電用途が大きく拡大しました。

LNGは、発電用、工業用、都市ガス用に利用

LNG
液化天然ガス。米国で1930年代、パイプラインガスの一部を液化して貯蔵する利用が始まり、1964年よりタンカーでの国際貿易が行われている。

日本では、輸入される**LNG**の3〜4割が都市ガスの原料用として、残りの6〜7割が発電用燃料として用いられています。この用途上の特色から、都市ガスと電力の自由化において、それぞれの原料・燃料用のLNGを用いて相互に参入し合うことにもつながっています。LNGが消費地基地に到着した後は、その基地にて数日から数週間貯蔵され、順次気化されパイプライン網に送出されます。発電設備や工業設備に隣接する基地の場合には、その発電・工業設備に供給され、利用されます。また、近年では陸上輸送・海上輸送用燃料としてのLNG需要が拡大しています。

都市ガスやボンベで供給されるLPガスは、一般家庭で調理・暖房・給湯などといった身近なエネルギー源としても利用されています。大量のガスを燃料とする発電用と比べて、需要が地理的に分散している家庭用や産業用では、ガス利用は相対的に発展途上にあるといえます。

天然ガスの今後の役割に期待

非在来型ガス
相対的に浅い地層から生産されるガスを在来型ガスと称するのに対して、より深いガスが生成される地層から直接生産されるシェールガス、石炭生産地層から生産されるコールベッドメタン等の近年生産が増加したガスを非在来型ガスと称す。

エネルギー供給の安定確保と地球温暖化対策を進めるうえで、天然ガスには大きな役割が期待されます。天然ガス資源は、世界中の幅広い地域に分散しており、特に米国・カナダに**非在来型ガス**資源が豊富で、オーストラリアのような政情の安定した地域で資源・生産が多いことから、長期的な安定供給が期待できます。二酸化炭素の排出量が少ないクリーンな燃料としても、発展途上国も含めて、発電部門での石炭代替などでの利用が期待されます。ただし比較的少ないとはいえ二酸化炭素を排出することから、今後、その排出量を削減していくことが課題となります。

ガス利用拡大の歴史

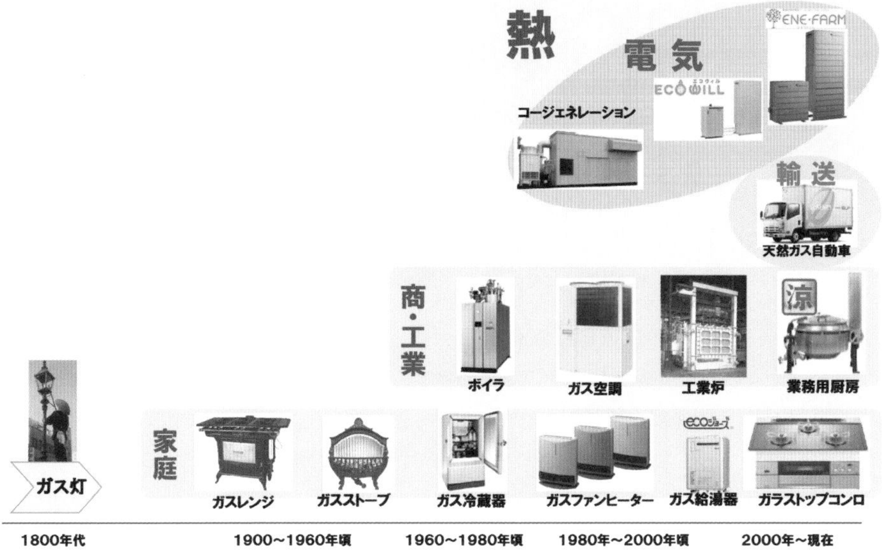

出所：経済産業省「詳細制度設計の検討に当たって（一般社団法人 日本ガス協会）」をもとに作成

ガス事業は、ガス灯から始まった後、技術や需要の開拓が進み、家庭用から商業用、工業用へと用途が拡大していきました。

ONE POINT

天然ガス利用が発展途上にあるといえる理由

発電用と比べて需要が地理的に分散している家庭用や産業用では、天然ガス利用は相対的に発展途上にあるといえる理由は、日本では、ガスの需要が高い地域にLNG基地が次々と立地し、LNG基地から需要に応じてパイプラインが徐々に伸びているという日本特有のインフラストラクチャー発展形態となっているためです。

Chapter2
12

ガスの原料と製造・供給方法は世界のエネルギー事情とともに変遷

消費者向けのガスの原料は、エネルギー利用の発展段階に応じて、石炭・石油からの改質によるガス製造から、天然ガスへと変遷を遂げていきました。日本の場合、いずれの原料も、輸入に大きく依存してきたことが特色です。

LNGが現在のガスの主流

1969年に液化天然ガス（LNG）の輸入が開始され、現在では消費されるガスの主力です。海外のガス生産地から、天然ガスを冷却して液化し、体積を圧縮することにより、タンカーに積み込み輸送されてきます。ガス田での生産から液化の過程で、硫黄分や一酸化炭素、水分、重質炭化水素は取り除かれ、純粋なメタンに近いガスとして輸送されます。輸送されたLNGは、臨海部の都市ガス会社や電力会社の**受入基地**のタンクに超低温・液体の状態で貯蔵されます。都市ガスとしては、LNGを気体にしてパイプライン網で顧客に送ります。メタンは無色無臭のため「ガス臭」を付けて送り出されます。またガスの熱量を一定に保つため、LPG（液化石油ガス）を加えて増熱しています。LNG導入以前の都市ガスの製造原料として、日本のガス事業が始まった明治から1950年代までは石炭を使用していました。それ以降は石油を熱分解して作る方法が主流でした。

天然ガスはどこから

天然ガスは、ガス田、油田より生産され、常温常圧で、気体の状態で存在しています。炭化水素が地下にガス状で存在するガス田から生産されるもの、油田にて原油の生産に伴って生産されるもの（随伴ガス）があります。21世紀に入って、米国を中心に、より深い地層から生産されるシェールガス、石炭生産地層に発生するコールベッドメタン等の非在来型ガスが天然ガス供給源として台頭しました。同国での2008年以降のシェールガス生産増加は、世界の天然ガス物流、将来見通しを大きく拡大し、その規模の大きさから「**シェール革命**」と呼ばれました。

受入基地
海上輸送されたLNGをタンカーから受け入れる設備で、LNGの超低温に対応できる受入のための荷役設備、配管、貯蔵タンク、LNGを気化するための気化器、気化したガスを送出するためのパイプライン網に向けて接続する配管などで構成される。

シェール革命
米国では、2008年以降、技術革新とコストダウンを背景に、より深い地層の天然ガス生成の根源部分である岩層より、シェールガスの生産が急速に増加し、「シェール革命」と呼ばれている。その後、中国、アルゼンチンなどでも、徐々にシェール層からのガス生産が始まっている。

原料別都市ガス生産・購入量

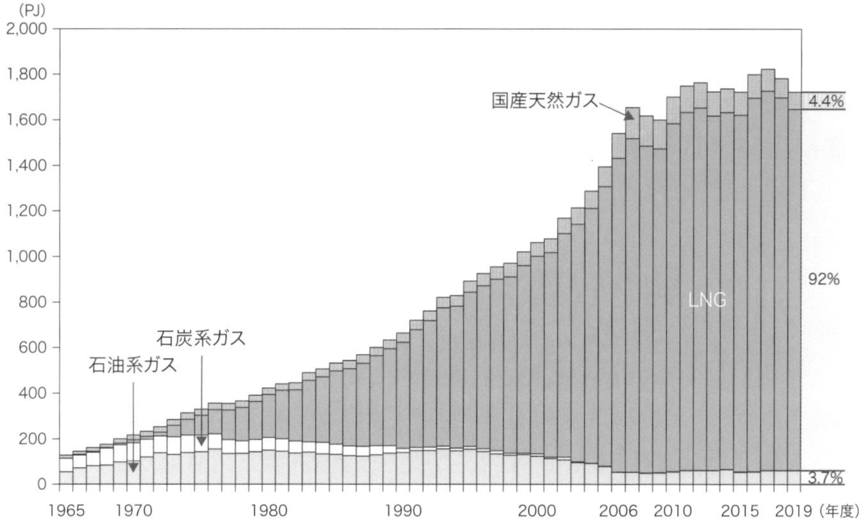

出典: 日本ガス協会「ガス事業便覧」、経済産業省「ガス事業生産動態統計調査」をもとに作成

都市ガスの製造フロー

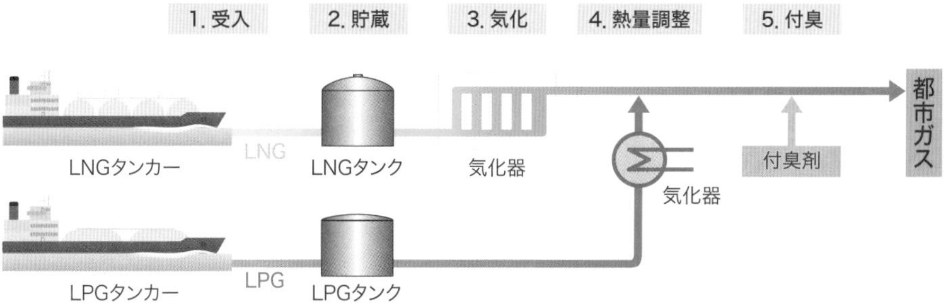

出所：日本ガス協会（https://www.gas.or.jp/kankyo/taisaku/toshigas/）をもとに作成

ONE POINT

クリーンな天然ガスをよりクリーンに

ほかの化石燃料と比べて、二酸化炭素排出量の少ない天然ガスですが、将来のネットゼロ社会に向けて、ガス田での生産・処理段階、あるいはLNGの生産過程から、最終消費の燃焼までの過程で、少ないとはいえ排出している二酸化炭素をはじめ、温室効果ガス排出をさらに削減して、よりクリーンにしていくことが求められています。

Chapter2
13

ガス消費量の変遷

ガス消費は2010年ごろまで順調に増大 都市ガスでは工業用がけん引

日本のガス市場としては、都市ガス、発電用燃料としてのLNG需要とも、LNG導入以降、総じて順調に成長してきました。ただし、都市ガス事業は、「都市部」を中心に普及しており、普及エリアは国土面積の6%程度です。

都市ガス分野では、2010年ごろまで順調に増加

都市ガスの消費量は、2010年ごろまで、家庭用・商業用・工業用のいずれの分野でも、着実に増加してきました。20世紀前半から消費の中心であった家庭用消費のシェアは、1990年代以降は、5割を下回る一方で、工業用・商業用消費のシェアが急速に増大し、工業用消費のシェアは2005年ごろには過半を超えるようになりました。このころから、家庭用、商業用の都市ガス消費は微減の傾向にあり、工業用の消費の増加傾向も鈍化したため、消費総量の増加は緩やかになりました。

需要家件数の9割強を占める家庭用では、近年、高効率給湯器など省エネルギー機器が普及し、需要家当たりの消費量が減少しています。この減少分を、新規需要家の獲得や都市ガス利用機器の普及拡大で補っています。工業用では、大規模・高負荷需要（季節間の使用量変動が少ないなど）を掘り起こす料金制度などにより、1980年以降、大規模需要家へのガス導入が着実に進んだことに加えて、ガス利用設備の技術進展や地球環境問題への対応などにより、需要家当たりの消費量が増加したことが、全体としての消費量の増加につながりました。

競争力確保が今後の需要増加の鍵となる

2021年以降の原料LNG価格上昇により、都市ガスの販売拡大も難しい状況にあります。エネルギー価格全般が高止まりしている中で、LNGの安定的・競争力のある価格での確保が今後の需要拡大の鍵を握っています。さらに、相対的に少ないとはいえ排出される二酸化炭素排出削減など、ガス自体をクリーン化するネットゼロ対応が課題となります。

CNG
Compressed natural gas＝圧縮天然ガス。超低温のLNGとは異なり、高圧で体積を圧縮して燃料用として取り扱いを実際的なものとしており、日本では自動車燃料等に利用されている。

LNGバンカリング
船舶の燃料用としてLNGを積み込むことを指しており、海上輸送燃料からの排出物の規制強化に伴い、クリーン燃料の1つとして利用が拡大している。

用途別都市ガス販売量

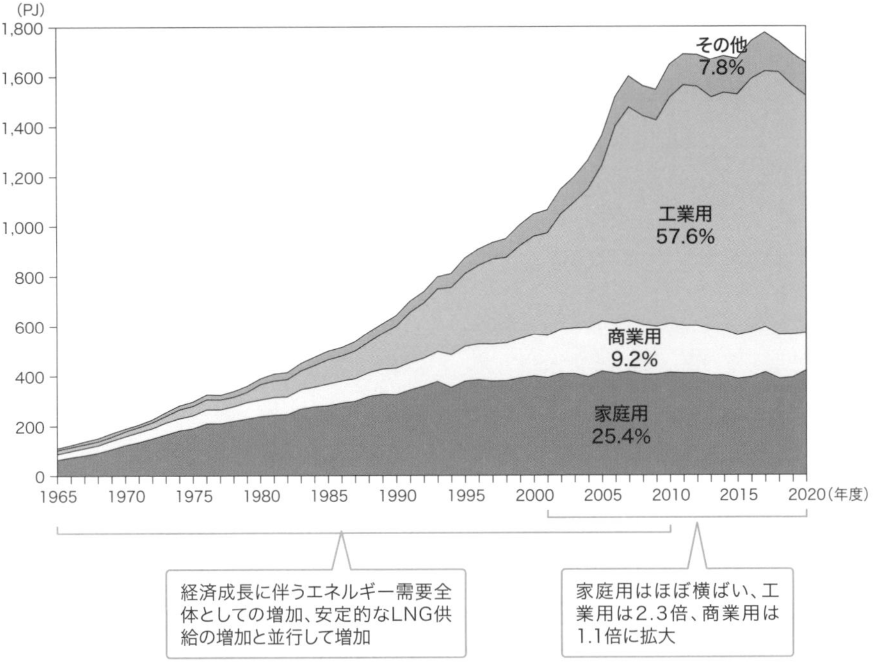

出所：経済産業省「ガス事業生産動態統計調査」などをもとに作成

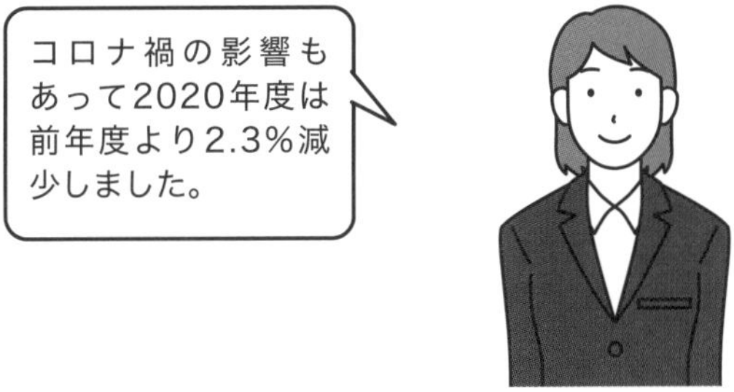

ONE POINT

新たな用途

天然ガス利用面は、コンバインドサイクルガスタービンによる発電、熱電併給CHP＝コージェネレーション、**CNG**・LNGステーションでの陸上輸送用燃料、**LNGバンカリング**での海上輸送用燃料としての拡大、燃料電池など高効率技術の進化が続いてきました。高度利用方法の発展が需要拡大につながります。

COLUMN 2

原油はあとどのくらいあるのか？国別の埋蔵量と可採年数

「可採埋蔵量」と「確認埋蔵量」

世界の原油はあとどのくらいあるのでしょうか？　実はその原油の埋蔵量といってもいくつかの定義があり、そのうち「可採埋蔵量」とは自然界に存在する「原始埋蔵量」と呼ばれる総量のうち、現在の技術・経済性をもって生産可能なものを指します。さらにこの「可採埋蔵量」のうち信頼性の高いものが「確認埋蔵量」とされ、一般的にはこの「確認埋蔵量」が原油の存在量として認識されています。また、どの程度その埋蔵量で世界の需要を賄えるのかを示す「可採年数」とは、ある年の年末での「確認埋蔵量」をその年の生産量で割った数字です。したがって「可採年数50年」といっても50年で石油を掘り尽くすというわけではなく、技術の進展で埋蔵量が増えていくこともあります。実際、可採年数にはほとんど変化がなく、むしろ増加しています。

2019年末で世界の原油の可採年数は約50年、確認埋蔵量のトップは国別ではベネズエラ、また全体の約70％をOPEC諸国（石油輸出国機構。1960年設立、加盟13か国）が、また半分近くをサウジアラビアやイラン、イラクといった中東諸国が占めています。

■世界の原油確認埋蔵量と可採年数（2019年末）

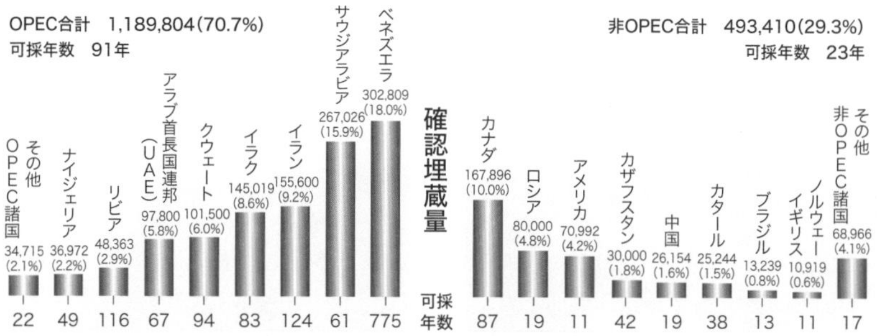

出所：石油連盟「今日の石油産業2020」より「OGJ誌」をもとに作成

第3章

電力産業の構造

電力産業は発電事業、送配電事業、小売電気事業の３つに大きく分かれています。発電事業や小売電気事業は大手電力会社がシェアの大半を占めていますが、電力自由化の推進によって今後は市場の拡大や技術の進歩が期待されています。

電力産業の構造

電力を創る、送る、売る 自由化時代の構造変化

従来は地域ごとに大手電力会社が一社で電力を消費者に届ける役割を担っていましたが、電力自由化の進展の下でそれぞれの役割の進化とさらなる連携が求められています。

電力を創る、送る、売る事業の役割

電力産業は電力を創る（発電事業）、送る（送配電事業）、売る（小売電気事業）に大別されます。業界最大手の東京電力は東京電力ホールディングスの傘下に発電事業を担う東京電力フュエル＆パワー、送配電事業の東京電力パワーグリッド、小売電気事業の東京電力エナジーパートナーがあります。

発電事業者は、化石燃料などの燃料を調達し発電機で電力を起こします。そして、発電した電力を市場での取引や**相対取引**を通じて供給することで収益を得ています。送配電事業者は、電力を消費者へ送り届ける役割を担っており、このために小売電気事業者が支払う電力の**託送料金**が主な収益です。小売電気事業者は市場または発電事業者から電力を調達して消費者に供給しており、私たち一般の消費者は小売電気事業者から供給される電力に対して電気料金を支払っています。

相対取引
取引所や市場を利用せずに売り手と買い手が直接に価格、数量などについて合意し取引する方法。

託送料金
電気を送る際に小売電気事業者が利用する送配電網の利用料金として一般送配電事業者に支払うもの。料金は経済産業大臣によって認可される。

自由化時代の構造変化

電力産業では従来は地域ごとに大手電力会社が一社で発電、送配電、小売の役割を担っていましたが、**電力自由化**の下で東京電力は同社の送配電事業を東京電力パワーグリッドとして分離するなど大手電力会社の事業分離が進められました。これにより事業者間の競争の進展と効率化、新たなサービスの提供による消費者の利便性の向上が期待されています。他方で、競争と連携のバランスの中で安定供給と効率性の確保が期待されています。また、近年は消費者が自分で発電設備を設置する事例も拡大しており、消費者は電力を売ることが可能になり、電力産業の新たなプレイヤーとして重要性を増しています。

電力自由化
電気事業における市場参入規制を緩和する制度改革のこと。小売電気事業への参入の自由化を指すことが多い。

電力産業の構造

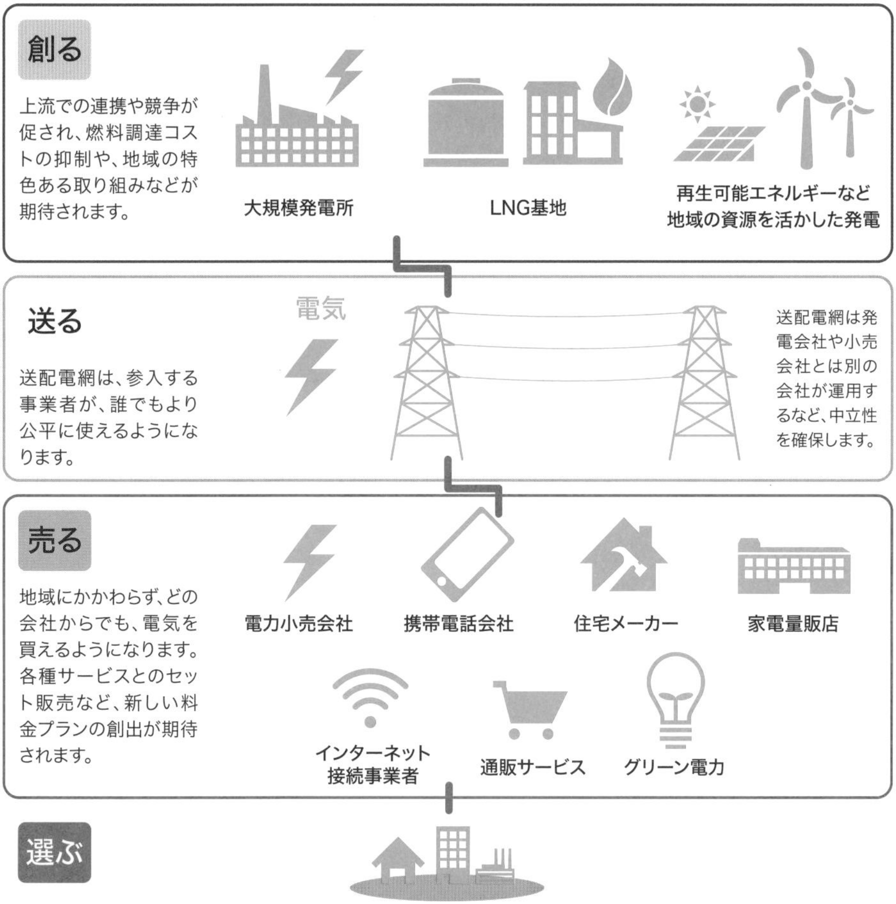

出所：経済産業省資源エネルギー庁「エネルギーシステムの一体改革について」（https://www.enecho.meti.go.jp/category/electricity_and_gas/energy_system_reform/）をもとに作成

ONE POINT

エネルギーシステムの一体改革

東日本大震災後の電力需給の危機を受けて、政府は電力産業、ガス産業について総合的なエネルギー市場を創り上げることを目指してエネルギーシステムの一体改革を進めています。この一体改革では電力、ガスなど産業ごとに縦割りであった市場の垣根を取り払い、産業間での競争を促進することによってより効率的で競争力のあるエネルギー産業の確立に向けて法改正を含めた規制改革を進めています。

Chapter3 02

電力産業の市場拡大の期待 業種別に求められる役割と技術進歩

2019年度の国内の電力産業の市場規模は約17兆円になります。発電事業、小売電気事業ともに東京電力をはじめとした大手電力10社が大きなシェアを占めています。自由化の下で市場拡大や技術進歩が期待されています。

電力産業のサプライチェーンと市場拡大

電力産業は発電事業、送配電事業、小売電気事業に大別され、全体の市場規模は2019年度では**FIT賦課金《ふかきん》**を含めて約17兆円になります。電力産業を支える産業として発電に必要な燃料などを調達する産業、タービンなどの発電機や変圧器などを製造する電機産業に加えて今後は蓄電池などの化学産業や電気自動車をはじめとする自動車産業との関係もさらに重要になっていくことが見込まれ、電力関連産業のすそ野は広がっています。

電力自由化の推進において、特に小売電気事業には**新電力**として従来の大手電力会社以外の新しい会社が参入することで競争の活性化と市場規模の拡大が期待されています。エネルギーに関する産業の中でも、脱炭素化時代での重要なエネルギーとして電力産業の今後の拡大とともに関連産業への波及効果も期待されています。

FIT賦課金
FIT（Feed-in Tariff）は再生可能エネルギーで発電した電気を電力会社が一定価格で一定期間買い取る制度。費用の一部が電力の消費者から賦課金として回収される。

新電力
電力産業に新たに参入した小売電気事業者。代表的な企業としてNTTの子会社であるエネットやソフトバンクの子会社のSBパワーなど。また、小売電気事業としては新規参入者に当たるため東京ガスやENEOSなども新電力に含まれる。

業種別に求められる役割と技術進歩

将来の脱炭素化に向けて、再生可能エネルギーを利用した発電設備の拡大が期待されています。このためには再生可能エネルギーの適地の選別や地域環境への影響、立地自治体との関係構築を丁寧に行っていく必要があり、発電事業では従来の化石燃料などの調達にかかる業務に加えて、これらの業務が重要になります。

送配電事業では電気自動車の普及に伴う充電設備や再生可能エネルギーのバックアップの発電設備への投資や送配電設備の拡充が必要になり電力系統に関する知識や高度な情報処理技術が求められています。小売電気事業では競争を勝ち抜く営業の力や消費者に選ばれる新たなサービスの提案と開発がより重要になります。

電力産業の市場規模と事業者

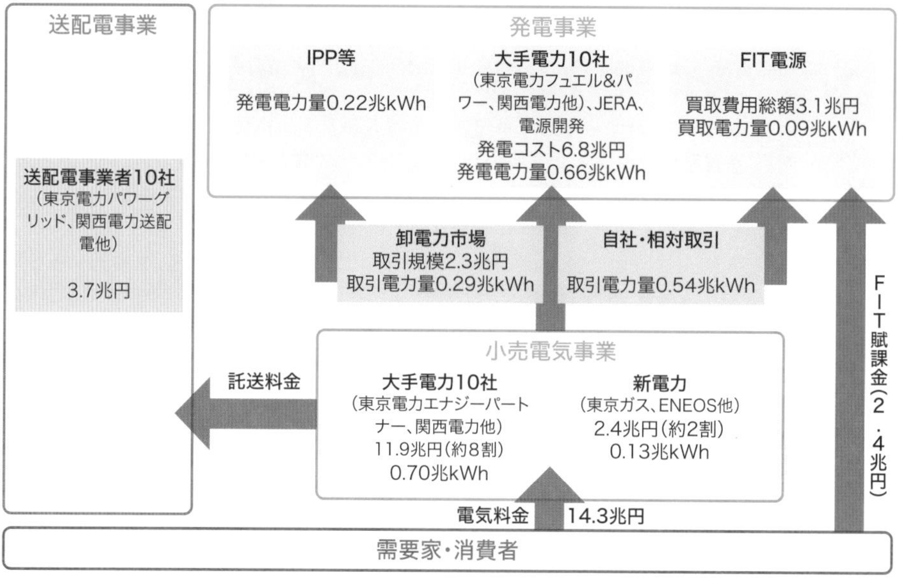

出所：経済産業省資源エネルギー庁「今冬の電力スポット市場価格高騰に係る検証について（2021年2月17日）」を改変

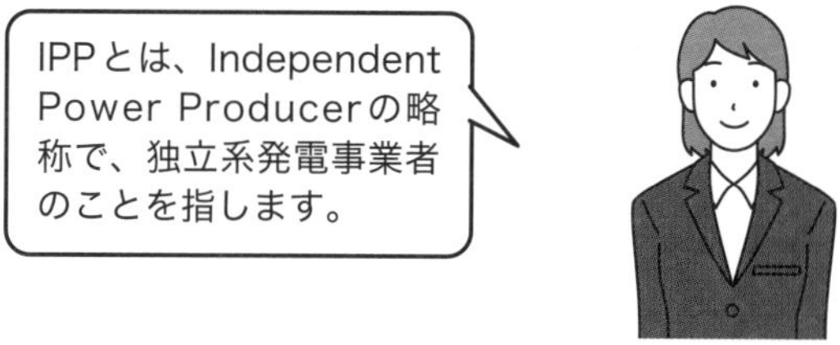

ONE POINT

電力産業における事業別の市場規模

電力産業の市場規模は2019年度で全体として約17兆円になります。需要家は電気料金として小売電気事業者に14兆円を支払っており、このほかに制度で約束されたものとして2.4兆円のFIT賦課金が小売電気料金と同時に徴収され、FIT電源を有する発電事業者に支払われています。東京電力をはじめとした大手電力10社は発電事業、小売電気事業において依然として大きなシェアを有しています。発電事業では東京電力、中部電力の子会社であるJERAならびに大手電力会社10社に並ぶ規模の電源開発を含めると発電事業の市場の7割をこれらの会社が占めます。また、小売電気事業でも大手電力10社が市場の8割を占めており、競争の進展と市場規模の拡大が期待されています。

Chapter3
03

電力自由化の影響

電力自由化による電力産業の活性化 消費者の多様なニーズを実現

2016年4月から電力の小売業への参入が全面自由化されました。すべての消費者がライフスタイルや価値観に合わせて電力会社を自由に選択できるようになり、電力産業の活性化と新たなサービスの拡大が期待されています。

電力の小売自由化の変遷

日本の電気事業は、新規参入と競争の活性化を進めることで**規制事業**からの転換を目指して1995年から大きく制度改正が進められ**電圧の区分**の下で段階的に自由化が進められてきました。小売電気事業の最初の自由化は2000年3月から大規模工場やデパート、オフィスビルが対象となる「特別高圧」区分において実施されました。大規模な事業所は電力会社を自由に選ぶことができるようになり、新規参入した電力会社である「新電力」からも消費者が電気を購入することが可能になりました。2004年4月、2005年4月と段階的に小売自由化の対象が中小規模工場や中小ビルが対象となる「高圧」区分まで拡大していきました。2016年4月1日からは家庭や商店などの一般の消費者が対象となる「低圧」の区分においても電力会社を選べるようになりました。

規制事業
社会全体の利益保護のために政府が事業法などを通じて当該事業への参入や価格を規制している産業分野。代表的な分野としてインフラや医療など。

電圧の区分
電気設備に関する技術基準を定める省令では電圧の区分を以下の通り定めている。低圧：直流で750ボルト、交流は600ボルト以下。高圧：直流で750ボルト、交流は600ボルトを超え、7000ボルト以下。特別高圧：7000ボルトを超えるもの。

自由化による消費者ニーズの実現

電力の小売業の全面自由化の進展によって電力会社どうし、電力会社以外の新たな事業者との競争やサービスの向上が期待されています。全面自由化の開始以来、電力会社やガス会社を中心に電気とガス、電気と携帯電話などの組み合わせによるセット割引や家庭の省エネ診断サービス、家庭の見守りサービスなどが登場しています。

また、小売事業者が提供する電力の供給源を明らかにすることで、消費者がより低炭素な電力を供給する事業者から電気を買うことも可能になっています。さらに、電力の供給源も故郷で発電した電気や、住んでいる自治体が運営する事業者から電気を買うといった電気の地産地消の促進も期待されています。

電力の小売全面自由化と新たな料金プラン・サービス

時間帯別料金など、ライフスタイルに合わせた料金メニュー

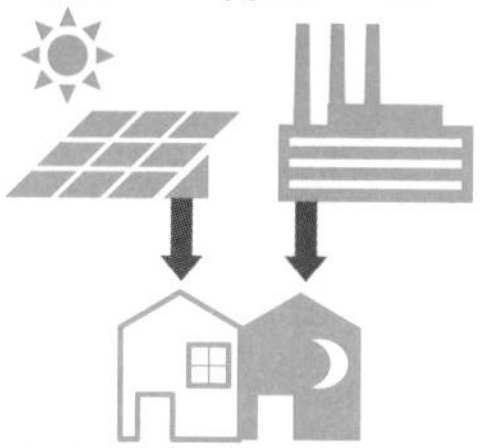

例えば、時間帯別の電気料金など、多様な料金メニューの中から自分のライフスタイルに合わせたプランを選ぶことができるようになります。

省エネ診断、セット割引など、新しいサービス

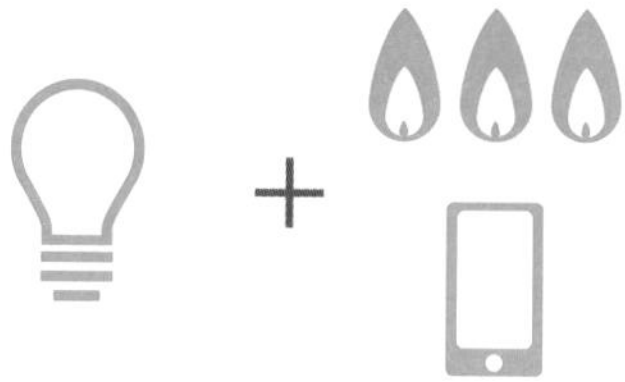

事業者の創意工夫によって、電気とガスなどのセット割引や、ポイントサービス、家庭の省エネ診断サービスなど、多様な新しいサービスの登場が期待されます。

再エネ発電中心のサービス

太陽光、風力、水力、地熱などの再生可能エネルギーを中心に発電を行う会社から、電気を購入することも可能になります。

電気の地産地消

近くの自治体が運営する事業者から電気を買うなど、電気の地産地消も可能になります。また、お住まいのエリア外で発電された電気の購入も可能となります。

出所：経済産業省「電力の小売全面自由化でどう変わるの？」（https://www.enecho.meti.go.jp/category/electricity_and_gas/electric/electricity_liberalization/merit）をもとに作成

ONE POINT

電力システム改革

東日本大震災以降に明らかになった電力システムの課題解決を目指して、小売自由化を含めた一連の制度改正の取り組みとして電力システム改革が進められました。電力システム改革の目的として、1.安定供給を確保する、2.電気料金を最大限抑制する、3.需要家の選択肢や事業者の事業機会を拡大することを掲げています。これらの実現のために平成25年4月2日に「電力システム改革に関する改革方針」が閣議決定され、3段階からなる改革の全体像が示されました。その後、改革方針で示されたスケジュールを踏まえて第1弾、第2弾、第3弾の実施に必要な措置を定めた電気事業法改正案が、それぞれ、第185回臨時国会、第186回通常国会、第189回通常国会において成立しています。改革方針において掲げられた目的の達成に向けて現在も不断の見直しの下で電力産業の改革が進められています。

Chapter3
04

電源の開発の多様化 電力の調達、販売の多様化

電源の開発は水力を中心とした時代から火力を経て原子力、再生可能エネルギーへと広がってきています。電源の開発には多額の資金を要するため、自由化の進展とともに電力の調達、販売のあり方も多様化しています。

電源の開発と資金調達

電源の開発は水力発電と石炭火力発電を中心に始まり、経済成長、大気汚染問題、資源の多様化を進める中で石油火力の導入が進みました。そして、石油危機を契機として石油火力の代替としてガス火力の拡大が進むとともに化石燃料に依存しない発電方式である原子力発電の導入が進められてきました。近年では脱炭素社会に向けて原子力に加えて二酸化炭素を排出しない持続可能な電源として太陽光発電や風力発電などの再生可能エネルギー発電の開発が進められています。

電源の開発は電力会社の社会的信用を保証として多額の資金を調達する形で行われてきました。その後、電力自由化による新規参入者の拡大によって再生可能エネルギーなどの比較的小規模な電源開発が増えています。これらの事業開発では大手電力会社全体の信用力ではなく、対象となる事業の収益性を背景に資金調達を行う**プロジェクトファイナンスの事例**が増えてきています。

プロジェクトファイナンスの事例
火力発電の国内大手であるJERAはバングラデシュでのガス火力発電事業について、２０２０年7月３１日に総額6億4,200万ドルのプロジェクトファイナンスによる融資契約を銀行団と締結した（JERAプレスリリース2020年7月31日より）。

電力の調達と販売方式

電力の小売業の全面自由化による電源調達の多様化や新しいサービスの提供のために電力の調達、販売方式の多様化が進んでいます。

例えば、小売電気事業者が故郷の再生可能エネルギーの電力を供給するサービスを実現するために地元で発電事業を行っている事業者から直接電力を買う形式や工場などの消費者が発電事業者から直接電力の購入契約を結ぶコーポレート**PPA**方式が増加しています。電源を指定した電力を販売することが可能になり、消費者の選好に合った電力供給が可能になってきています。

PPA
Power Purchase Agreementの略。発電事業者と消費者の間で結ばれる二者間の電力供給契約のこと。

電源別発電電力量の推移

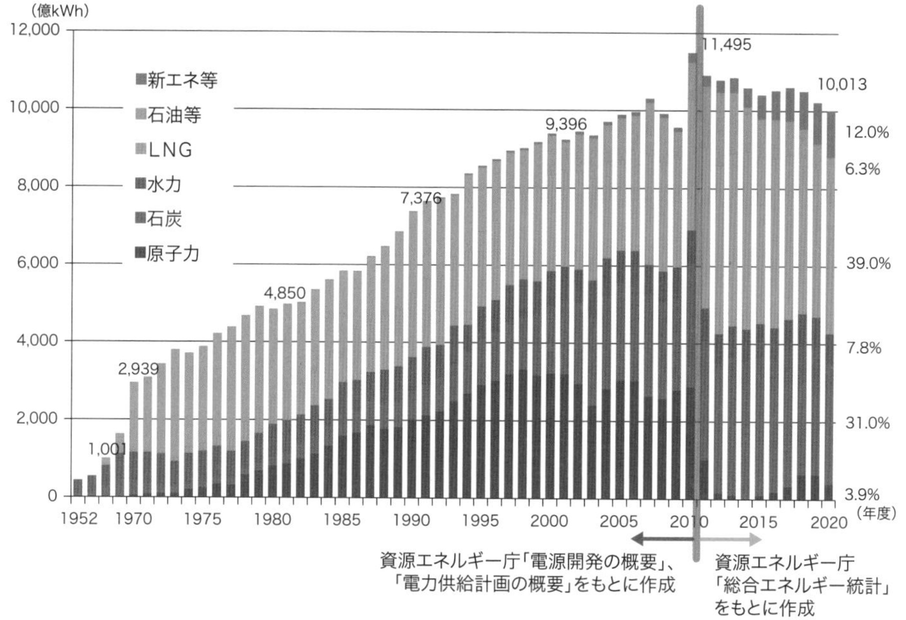

(注) 1971年度までは沖縄電力を除く。発電電力量の推移は、「エネルギー白書2016」まで、旧一般電気事業者を対象に資源エネルギー庁がまとめた「電源開発の概要」および「電力供給計画の概要」をもとに作成してきたが、2016年度の電力小売全面自由化に伴い、自家発電を含むすべての発電を対象とする「総合エネルギー統計」の数値を用いることとした。なお、「総合エネルギー統計」は、2010年度以降のデータしか存在しないため、2009年度以前分については、引き続き、「電源開発の概要」および「電力供給計画の概要」をもとに作成している

出所：経済産業省資源エネルギー庁「エネルギー白書2022」をもとに作成

コーポレートPPAの代表的な契約形態

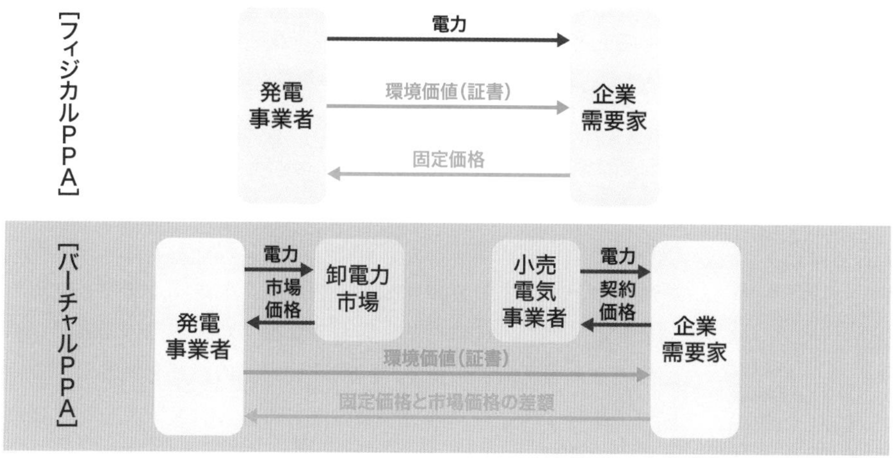

出所：自然エネルギー財団「コーポレートPPA 実践ガイドブック」(https://www.renewable-ei.org/pdfdownload/activities/REI_GuidebookCorpPPA.pdf) をもとに作成

Chapter3 05

自由化による料金のあり方の変化 競争と脱炭素時代の料金体系

電力産業では電力供給設備のために多額の資金を要します。安定的な資金調達のために総括原価方式による規制料金が採用されてきましたが、自由化の下で料金の選択肢を拡大し規制料金を撤廃する方針となっています。

安定供給を支えてきた規制料金から自由料金へ

総括原価方式
必要な費用と適切な利潤を加えた額をもとに料金が設定される仕組み。電気料金、ガス料金、水道料金などがある。

電気料金は法律で定められた設定方式である**総括原価方式**に基づいて規制料金が設定されてきました。総括原価方式は電気事業にかかる費用をもとに計算する方式であり、事業費用の確実な回収を保証することで電力設備の整備と安定供給を実現してきました。他方で段階的に電力自由化を進める中で事業者間の競争を促すことを目的として、工場などの特別高圧、高圧に区分される消費者に対しては自由な料金設定が認められてきました。

2016年の小売業の全面自由化を契機に家庭や商店などの消費者に対しても規制料金以外の自由な料金設定が認められるようになりました。

競争と脱炭素時代の料金体系

規制料金は確実な費用回収が期待される一方で、安定的な収入があるために過剰な設備投資を促す可能性や事業者間の競争のインセンティブを失わせてしまうことが指摘されていました。また、2022年に入り燃料費の増減を調整する**燃料費調整制度**の枠以上に化石燃料の価格が高騰したために小売料金への転嫁が進まず大手電力会社は軒並み赤字となり、さらにホープエナジーなどの複数の新規参入者が破産することとなりました。また、近年は電力需給ひっ迫が発生しており、政府が節電を要請する事態となっています。この背景には自由化の下で進展した発電設備の廃棄が原因の1つと考えられています。発電設備への投資を促進し、安定供給を維持していくための料金のあり方とこれを支える制度に関して、事業者による自由な料金設定と必要な投資へのインセンティブのあり方について検討が進められています。

燃料費調整制度
燃料価格や為替レートの変化を迅速に料金に反映させることで事業者の経営環境の安定を図ることを目的とした制度。一般的に3か月間の貿易統計価格に基づき算定し、2か月後の電気料金に反映される。ただし、調整額には幅があり上限を超える上昇分は電気料金には反映されない。

電力自由化と電気料金

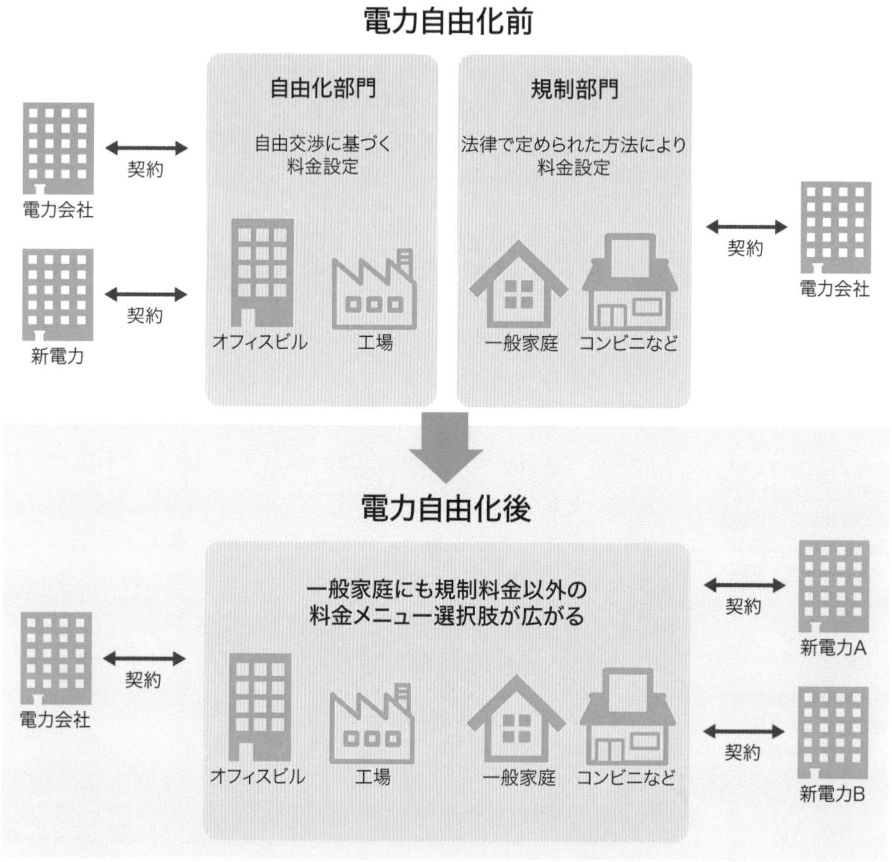

出所：経済産業省資源エネルギー庁「電力自由化で料金設定はどうなったの？」をもとに作成

ONE POINT

電力産業の小売規制料金とは

規制料金は、契約電力に比例する固定的な基本料金、使用する電力量に比例する電力量料金、燃料費の変動を調整する燃料費調整額、および再生可能エネルギー発電促進賦課金より構成されています。規制料金は総括原価方式の下で広く一般の需要家に電力を供給するための料金であり、基本料金と電力量料金単価の決定に当たっては「原価主義の原則」「公正報酬の原則」そして「電気の使用者に対する公平の原則」の３原則に基づいています。規制料金の値上げには経済産業大臣の認可が必要になります。

Chapter3
06

電力会社の事業構成 自由化の進展と事業構成の変化

電力会社の事業は主に発電事業、送配電事業、小売電気事業から構成されています。従来はこれらを一社で担う一貫操業体制が中心でしたが、自由化の進展の下で各事業の内容の見直しと再編が進められています。

垂直統合の事業構成

日本の電力産業は電力を安定的に消費者に届けるために、電力産業の各事業を一社が担うことを認める**垂直統合**体制の下で地域ごとに大きな電力会社が一社で電力供給を担ってきました。垂直統合体制では業務を１つの会社が一貫して担うことで各事業間のやり取りを密にし、安定的で効率的な運用を目指してきました。しかし、電力自由化の進展の下で競争の進展と技術の進歩、そして脱炭素化の流れの中で電力会社が担うべき事業の構成と会社組織のあり方について新たな形が模索されています。

2020年には**発送電分離**が行われ、大手電力会社の主要な事業である送配電事業が別法人として切り離されるなど電力会社の事業の再編が進められています。

垂直統合
技術開発、生産、流通、販売、サービス提供などの業務を単一の企業（企業グループ）が行うビジネスモデルのこと。電力産業の場合は発電、送配電、小売を一社で担うことを指す。

発送電分離
発電事業と送配電事業を別法人とすることで送配電事業を担う会社の経営の独立性と中立性を高める取り組み。

競争と脱炭素時代の事業構成

小売電気事業の全面自由化に伴って、競争の促進が期待されています。発電事業と小売電気事業では各社が独立して事業を行うことで各事業の効率性と経営判断の柔軟性を高めて競争を勝ち抜いていくことが期待されています。他方で送配電事業は大手電力会社の子会社や新規参入者を含めてすべての事業者に対して中立的な立場とすることで事業者間の不公平をなくし、社会インフラの担い手としてより公的な立場で電力産業の発展を支えることが期待されています。

事業構成の見直しに伴って東京電力と中部電力の発電部門が統合し、世界最大規模の発電事業会社であるJERAが設立されました。電力産業においても競争環境の変化をばねに新たな成長産業となるような事業のあり方が期待されています。

電力会社の主な事業構成

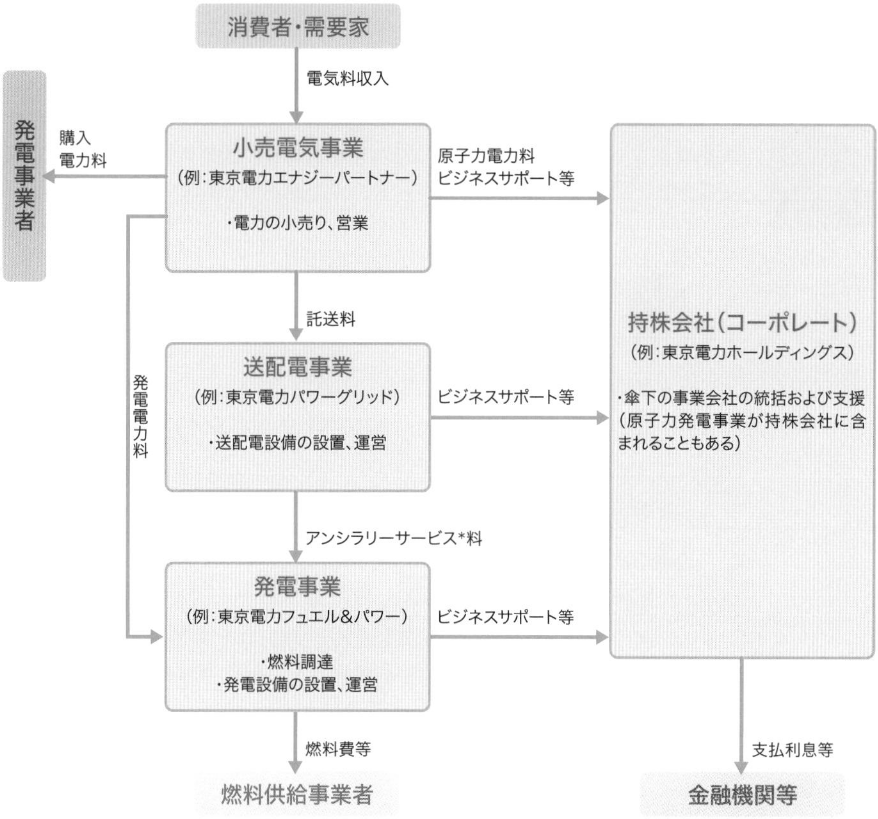

＊アンシラリーサービスとは、平時の周波数安定や設備事故時の停電を防ぐ機能等の電力品質を維持するための機能のこと

ONE POINT

発送電分離と市場監視の役割

　自由化を推し進める中では、大手電力会社が市場で支配的な力を行使することなく、健全な競争環境の下で事業を行うことが求められます。このために2015年に電力・ガス取引監視等委員会が発足し、電力産業、ガス産業の市場監視やルール整備を通じて競争基盤の整備を進めています。さらに発送電分離に伴って送配電事業が大手電力会社から分離されることで発電電力料や託送料のやり取りなど、従来は社内の内部取引であったやり取りが事業会社間のやり取りとなり、社外から見て取引の透明性が増すこととなりました。健全な市場環境の発展のために市場監視の役割と透明性の確保の重要性が増しています。

Chapter3
07

地元の信頼と電源の開発 脱炭素時代の新たな電源の開発

電力産業の柱となる電源は、大規模な設備が多いため立地する地元との関係が重要になります。脱炭素時代の新たな発電技術の開発により、電源の立地の多様化への対応や資金面でのリスクの低減が求められています。

電源の開発と立地地域

戦後の経済成長を支えてきた電源の開発は、黒部ダムの水力発電所に代表されるような国家的な事業であり、多額の費用と時間を要してきました。電源の開発は電力需要の増大に合わせて水力、石炭火力、石油火力と進められ、特に石油危機後ではガス火力、原子力の拡大が進められました。近年では再生可能エネルギーの導入が進められています。

電源の開発には利用可能な資源量、地盤、資材や燃料供給のロジスティクス、住民への安全性への配慮などの調査を行い開発地点を選定します。そのうえで**環境影響評価**、系統接続の申請、工事計画の申請を経て着工、運転と進んでいきます。大規模な電源の開発に当たっては影響評価を丁寧に実施する必要があり、計画から運転開始までに時間を要します。また、原子力発電所の場合は特別な申請が必要になります。電源の設備は大規模に建設されることが多く、周辺環境への影響や住民への配慮が欠かせません。他方で安定供給を支える電源は雇用の創出など立地する地域への直接的な貢献も大きく地元との信頼関係の構築が重要になります。

環境影響評価（環境アセスメント）
環境に影響を及ぼす恐れのある事業について事業者が影響を事前に調査、評価を行い、住民や行政機関などの意見を踏まえて保全への適正な配慮を行うための仕組み。

脱炭素時代の新たな電源の開発

脱炭素に向けて、再生可能エネルギーや二酸化炭素を排出しない電源として**水素やアンモニアを利用した火力発電**の開発や原子力発電所の建て替えなども検討されています。

新たな技術の導入に当たっては、事業リスクへの配慮が必要であり、電力の自由化が進められる中で安定供給を実現していくために必要な電源の開発が安定的かつ継続的に実施されることが求められています。

水素やアンモニアを利用した火力発電
三菱重工業、IHI、川崎重工業などが水素やアンモニアを利用したタービンの開発を進めており、JERAなどがこれを活用した発電所の運営の検討を開始している。

電源の開発と発電所運転開始までの流れ（大型風力発電所の例）

2年程度	立地地点調査・風況調査
	発電システムの設計
3～4年程度	環境アセスメント
1年程度	（必要に応じ）許認可取得 ・林地や農地に立地する場合など
2年程度	設置工事
	運転開始

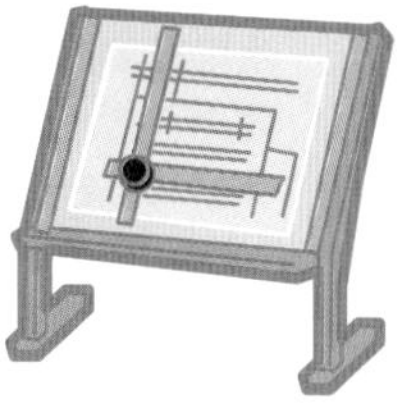

出所：国立研究開発法人新エネルギー・産業技術総合開発機構（NEDO）「環境アセスメント迅速化手法のガイド　ー前倒環境調査の方法論を中心にー」（https://www.nedo.go.jp/content/100876632.pdf ）をもとに作成

ONE POINT

電源の開発と発電所運転開始と手続きの迅速化

電源の開発には環境影響の評価と系統接続の評価や関連許認可の取得が求められるため、事業計画から運転開始まで10年を超える時間を要することがあります。この時間を短縮し事業の経済性を高めることで発電設備への投資を促すために環境アセスメントの手順や系統接続の申請にかかる手順の見直し、さらに系統そのものの拡充と拡充の手順の見直しも検討されています。また、運転開始後においても地元への環境、経済に与える影響や有事の対応を含めて行政と発電事業者が責任を持った運用を進めることも求められています。

Chapter3
08

電力会社の業務②送電・変電・配電

電力の安定供給を担い、低炭素な電源普及の鍵を握る送配電事業

送配電事業では、発電された電力と需要のバランスを確保しながら消費者の電力消費に使いやすい電圧水準に変換し、送電、変電、配電設備を通じて電源と消費者を結びつけることで電力の安定供給を実現しています。

電源から消費者への電力の流れ

現在の電力システムでは、一定の時間単位で電圧が変動する交流の形式で電力が送られていくことが一般的です。これは交流の電力は変圧器で電圧変換が容易であり、高い電圧にすることでロスを少なく送電することが可能になるためです。送配電事業では発電した電力を変電所に送り（**送電**）、高い電圧から低い電圧に電力を変換し（変電）、配電用変電所においてさらに電圧を調整し消費者に届ける（**配電**）仕組みとなっています。

送電と配電
発電所と電圧を変換する変電所間の電力のやり取りを送電、変電所から主に家庭などの消費者へ電気を配ることを配電と呼ぶ。

また、送配電事業では常に需給バランスを維持することが求められます。消費者の需要の変動や発電設備の運転状況によって送電される電力の周波数が変動するため、決められた範囲から逸脱する場合は発電設備に指示を出すことで電力の安定供給を実現しています。西日本では60Hz、東日本では50Hzを電力の周波数の基準とし、ここから大きく周波数が変化しないように安定的な運用を行っています。

再生可能エネルギー発電の開発と送配電事業の役割

太陽光発電や風力発電は、風況のよい地域のように需要地から遠いところで発電設備の建設が進むことがあります。このため、電源を開発しても送配電網に接続できない事態が懸念されています。仮に接続しても天候により発電出力が大きく変動する電源の場合は、送配電設備が十分に利用されないために設備投資の費用対効果からも課題があります。また、電力の流れは発電所の高い電圧から消費者の低い電圧への流れが一般的でしたが、消費者が設置する太陽光発電のように低い電圧から高い電圧への流れが拡大することも想定されており送配電事業の役割も変化しています。

系統運用者
電力系統の運用を担う事業者のこと。一般的には送配電事業者が送配電設備の所有者と系統運用者を兼ねていることが多い。

電源から消費者への電力の流れ

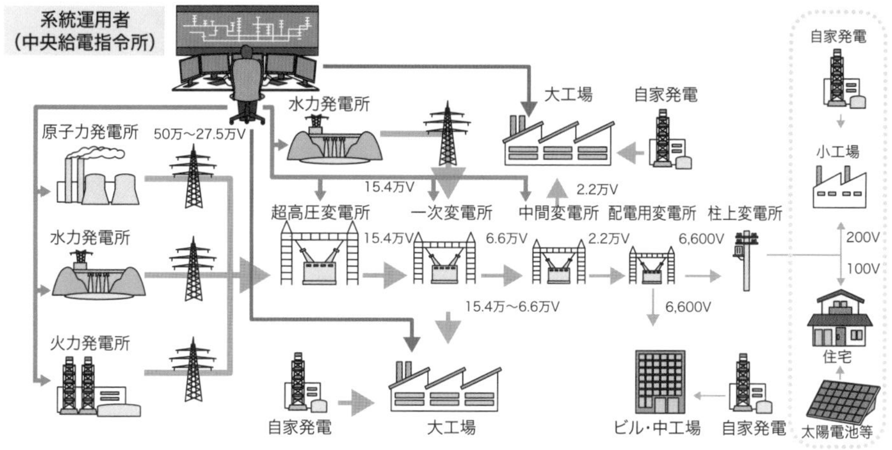

出所：一般財団法人日本エネルギー経済研究所 基礎講座資料をもとに作成

電力の安定供給と周波数の維持

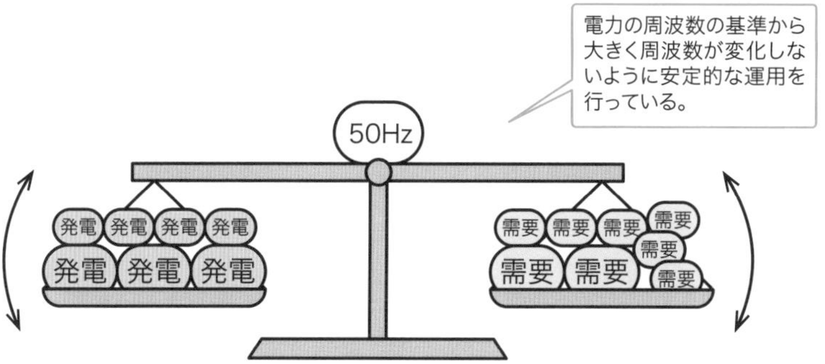

出所：一般財団法人日本エネルギー経済研究所 基礎講座資料をもとに作成

ONE POINT

直流と交流

米国で電気事業が始まったときには、電力を送る仕組みとして現在主流の交流か、それとも電圧が変動しない直流を用いた仕組みがよいのかについて交流を支持するテスラと直流を支持するエジソンとの間で競争があったことが知られています。なお、直流は主に海底ケーブルなど長距離かつ大容量の電力の送電時に送電ロスが低い技術として用いられています。

Chapter3
09

設備管理が支える社会インフラ 高度なメンテナンスへの挑戦

日本の電力産業は、停電回数・停電時間などの指標で世界トップクラスを維持しています。しかし、高度経済成長期に建てられた設備が多く、電力インフラの老朽化が指摘される中で新たな技術の活用が期待されています。

電力産業における設備管理とメンテナンス

電気事業者は**電気事業法**に基づいて設備の維持管理を行っており、電力の安定供給と品質面で世界トップクラスの水準を維持してきました。例えば地震などの大規模な自然災害などによる一時的な数値の上昇を除いた2005年から2016年の年間停電時間を見ると、日本とドイツが10～20分程度であるのに対して米国では100分を超える水準であり、英国やフランスは70分程度となっています。他方で電力インフラの老朽化が指摘されており、東京電力管内で建設された鉄塔の半分程度が建設されてから40年を経過しています。また、電気主任技術者などメンテナンスを行う人材の不足も懸念されており、電力産業における保安のあり方について国の審議会でも議論されています。

電気事業法
電気事業を担う事業者に関する法律。電気事業および電気工作物の保安の確保について定められている。

新たな技術を活用した電気保安のスマート化

電気保安の担い手不足、近年の自然災害の激甚化などにより保安の重要性の高まりと新たな保安の方法が注目されています。この中で新たな技術として、ビッグデータや**ドローン**を使った保安について国の審議会でも議論が開始されており、電気工作物の**保安のスマート化**として電力産業の新たな成長の分野としても注目されています。

点検や補修についてドローンによる遠隔地からの定期点検やロボットによる発電所の巡視で代替することや経年劣化と故障の可能性をビッグデータを活用し、AIで事前に予測して補修計画の立案、資材の調達などを行うことで合理的なメンテナンス計画を立てることが期待されています。これらの技術は、ほかのインフラ産業への展開も視野に研究開発が進められています。

ドローン
遠隔操作または自動制御により飛行することができる無人航空機のこと。

保安のスマート化
デジタル技術などを活用し、より効率的で安全な産業保安に関する主体的・挑戦的な取り組み。

主要国の停電時間推移

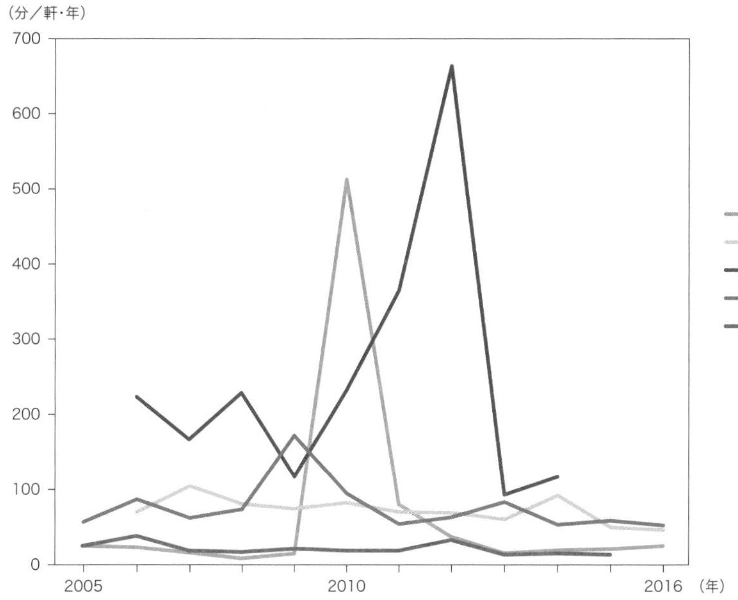

出所：経済産業省「平成30年度エネルギーに関する年次報告（エネルギー白書2019）」（https://www.enecho.meti.go.jp/about/whitepaper/2019html/1-2-3.html）をもとに作成

電力産業におけるドローンやビッグデータの活用事例

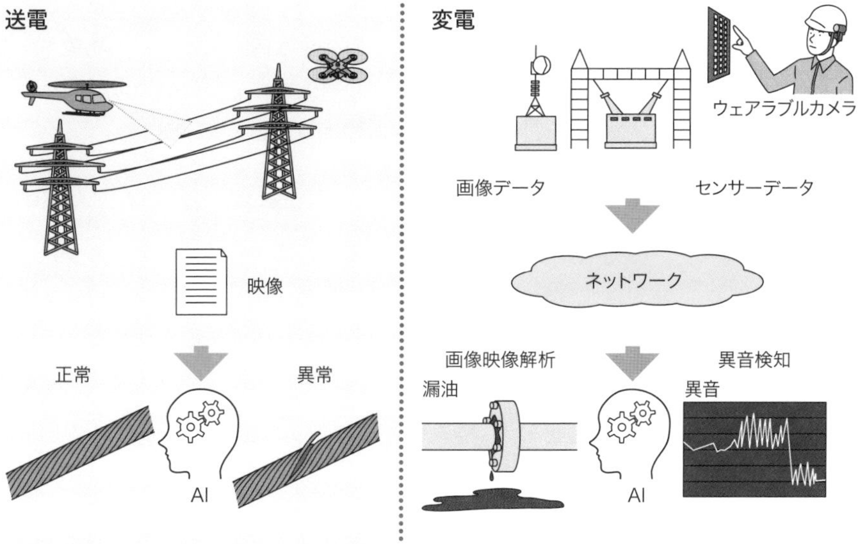

出所：東電パワーグリッド「次世代技術を活用した送配電事業の変革について（2019年3月5日）」をもとに作成

電力会社の業務④電力販売・営業、主要顧客

顧客の多様なニーズに対応 脱炭素時代のエネルギー利用を支援

電力会社は、消費者のニーズに合わせて電力販売と営業を行っています。電力に対するニーズは多様であり、消費者の規模や利用環境に合わせた電力供給が求められ、近年では環境に配慮した電力を求める声が高まっています。

消費者の多様なニーズに対応した電力販売

電力は日々の生活や経済活動のあらゆる場面で利用されており、潜在的にはすべての消費者が顧客となります。電力産業の主な顧客は電力需要の規模と特徴に応じて特別高圧、高圧、低圧に分類されます。2021年度の販売電力量はそれぞれ特別高圧が約2,260億kWh、高圧が約2,980億kWh、低圧が約3,140億kWhとなっています。全面自由化によって低圧部門の消費者である一般家庭約7,800万件、商店・事業所など約720万件が新たな市場として新規参入者にも開かれることとなりました。小売電気事業者は、消費者のニーズに合わせて契約の規模や利用の支援などを行っています。電力の利便性、安全性から電化の促進や工場などにおける省エネ提案やほかのエネルギーからの転換を促すことで営業活動を拡大しています。電力小売の全面自由化後は、光熱費への関心が高い工場やオフィスなどの需要家を中心に小売電気事業者の変更が増加しており競争が活発化しています。

消費者の脱炭素化に向けたエネルギー利用を支援

小売電気事業者は省エネや燃料転換を行ってきていますが、近年では脱炭素に対するニーズの高まりから事業所で活用する再生可能エネルギー発電設備の導入提案を行う事例も増えてきています。また、事業活動においてより**低炭素なエネルギーを活用していることを示す証書**の活用を含めた総合的な脱炭素事業計画の提案なども行っています。

一般家庭でも**グリーンな電力**を活用したいというニーズが増えており、これにこたえるためにグリーンな電力の供給や電力の内訳を明示することも進めています。

低炭素なエネルギーを活用していることを示す証書
グリーン電力証書や非化石価値証書など、発電された電力が環境に優しいものであることを証明する文書。

グリーンな電力
再生可能エネルギーを用いた発電によって得られた電力。

新たに自由化された電力市場

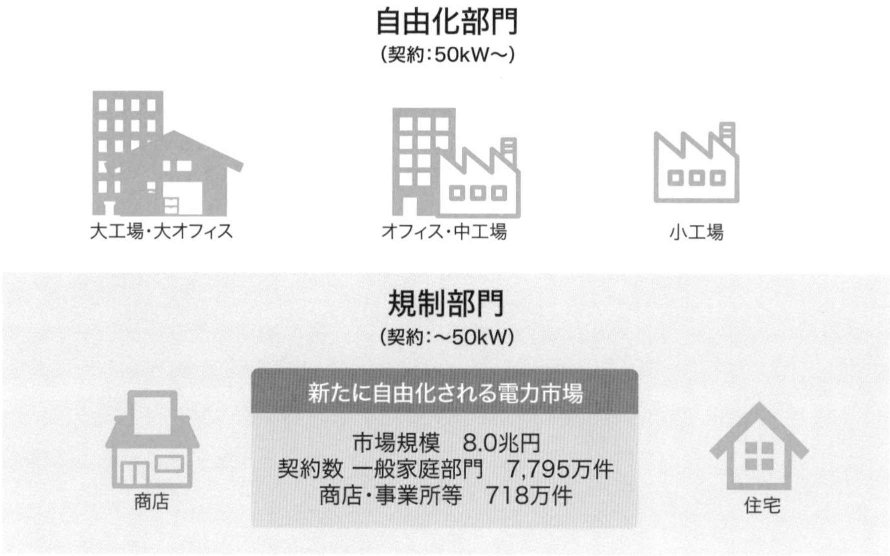

出所：経済産業省資源エネルギー庁「小売全面自由化によって開放される市場」をもとに作成

小売電気事業者の取り組み事例

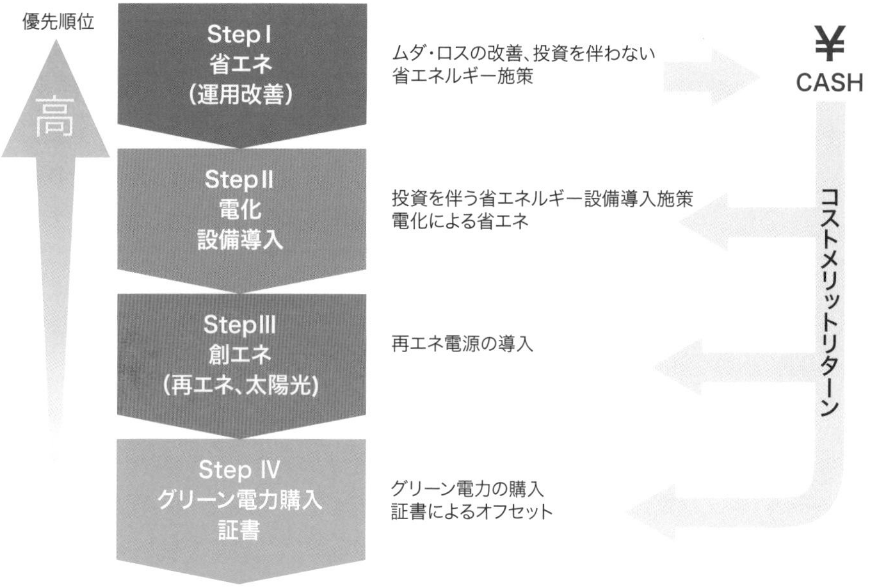

出所：東京電力エナジーパートナー株式会社「カーボンニュートラル（CN）を取り巻く現状と工場における今後の取組み（2021年10月22日）」をもとに作成

Chapter3
11

電力会社の業務⑤ユーザーサポート

消費者に選ばれる事業者へ安定供給と付加価値を追及

電力会社は自由化の進展によって消費者に選ばれる事業を展開することで競争を勝ち抜くことが求められています。電力の安定供給を基本に新たな付加価値を目指した手厚いサポート体制の検討が進んでいます。

安全安心と安定供給を支えるサポート体制

日本では電力の供給に関わる設備の適切な保守やメンテナンスを通じて世界でも有数の高い水準での安定供給を実現しています。しかし、台風や猛暑、大雨などの自然災害の激化など安定供給に対するリスクの高まりから停電やトラブルを余儀なくされる事態も発生しています。

このような事態に備えて停電情報や電力需給に関する情報を見える化できるサービスを通じて迅速に情報提供を進めるとともに**太陽光発電と蓄電池**を組み合わせることで有事に電力を自給できるような体制の提案も行っています。

付加価値を追及するユーザーサポート

電力会社は、多くの顧客を抱えることで豊富な情報を有しています。**スマートメーター**を活用し電力需給に関するリアルタイムの情報を取得することで顧客の利用環境を正確に把握し、消費者の悩みの解決に貢献するような新たな付加価値を生み出すサービスを検討しています。例えば、電力の利用状況を加味した省エネの提案や、より消費者の利用状況に合った合理的な料金プランの提案、そして在宅や住人の活動状況の分析に基づく**見守りサービス**や在宅時の配送サービスなどの検討事例があります。

また、脱炭素社会に向けて電気自動車の充電情報の提供、電気自動車の利用状況にあった料金プランの見直しなどを通じて脱炭素に貢献する技術の普及を支援することが大きな役割となります。電力会社は、これらの新たなサービスを通じて電力の安定供給を担うだけではなく、自由化の競争の下で選ばれる事業者となるべく取り組んでいます。

太陽光発電と蓄電池
太陽光発電設備を販売しているパナソニックなどのメーカーのほかにもLooopなどの新電力が太陽光発電と蓄電池を組み合わせたサービスを提供している。

スマートメーター
通信機能を搭載した電力量計。

見守りサービス
一人暮らしの高齢者などの生活を支援するサービス。電力産業では特に電力需要をリアルタイムに把握することで需要家の在宅や住人の活動状況を安価で迅速に把握できるサービスとして提供している。東京電力や中部電力などの大手電力会社をはじめ多くの電力会社が類似サービスを提供している。

自由化に伴う新たなサービスとユーザーサポートの事例

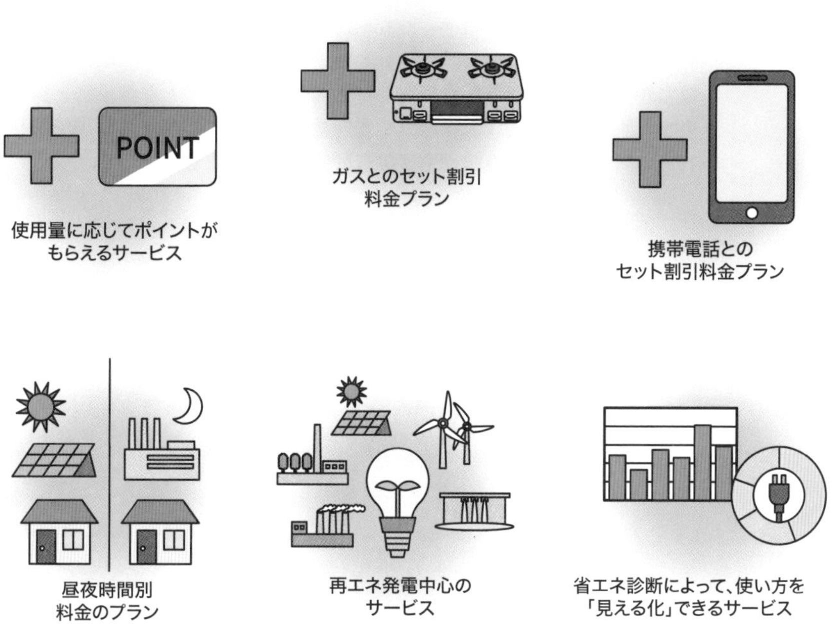

出所：経済産業省資源エネルギー庁webサイト「電力小売全面自由化」（https://www.enecho.meti.go.jp/category/electricity_and_gas/electric/electricity_liberalization/）をもとに作成

電力の需要データを用いた新たなサービスの事例

見守りサービス

- 新しくデバイスを購入等することなく、遠く離れて暮らす家族が、いつもどおり暮らしているかを知ることができる。
- 万が一、いつもとは違うような動きを察知した場合は、別途連絡を取り、無事を確認することができる。

在宅時の配送サービス

- 在宅している時間に荷物が届く。再配達を依頼する手間や精神的な負担が軽減。
- 長期不在時に予想していなかった配達があった場合、保存期限が切れて配達元に戻されてしまっていたが、長期不在が確認できた場合においては、保存期限を延長してもらえるというサービスも期待できる。

省エネサービス

- 日々の電力使用パターンから、電気自動車の充電開始時間を最適化することにより、節電を図る。

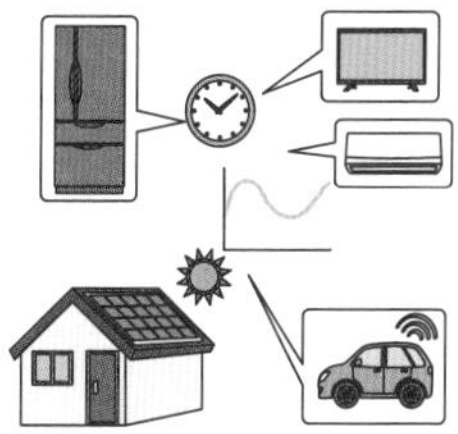

出所：経済産業省資源エネルギー庁「電力システムの分散化と電源投資（2020年9月9日）」をもとに作成

電力会社の業務⑥研究・事業開発

Chapter3
12

電力産業の新たなイノベーション 脱炭素と安定供給を両立

電力産業は、脱炭素という大きな目標達成に向けて鍵となる役割を担っています。脱炭素技術の導入は電力の安定供給においてもチャレンジであり、これらの両立を実現する技術や事業の開発が欠かせません。

電力産業の新たなイノベーション

電力産業では発電設備の状況、系統全体の電力需給、消費者の利用状況に至るまで膨大な情報が蓄積されています。

デジタル技術を活用してこれらの情報をAIやIoTを用いて効率的に分析することで、発電設備の効率的な運用、設備の保守管理の高度化や需給予測の高度化、消費者の利用状況に合わせたリアルタイムでの情報提供など、新たな価値を提供することが検討されています。また、電力の個人間の取引や自治体を中心としたローカルなネットワークの構築など、新たな電力取引や供給体制を支える技術としてもデジタル技術などのイノベーションが期待されています。

脱炭素と安定供給を両立するための研究・事業開発

脱炭素社会に向けては再生可能エネルギーや電気自動車などの普及に伴って電力の流れが複雑化することが見通されています。電力会社もスマートグリッドと呼ばれるような高度な情報処理を活用した電力系統設備や運用技術の研究開発を進めており、この中で電気自動車や再生可能エネルギーなどの新たな設備と既存の設備との調和の実現が期待されています。

また、電力にとどまらずスマートシティと呼ばれるような都市計画と融合することで、災害に対する都市の強靭化や利便性の向上といったことも期待されています。大規模な事業者が一方向に電力を供給する時代から、あらゆる地域で電力がやり取りされる社会においては電力会社の役割も変化していくことが考えられるため、電力産業の技術開発とそれらを展開する新規事業開発の加速化が求められています。

IoT
さまざまなものがネットワークに接続され相互に情報交換を行う仕組み。

スマートグリッド
情報技術を活用し、電力の供給側・需要側のそれぞれにおいて機器を制御し電力の流れを制御できる送電網。

スマートシティ
都市内の多様な情報を収集し、設備・機器の運営に反映することで生活者の利便性の向上を目指した都市。

DR
ディマンドリスポンス（Demand Response）の略称。

VPP
バーチャルパワープラント（Virtual Power Plant）の略称。

技術開発と電力ネットワークの次世代化

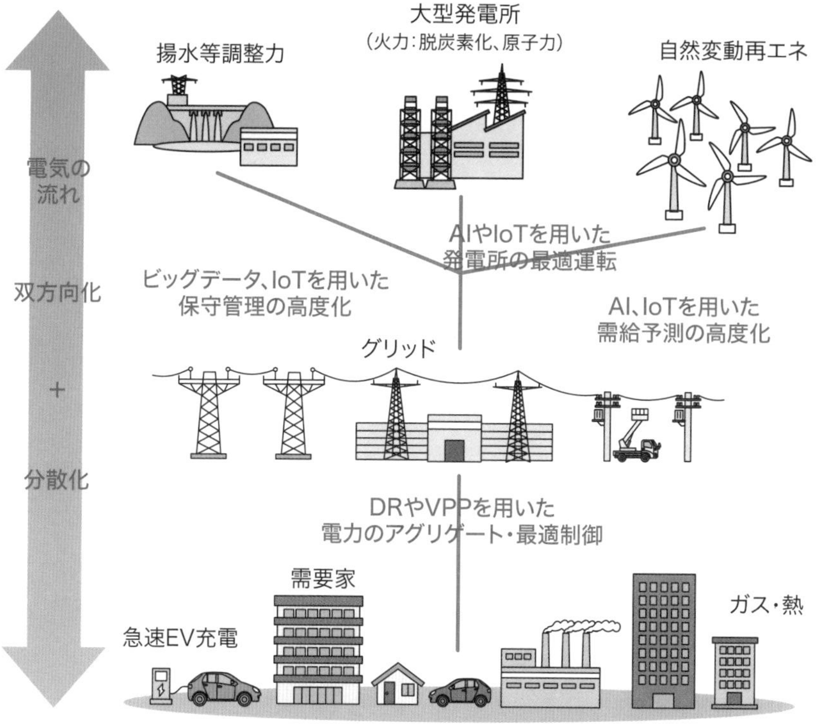

出所：経済産業省資源エネルギー庁「電力ネットワークの次世代化について（2022年2月25日）」をもとに作成

ONE POINT

電力ネットワークの次世代化

太陽光発電や電気自動車などの普及が期待される中で将来的に送電網、配電網を含む電力ネットワークの制御が複雑化していくことが指摘されています。将来的には需給ひっ迫時に消費者が機器の利用を控え、逆に電力の余剰時に集中的に機器を利用することで電力の需給バランスに貢献する試みである**DR**や、多くの設備を束ねて運用することで安定供給に貢献する**VPP**といった技術を活用することで電力ネットワークに接続されるあらゆる機器を効率的に活用することが求められています。これらの技術の活用のために政府や電力会社はAIやIoTなどの技術の進歩とともに電力ネットワークの次世代化に取り組んでいます。

COLUMN 3

電気料金の明細を見ていますか？あなたが選ぶエネルギーの未来

しっかりと情報を確認することが大切

ご家庭の電気料金の明細をご覧になったことはあるでしょうか。ガイドライン等の定めに沿って電気料金の明細にはいろいろな項目が並んでおり、必ずしもわかりやすいものではないかもしれません。また、先月や前年の同じ月との比較を含めて、電気料金の増減を継続的に追っている方ばかりではないでしょう。

日本では2016年に電力の小売全面自由化が行われ、一般家庭でも自由に小売電気事業者を選ぶことができるようになりました。それに伴って価格の比較サイトや料金のシミュレーションなども充実することとなり、需要家が自分で料金を比較して事業者を変更することも容易になりました。

他方で2022年は化石燃料をはじめとしたエネルギー価格の高騰もあり、電気料金の高騰が話題になりました。なかにはいきなり高額の明細を目にすることになり驚かれた需要家も多かったのではないでしょうか。小売電気事業者がわかりやすく情報を伝えることと需要家もしっかりとした情報を持つことが大切になります。

これからはリアルタイムな情報が大切に

これからは再生可能エネルギーの導入に伴って電力の需給の変動はより大きくなり、迅速な対応が求められることになります。このためには需要家にとってもよりリアルタイムな情報が重要になります。

例えば2021年の冬では電力の需給ひっ迫が問題となりました。需給ひっ迫に伴う電力の卸価格の高騰が電気料金に反映され、需要家がこれに反応すれば電力の需給緩和に貢献することが期待されています。

しかし、電気料金がリアルタイムかつ大きく変動する世界では日常生活でもいつ調理するのか、エアコンの電源のオンオフのタイミング、電気自動車の充電のタイミング、電気の利用一つとってもたくさんの選択に直面することになります。これに対してITを使って負担のない形で電力の需給緩和に貢献し、電気料金の負担も下げていくような技術の発展が期待されています。

電気料金の明細を眺め、需要家が積極的にサービスを選んでいくことが新たな技術とサービスの開発を促し、次世代のエネルギーシステムの構築へとつながっています。

第4章

石油産業の構造

石油は、海外で生産された原油をタンカーで日本まで運び、その後精製され、日本全国へ配送され、私たち消費者のもとに届きます。本章では、石油業界の市場規模と業種から事業構成、石油会社の業務までを解説していきます。

Chapter4
01

石油産業の構造

開発から販売・消費まで長い経路 各段階でその経路を支える産業

石油は、海外での原油の生産、タンカーによる輸入、石油製品の製造（精製）、日本全国への輸送などのサプライチェーンを経て消費者のもとに届きます。これを生産・輸送・精製・販売といったさまざまな産業分野が支えます。

石油のサプライチェーン

石油は国内外のサプライチェーンを経て、私たち消費者のもとに届きます。最初に原油の生産です。日本は原油の大部分を海外から輸入しています。サウジアラビアやアラブ首長国連邦といった中東などの国々で生産された原油はタンカーに積み込まれ、中東からは20日間程度の長い航海を経て日本に届けられます。

原油は産地によって品質が多様で、またそのまま燃焼したのでは効率が悪く、汚染物質も多く排出してしまいます。そこで、自動車や暖房、発電などの用途に合わせ、定められた品質の石油製品に作り替えます。この工程を精製といい、精製を行う設備を製油所と呼びます。輸入した原油は製油所でガソリンや軽油、灯油、重油などさまざまな石油製品となります。その後、石油製品は製油所から日本各地にある油《ゆ》槽所《そうじょ》と呼ばれる配送拠点やガソリンスタンドなどに、船や鉄道、タンクローリーを使って輸送されます。そして最後に、我々を含む消費者に販売されます。開発生産会社による原油の探鉱に始まり、掘削《くっさく》、生産、運送会社による原油輸送、生産、元売り会社等による搬送、製油所での受け入れ、精製、輸送や販売会社での製油所からの配送、販売、その過程にある各社の貯蔵など、各プロセスを支える産業が存在します。

サプライチェーン
製品として消費者に届けられるまでの原材料の調達から製造、在庫管理、配送、販売等一連の供給の流れ。

油槽所
製油所から小型タンカーで出荷するガソリンや軽油などの石油製品を受け入れ、タンクで貯蔵し給油所に小分けしてタンクローリーなどで配送するまでのオペレーションを行う配送拠点。ENEOSとコスモ石油が設立した東西オイルターミナルなどがある。

石油製品の貿易（輸出入）

原油の調達のみならず、国際的産業として石油製品の貿易も重要です。製油所では必要な製品だけを作ることができないという問題があります。そのため製品によって過不足が生じますが、石油元売りや商社、トレーダーなどが石油製品の輸出入によってもこれを調整します。

石油のサプライチェーン

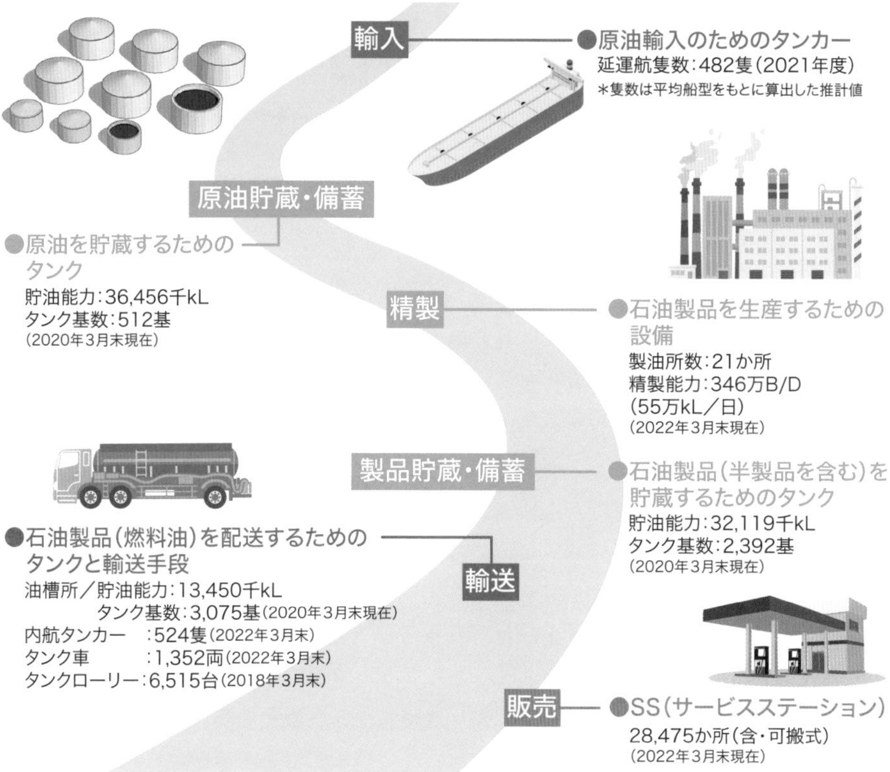

出所:経済産業省「石油設備調査」、全国内航タンカー海運組合、日本石油輸送(株)、石油連盟等
出所:石油連盟「今日の石油産業2022」をもとに作成

原油、中東から日本へのタンカーでの長い航路 - オイルロード

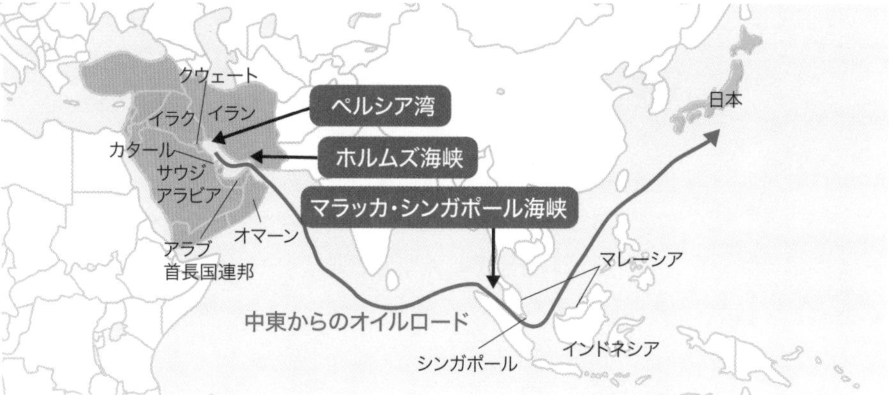

出所:石油連盟「今日の石油産業2022」をもとに作成

Chapter4
02

年間売上は2019年19兆円 基幹産業でありグローバル産業

石油は日本の一次エネルギーの40%を占め、その基幹たる石油産業の市場規模は年間売上高で19兆円、石油輸入額は10兆円を超え、わが国の輸入金額に占める割合は13%にも及びます（2019年度）。

石油業界の業種は上流と中下流で2つに大別

石油会社といった場合、石油の開発・生産を行う上流部門に属する会社と、原油や石油製品の輸入・精製・販売を行ういわゆる中下流部門の精製元売り会社等の2つに大別されます。前者はINPEXや石油資源開発（JAPEX）といった開発会社で、日本の上流部門が主に海外で持つ油・ガス田権益量は約100万B/D（日産100万バレル）で日本の消費量の30%程度です。

また国内精製量は350万B/D（2019年）となっており、多くは販売会社と一体となっている元売り会社、すなわちENEOSや出光興産、コスモ石油といったブランドの販売網で消費者に届けられています。元売りは原油や石油製品の調達からタンカーによる輸入、製油所での精製から給油所や各産業をはじめとする顧客までの配送、そのプロセスでの貯蔵をカバーします。なお、正確には上流部門を「開発」、中流部門を「輸送・精製」、下流部門を「販売」とし、3部門で分けます。「輸送」部門では元売りや商船三井、日本郵船といった船会社保有のタンカーが利用されます。

権益量
権益とは、石油開発会社等が地下埋蔵資源を保有する産油国等から得る資源の探鉱、開発、生産、販売する権利を指し、その権利を得た契約に基づく生産量を権益量とする。

開発は油井生産まで。元売りは油井から消費者まで

大規模かつグローバルな石油のサプライチェーンの中で、開発会社は生産、すなわち原油を地下から地上に取り出し、それを油《ゆ》井《せい》からタンカーに積み込み、販売するまでの役割を担います。

このように一般的に原油の搬送は元売りの手配するタンカーによって、生産地で権利の移転が行われ日本に運ばれます。したがって、両業種のサプライチェーン上の区切りは、基本的には中東をはじめとする生産地点のタンカー搬入時点におかれることになります。

油井
油井とは原油を採取するための井戸。通常、原油は陸上や海上の地面から地下にパイプを通じ、すなわち井戸を掘り、地上へと採取する。

石油産業の規模

資本金総額	2,668億円（2019年度末）
年間売上高	19兆2,402億円（2019年度）
従業員数	約19,100人（2019年度末）

出所：石油連盟（対象企業：石油精製・元売12社）

原油・石油製品（燃料油）輸入量	2億508万kL（2019年度）
石油の輸入依存度	99.7%（2019年度）

出所：経済産業省「資源・エネルギー統計」

原油・石油製品輸入金額 わが国総輸入金額に占める石油の割合（13.05%）	926億ドル（2019年度） （10兆760億円）

出所：財務省「貿易統計」
出所：石油連盟「今日の石油産業2020」をもとに作成

1バレルとは？

＝

42米ガロン

＝

約159リットル

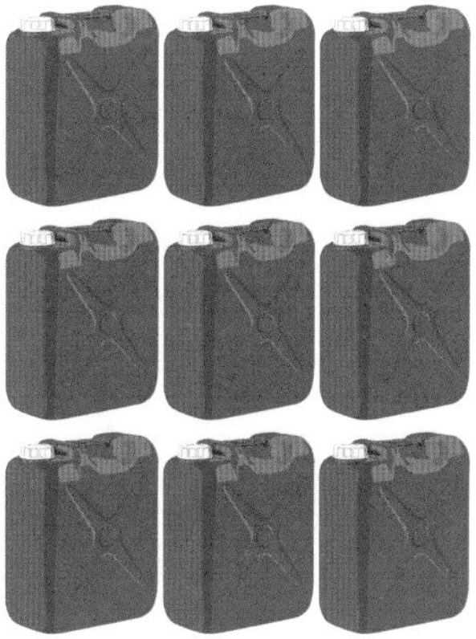

灯油用
ポリ容器（18リットル）に
換算すると約9缶

バレルの換算法（例示）

B/D×5倍（≒30日÷6.29バレル）……………kL／月
B/D×58倍（≒365日÷6.29バレル）……………kL／年

出所：石油連盟「石油のQ&A」をもとに作成

Chapter4
03

石油の備蓄量

備蓄は安定供給確保の鍵を握る 日本の備蓄量は約230日分

日本は、2021年度に国家備蓄と民間備蓄などの合計で、純輸入量の約230日分の石油備蓄を保有しています。備蓄は石油の安定供給を確保するうえで効果的な対策で、同時に経済効率性を高めていくことも求められています。

備蓄量と備蓄の役割

2021年度時点の石油備蓄量は計7,119万kLで、日本の石油純輸入量の232日分に相当します。たとえ石油輸入が途絶えたとしても7.5か月は供給を維持することができることを意味します。2011年の東日本大震災の際にも備蓄が放出され、人々の生活を支えました。内訳は民間備蓄が全体の81日分、国家備蓄が146日分、産油国との共同備蓄が5日分です。

日本の備蓄制度は1960年代に、緊張が高まる中東情勢への対応から民間石油企業による備蓄から始まり、1978年の国家備蓄の開始以来その量は年々増えてきています。

油種別には、民間備蓄では原油と石油製品が半分ずつ、国家備蓄はほぼ原油です。原油が長期間の保管に向く一方、石油製品は緊急時にすぐに利用できるという利点があります。

IEAの協調備蓄放出
日本が加盟する、いわば消費国連合のIEA（国際エネルギー機関）の決定に基づき、備蓄が放出されることもある。最近では2022年のウクライナ危機に際し、日本を含むIEAは石油備蓄の共同放出実施の実績がある。

備蓄の効率化

備蓄量が同じでも、石油需要が減少すれば日数換算の備蓄量は増えます。逆に、日数換算の備蓄量を一定に保つことで備蓄量、すなわち備蓄のコストを下げることができます。石油需要の減少を受け、2015年度からは国家備蓄の備蓄水準が日数を基準とするよう変更されました。産油国との共同備蓄は、2009年にアラブ首長国連邦と、2010年にサウジアラビアと開始されました。普段は産油国の企業が自身のビジネスに活用しますが、非常時にはタンク内の原油を日本が優先的に利用することができます。国内にある余剰タンク能力を有効活用しつつ、緊急時の石油安定供給を確保するという効率的な方法です。備蓄には、石油の安定供給確保と同時に経済効率性を高めていくことも求められています。

余剰タンク能力
製油所などでは原油や石油製品の在庫管理をタンクで行うが、タンク建設後、消費量が落ちた場合などはタンク能力に余力が生じる。この余力を余剰タンク能力と呼ぶ。

わが国の石油備蓄量・備蓄日数の推移

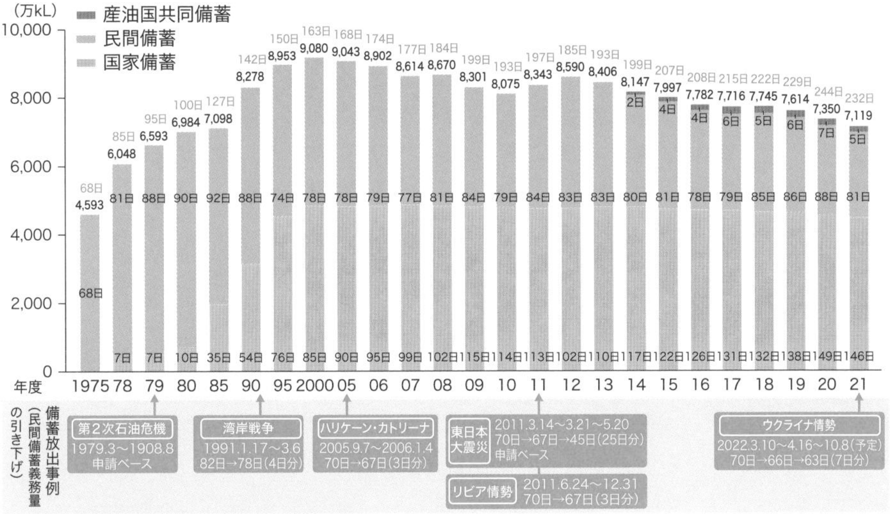

（注）：1．備蓄量は製品換算、備蓄日数は石油備蓄法方式
　　　　2．合計の備蓄日数については、四捨五入のため積上げ日数と合わない場合がある
出所：石油連盟「今日の石油産業2022」をもとに作成

わが国の民間備蓄・国家備蓄の現状（2022年4月末現在）

	民間備蓄	国家備蓄	産油国共同備蓄
備蓄目標	消費量の70日分	産油国共同備蓄の2分の1と合わせて輸入量の90日分程度	—
保有形態	生産・流通過程で保有	封印方式（製品は生産・流通過程で保有）	産油国国営石油会社の商用在庫として保有
保有場所	製油所・油槽所などの民間タンク	原油：①国家石油備蓄基地、②民間タンク（借上げ） 製品：製油所・油槽所などの民間タンク	国内民間タンク（産油国国営石油会社が借上げ）
保有構成	原油：約50%　製品：約50%	原油：約97%　製品：約3%	原油：100%
管理主体	精製業者、輸入業者など ただし、共同備蓄会社による代行が可能	①国家備蓄会社（約2/3）（全国で8社・10基地） ②民間企業（約1/3）（管理委託）	産油国国営石油会社（サウジアラムコ、ADNOC）が国内民間タンクへ管理委託
備蓄石油放出（取り崩し）の特徴	①大部分が製油所や油槽所といった生産・流通過程に保有されており、速やかに供給できる。 ②原油の調達動向や石油製品の需要に応じて、弾力的に対応できる。	①国の判断で放出し、その分供給が確実に増すので、大きなアナウンスメント効果が期待できる。 ②原油の大部分は、石油備蓄基地からタンカーにより製油所へ輸送する必要がある。 ③製品は製油所・油槽所などの民間タンクで備蓄しており、速やかに供給できる。	①国内の民間タンクを産油国国営石油会社に政府支援の下で貸与し当該社が東アジア向け中継・備蓄基地として利用しつつ、わが国への原油供給不足時は当該タンクの在庫をわが国向けに優先供給する。 ②タンクがある民間石油基地からタンカーにより製油所へ輸送する必要がある。
放出（取り崩し）事例	①第二次石油危機（79年3月～80年8月） ②湾岸危機（91年1月～3月） ③ハリケーン「カトリーナ」被害（05年9月～06年1月） ④東日本大震災対応（11年3月～5月） ⑤リビア情勢対応（11年6月～12月） ⑥ウクライナ情勢対応（22年3月～）	①ウクライナ情勢対応（22年4月～）	なし
財政支援措置	石油購入資金、タンク建設などを支援	国が負担（財源となる石油石炭税は、製品コストの一部を構成）	タンク貸借料などを支援（財源となる石油石炭税は、製品コストの一部を構成）

出所：石油連盟「今日の石油産業2022」をもとに作成

Chapter4
04

石油製品価格決定方式

原油コストや市況が価格に影響 特約店経営者が店頭価格を決定

石油製品の製造元（元売り）から特約店等への卸売価格（仕切り価格）は原油コストを基本に市況等を勘案して毎週変更され、ガソリンスタンドでの店頭価格は特約店が自社の販売コスト等を参考に決定しています。

週決めの価格算定式（フォーミュラ）

主要元売りは2008年、販売会社への卸売り価格、すなわち仕切り価格に関し、それまでの月決め方式から週単位、油種別、先決めの市況連動方式に移行しました。製油所出荷価格に輸送費やブランド料などを加算等する算定式に基づくものです。なお月決め方式とは、湾岸危機で原油価格が高騰、行政指導に基づき1990年から適用されていたもの、毎月月ごとにドル建てである原油購入価格と為替レートを仕切り価格に反映させるものでした。月単位では国際原油価格を迅速に反映できないなどの課題があったため見直されたものです。

その後も石油元売り各社は、指標価格が原油価格回復局面の変動に十分対応しなかった等の理由により、出荷価格の指標に原油輸入価格等コストの要素を織り込むなどの経緯を経て算定を見直し、現在は「新仕切価格方式」すなわち円建て原油輸入価格の変動に需給に応じた市場での価格情報等を総合的に勘案して毎週変更しています。このように、基本的には原油コスト連動で決まる傾向となっています。

ガソリンスタンドの店頭価格

ガソリンスタンドの店頭価格は、基本的に仕切り価格に基づく卸価格に特約店や販売店の経営者が自社の販売コスト、採算や販売計画、周辺店の価格水準等を勘案して決定します。

こうしたことにも時間を要し、一週間前の原油価格をベースとした仕切り価格発表後のものを翌週に改定するため、一般的には卸価格の反映（転嫁）には３週間程度のタイムラグが生じます。

特約店

卸売り事業者との製品の継続的な販売を意図し、契約を持つ販売事業者。例えばガソリンの場合、卸売り事業者はENEOSなどの元売り、特約店はそのブランドを使用する独立経営母体の特約店、直営の系列のENEOSフロンティアなどになる。本文の通り、規制緩和によりさらに経営母体の異なる三菱商事エネルギーなどの商社系や全農の経営が参入増加傾向にあった経緯にある。

CIF価格

Cost（原油価格）、Freight（運賃）、Insurance（保険）の合計金額。原油価格は積出港での受渡価格を指す。したがってCIF価格は到着地（日本）での到着価格となる。

わが国の原油CIF価格とガソリン小売価格（消費税・ガソリン税・石油石炭税抜き）の推移

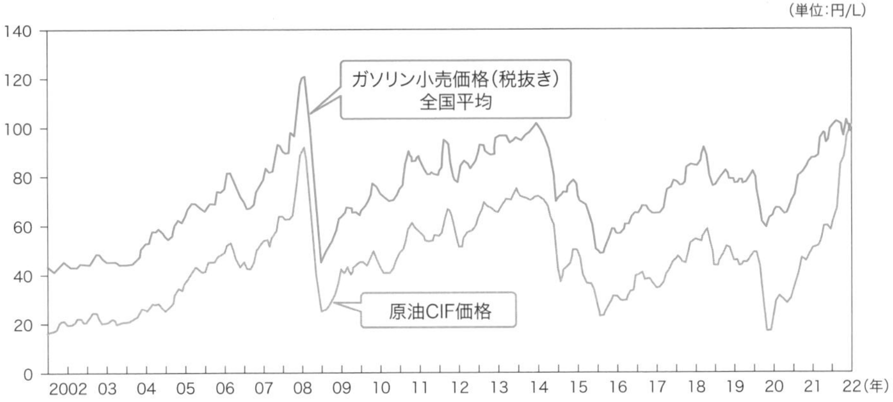

出所：石油連盟「今日の石油産業2022」をもとに作成

ガソリンスタンドの仕組み

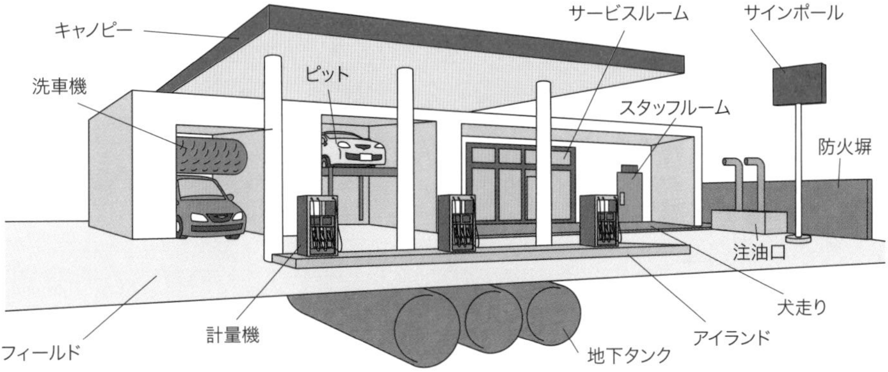

出所：全国石油商業組合連合会資料をもとに作成

ONE POINT

ガソリン小売価格に占める税金の割合は5割

ガソリンには、1L当たり53.8円のガソリン税と2.8円の石油石炭税が課せられています。ガソリン価格を130円/Lとすると、税比率はガソリン税も含めた価格に対する消費税と合わせて約5割に上ります。またガソリンだけではなく、軽油や航空燃料にも個別に税額は設定されています。石油石炭税は2012年より気候変動問題対策のため、CO_2の排出量に応じ税率が上乗せされ、経過措置として2016年までの間に3段階にわたり税率の引き上げ等が実施されています。

Chapter4
05

石油会社の事業構成

上・下流事業で構成 新エネルギー等事業多角化にも積極的

原油の探鉱開発から生産までの上流部門、原油調達・輸送・製油所での精製などの中流部門、製油所からの配送や消費者への販売などの下流部門が石油会社の事業構成です。近年は新エネルギー分野などにも取り組んでいます。

長いサプライチェーンと上流・下流事業

石油会社というと、ENEOSや出光といったブランドが浮かびますが、販売だけにはとどまりません。原油開発（上流）事業から始まり、大型タンカーによる日本までの搬送があります。搬送された原油は、場合により、ENEOS喜入基地のような世界最大級のタンク能力（725万kL）の原油貯蔵基地で一旦在庫として管理され、再びタンカーで製油所に搬入されます。原油が搬入された製油所では精製過程を経てガソリンや石油化学製品の原料などに製品化され、タンクローリー等で配送、場合により油槽所などで在庫管理が行われながら、給油所や工場に運び込まれます。こうした販売プロセス（下流事業）を経て最終需要家のもとに届けられます。

気候変動問題への対応と総合エネルギー会社に向けた事業編成

2050年のカーボンニュートラル（p.144参照）に向けて、各社とも事業分野の拡大に積極的です。

ENEOSではビジョンにおいて、わが国大手石油会社としてはいち早く2040年にカーボンニュートラルを目指すとし、**GHG**削減の取り組みは製油所等における省エネ、電気・ガスの供給に加え、水素ステーションなど水素事業や風力などの再エネ事業、さらに**EV事業**などへの取り組み開始も発表しています。出光興産も水素、アンモニア、CCUSやバイオ利用などの再エネ事業、EV事業等さらには二酸化炭素と水素による**メタノール合成**、人工光合成等の技術開発を推進するなど事業の多角化の取り組みを強めています。上流会社では、例えばINPEXやJAPEXでは主な低炭素事業として**CCS**、地熱発電等の取り組みを進めています。

GHG
Greenhouse Gas、温室効果ガスのこと。放射熱を地球外に逃がさず上にとどめる気体（ガス）のこと。二酸化炭素、メタンが代表的。

EV事業
Electric Vehicle（電動車両）向け充電スタンドの設置やリース、シェア・メンテナンスなどの関連サービスの展開など。

メタノール合成
水分解などから得た水素と火力発電所などから回収される二酸化炭素を化学合成し、燃料やプラスチックなどの化成品原料などとして使用されるメタノールを生産する技術。二酸化炭素の有効利用によりその削減につながる。

CCS
Carbon Capture & Storageの略称。二酸化炭素の分離回収と地下貯留。

石油の事業部門とサプライチェーン

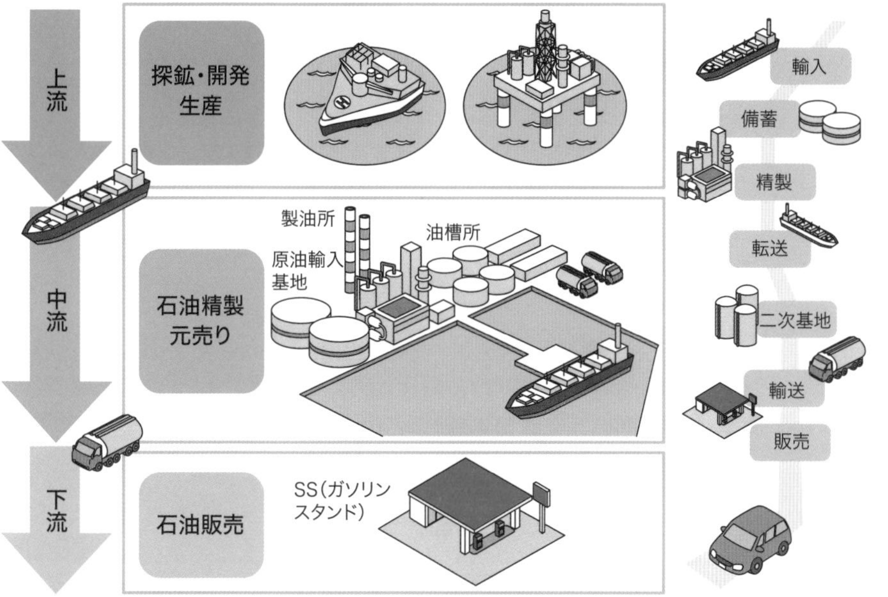

出所：経済産業省資源エネルギー庁webサイト（https://www.enecho.meti.go.jp/about/special/tokushu/anzenhosho/supplychain.html）をもとに作成

石油分野の低炭素・脱炭素技術の技術ロードマップ

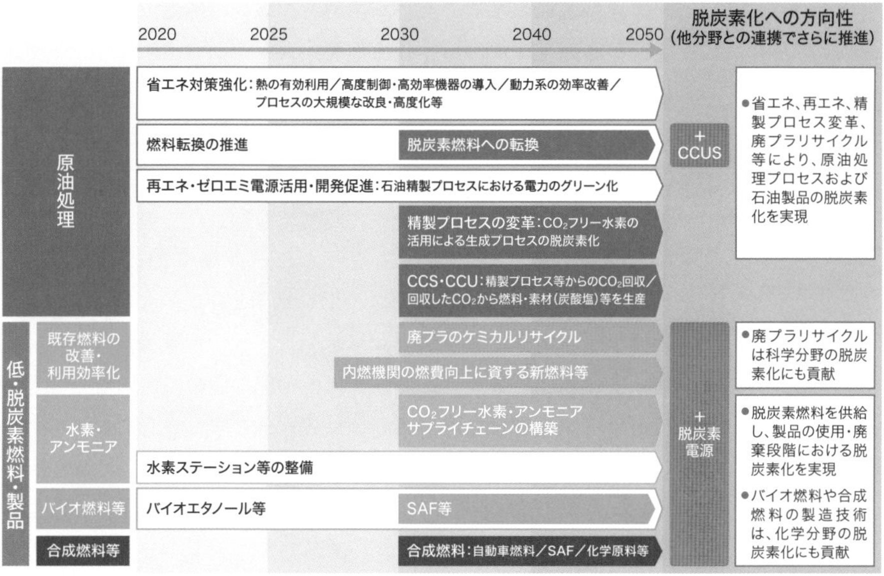

出所：石油連盟「今日の石油産業2022」をもとに作成

Chapter4
06

石油会社の業務①原油の探鉱・開発・生産

開発鉱区での原油生産が第一歩 原油を探し、掘削、生産開始

石油はまず原油の探鉱から始まり、掘削、そして生産過程に入りますが、こうした一連の活動を行うための鉱業権の獲得が必要です。また、大がかりな操業・生産施設の設置なども含まれる一大事業になります。

原油の探鉱・開発・生産プロセス

原油は政府や国営石油会社などの地下資源保有者と民間開発企業などの数年がかりの調査と交渉を経て開発鉱区の鉱業権が開発企業等により獲得され、地下の鉱床を探し、掘削《くっさく》作業に移行、関連施設の建設を経て生産井《せいさんせい》の操業、原油の生産が開始されます。

具体的には出荷のための配管、タンク、リグなど一連の生産・出荷設備などが建設、生産、出荷に至ります。これらの原油の探鉱・開発・生産はINPEXなどに代表される石油会社の上流部門と呼ばれる事業内容となります。

鉱床
生産への移行が可能な地下の石油の集積のこと。

生産井
主に地下資源を採取する生産施設としての井戸。ここではドリルで地下に向けて掘った設備にパイプラインを通し地下の原油を地上に採取する井戸を指している。

リグ
海底油田用の海洋掘削装置。石油の生産活動と、公表されるその稼働数は関係性が大きく、需要や原油価格の1つの先行指標。

非在来型石油の生産プロセス

世界埋蔵量の多くの部分を占める在来型石油は、数億年前の古生代から数千年前の新生代の地層から多く発見されます。石油が熟成される地層にドリルで到達すると地下や海底油田から自噴ないしはポンプで採取されます。こうした在来型石油に加えて、2000年からの10年間の原油価格上昇と技術開発によって非在来型石油が一挙に実用化・商業化されました。

この新しい技術を使って生産される非在来型の代表であるシェールオイルは、在来型より深い地下2,000～4,000メートルの硬い頁岩《けつがん》（シェール）層から水平方向への水平掘削技術などを用いて生産されます。この技術は画期的なもので、主要な生産国であるアメリカは世界最大の原油生産国となりました。

また非在来型石油としては、ほかにオイルサンドなどがあり、産地としてはカナダが有名で、露天掘りで石油の混合された砂（オイルサンド）表土を剥ぎ、熱湯で攪拌、遠心分離にかけ石油を採取する方法などがとられています。

世界の原油生産量（2021年）

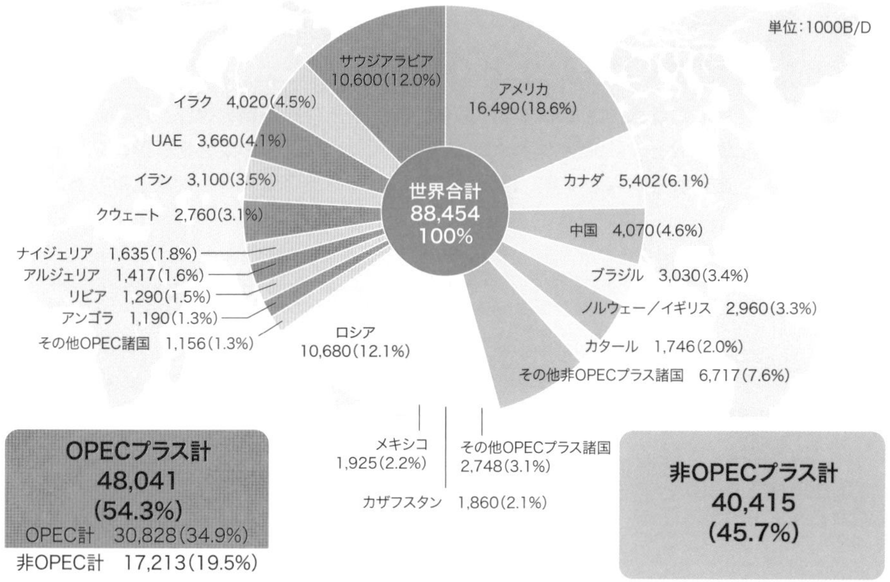

（注）1．中立地帯はそれぞれサウジアラビア、クウェートに含まれる
2．UEAはアラブ首長国連邦の略称
3．四捨五入の関係により合計が一致しない場合がある
4．NGL（天然ガス液）を含む
5．OPECプラスは、OPEC加盟国に加えて、アゼルバイジャン、バーレーン、ブルネイ、カザフスタン、マレーシア、メキシコ、オマーン、ロシア、スーダン、南スーダンの10か国が参加

出所：OGJ誌（2021年末号）
出所：石油連盟「今日の石油産業2022」をもとに作成

原油の探鉱・開発・生産期間

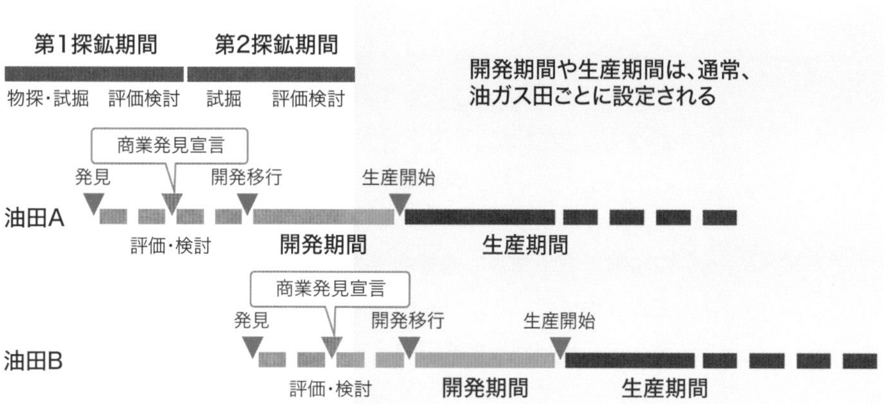

出所：IEEJ/JOGMEC「石油・天然ガスの仕組み」をもとに作成

Chapter4
07

原油購入業務は最適原油の選択から輸入元は主に中東

原油にはさまざまな種類があり、製油所で異なる精製過程、原油価格等の評価のもとに原油種の選択を行い、売り手と価格等の条件を交渉、売買契約書を交わし購入します。輸入元は主にサウジアラビアなど中東となります。

最適原油選択のプロセス

石油会社は、多様な原油の中から自社の精製設備構成や石油製品の需要構造などを踏まえた経済性を前提にLPといった最適生産プログラムを用い、最適な原油の種類や量、精製場所を計算します。これに基づき、最適原油を選択する意思決定がなされます。そのうえで石油元売り等が国営石油会社などから原油を購入するわけですが、原油契約には大きく１年単位のターム契約と毎月取引されるスポット契約があります。まず経済性にカントリーリスクなどを踏まえたターム契約に対する意思決定を行い（8割程度）、残りの2割程度を毎月スポット調達するのが日本の石油会社の現状です。調達先は中東が輸入元の中心です。

LP
Linear Program（線形計画法）のこと。一次関数（グラフにすると直線となる）の制約の下で、その組み合わせにより生産性の目的関数の最大値を求める。

カントリーリスク
海外とビジネスを行う際に、契約や事業相手特有のリスクとは別に、相手当該国の社会、経済情勢等により契約が不成立に終わるなど利益が損なわれるリスク。

原油の輸入先、90％以上は中東

日本は、二度にわたる石油危機の経験から原油輸入先の多様化を図ってきました。1973年に80％近くあった中東からの輸入比率は中国、インドネシア、メキシコなどに分散化され、1987年には一時68％まで低下しました。しかし、それらの国が国内需要を増加させ純輸入国に転じる中、中東依存比率は高まり、直近92.5％（2021年）まで再び上昇しています。中でもサウジアラビア（37％）、アラブ首長国連邦（36％）が群を抜き、クウェート、カタールなどが続きます。

背景には世界の石油埋蔵量の約半分、生産量の約３分の１が中東に集中していることが挙げられます。このことは日本にとり中東との多様な関係の構築の重要性を認識させると同時に、引き続き調達先の分散化も含め安定供給確保に留意していくことも求められているといえます。

わが国の原油輸入量とOPEC依存度・中東依存度の推移

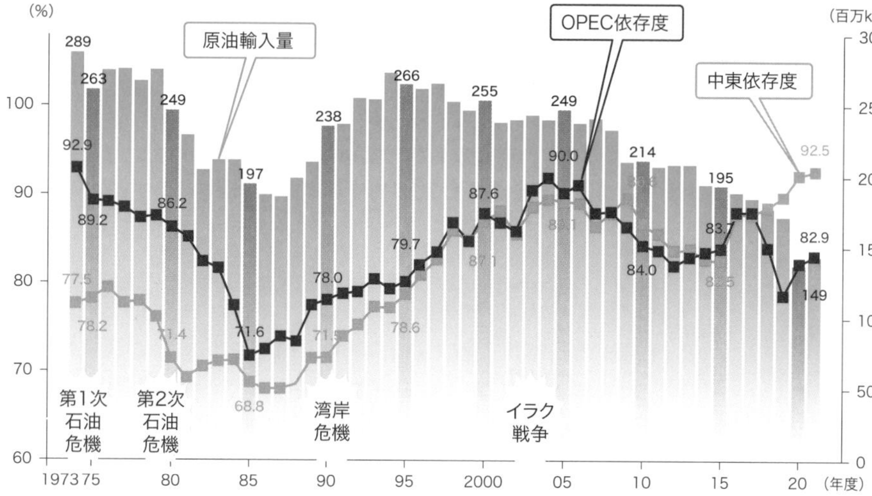

出所：石油連盟「今日の石油産業2022」をもとに作成

ONE POINT

原油契約交渉

原油の生産者サイド、すなわちサウジアラビアにおけるサウジアラムコなどの国営石油会社やエクソンモービルなどの国際石油資本、石油開発会社などといった売り手と、買い手は最適とみなされる原油を購入すべく交渉を進めます。ターム契約の場合は一年に一度、スポット契約は基本的に積み月の前々月に価格を中心とした交渉を行います。この中には、例えばトレーダーなどのように、自分では製油所を持たず実際に原油処理はしないけれども売り手から購入した後、値上げを待って需要家に販売するいわば中間的な日本の商社やビトールなどの海外トレーダーなどの売買者も含まれます。また原油の契約はほぼ標準化されており、基本的に価格以外は交渉対象になることはありません。

Chapter4
08

石油会社の業務③原油の輸送と製油所への入荷

中東から日本まで約20日間で輸送 製油所で荷揚げ

原油はVLCC（Very Large Crude Oil Carrier）という、東京タワー（333m）並みの長さの巨大原油船で輸送します。中東からは、ホルムズ海峡やマラッカ海峡などを経て約20日間で日本まで輸送されます。

中東産油国から日本までの輸送経路

中東から日本まで約1万2,000km、VLCCはホルムズ海峡、マラッカ海峡という石油輸送上の**チョークポイント**も通り、**約20日間**で日本に到着します。タンカーは石油満載時には甲板が低く、喫水《きっすい》（船底から海面までの高さ）が低くなります。潮位によっては通過時間の調整が必要となります。

チョークポイント
海上、海運上の要諦となるポイントのことを指す。

約20日間
中東から日本の航行距離1万2,000kmをタンカーは27km/時間（15ノット）で航行する。すなわち、27km/時間×24時間×20日間＝約1万2,000kmとなる。

製油所への入荷に至るタンカーのアレンジ

VLCCは日本の製油所で原油を降ろしますが、タンク容量の上限により、1つの製油所ですべての原油を受け入れきれない場合などは、複数の製油所で荷揚げを行います。また、例えばENEOSの喜入基地などの中間受入基地で一旦荷揚げを行い、そこから10万トンクラスの喫水の浅いタンカーで製油所に二次転送をかけるケースもあります。しかし生産地一か所で積み、製油所一か所で荷揚げを行うことと、潮流や気象条件などによる**滞船時間**を軽減することなどがタンカーの効率配船の鍵です。

タンカーの船型やサイズは、喫水や積み地・受入港の入港設備により制約を受けます。ENEOSオーシャンなど元売り傘下のタンカー会社では、元売りとともに長期契約分の原油については、自社船の建造・保有または船会社との長期の**用船**契約締結を行い対応します。一方原油の短期契約分については、都度購入するため、原油の積出港の制約や積出しのタイミングを計りながら船主からタンカーを用船します。船が「遊ぶ」ことがなく運賃を低減するため、長期でも短期でもタンカーの手配後は、できるだけ稼働を上げるべく効率的な船のオペレーションを気象条件等に合わせながら展開していきます。

滞船時間
滞船とは荷卸を待つ間、船が海上で停船している、実質不稼働状態になっている時間のこと。不稼働にもかかわらずこの間も荷主から船主への運賃は発生する。

用船
荷主が荷物を運送するために、船会社と契約すること。

原油タンカーとサイズ別呼称

写真提供：商船三井

VLCC

- ・VLCC（Very Large Crude oil Carrier）：20万～32万重量トン級
- ・スエズマックスタンカー：14万～15万重量トン級 スエズ運河航行可能な最大船型
- ・アフラマックスタンカー：8万～12万重量トン級

二重構造のタンカー

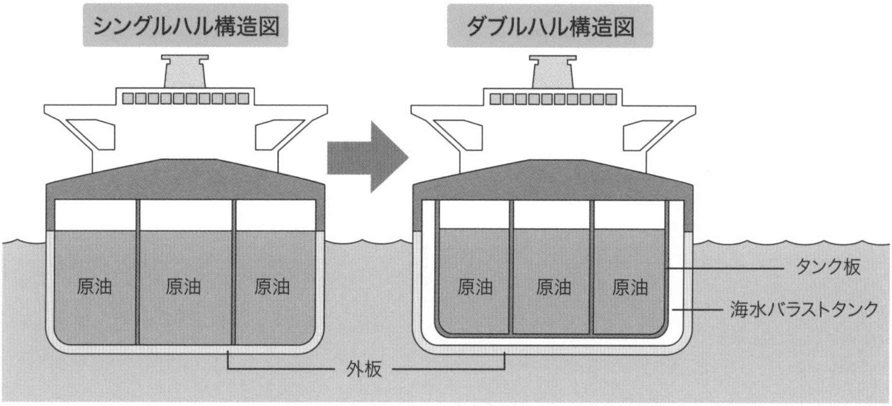

出所：石油連盟「石油のQ&A」をもとに作成

ONE POINT

タンカーの環境安全対策

タンカーの環境・安全への対策も国際海事協会（IMO）を中心に強化されています。1989年のエクソン・バルディーズ号のアラスカでの座礁事故を契機に1996年の新造タンカーからタンクの外壁を二重構造とする二重殻（ダブルハル）が義務付けられ、2020年からはそれまでの燃料消費効率の規制に加え、燃料の硫黄排出規制も設けられました。

石油会社の業務④原油の精製と石油製品の製造

Chapter4
09

原油は製油所で精製され、ガソリン等の石油製品を製造

日本国内の製油所は22か所、原油処理能力は約350万B/Dです。原油を輸入し、製油所で「蒸留」「改質」「分解」「脱硫」といった精製プロセスを経て最終製品を製造していきます。

日本の製油所の特徴

日本の製油所は、タンカーで原油が搬入されることと、生産拠点であると同時に出荷拠点でもあることから太平洋ベルト地帯を中心に21か所（2022年3月末）あります。

原油処理能力で約350万B/Dです。1980年には600万B/D近くあった原油処理能力は近年、石油製品の需要減を背景に減少しています。また石油精製業の国際競争力向上等の観点と「エネルギー供給構造高度化法」に基づき、2017年過剰精製設備の廃棄が行われました。日本の大手3社の原油処理能力を見ると、ENEOSが約190万B/D、出光が約100万B/D、コスモ石油が約40万B/D（2022年10月）となっています。

製油所の精製プロセス

製油所では原油は不純物を取り除かれた後、プロセス最初の設備である常圧蒸留装置（トッパー）に送られ、熱せられて沸点によりガス・ガソリン・灯油・軽油・重油等の留分に分けられます。各留分に分けられた半製品はガソリン品質を向上させる改質装置や硫黄分を除去する脱硫装置、ガソリンを増産する分解装置などの二次装置で処理されます。この分解装置は沸点の高い炭化水素を沸点の低い炭化水素に転化すること、すなわち重油等の重質分を分解することで、より付加価値の高いガソリン等の増産を目的とします。エネルギー供給構造高度化法でも対常圧蒸留装置比のこの分解装置能力の向上が目標とされました。

詳しくは図表の通り、それぞれの石油精製工程において、運転条件の調整やブレンド等によって必要な石油製品の数量や品質の調整が行われています。

原油処理能力
一般的には製油所の原油から製品への加工プロセスの最初である、常圧蒸留装置の1日当たりの原油処理能力で表記する。

エネルギー供給構造高度化法
正式名称は「エネルギー供給事業者による非化石エネルギー源の利用及び化石エネルギー原料の有効利用の促進に関する法律」。文字通りエネルギー事業者が再生可能エネルギーの利用と石油などの化石エネルギーの有効活用を促進し、必要な措置を講じることを目的に定められた。

改質装置
分子構造を変化させることを改質と呼ぶ。改質装置では触媒を使い、分子構造を変え、高オクタン価のガソリンを製造する。オクタン価とはエンジンのノッキングの起こりにくさを示す指標である。

製油所の所在地と原油処理能力（2022年3月末現在）

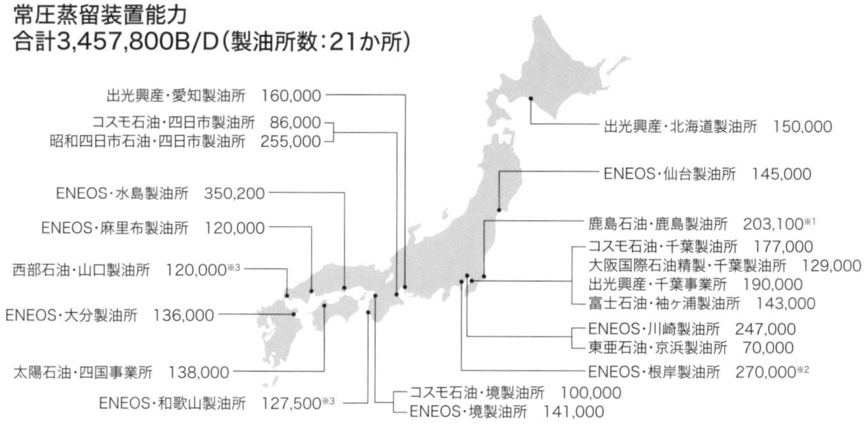

※1　鹿島石油・鹿島製油所の数値には、コンデンセートスプリッターの処理能力を含む
※2　ENEOS・根岸製油所の原油処理能力は、2022年10月を目途に150,000B/Dに変更予定
※3　ENEOS・和歌山製油所は2023年10月、西部石油・山口製油所は2024年3月を目途に精製機能を停止予定
出所：石油連盟「今日の石油産業2022」をもとに作成

製油所の生成工程

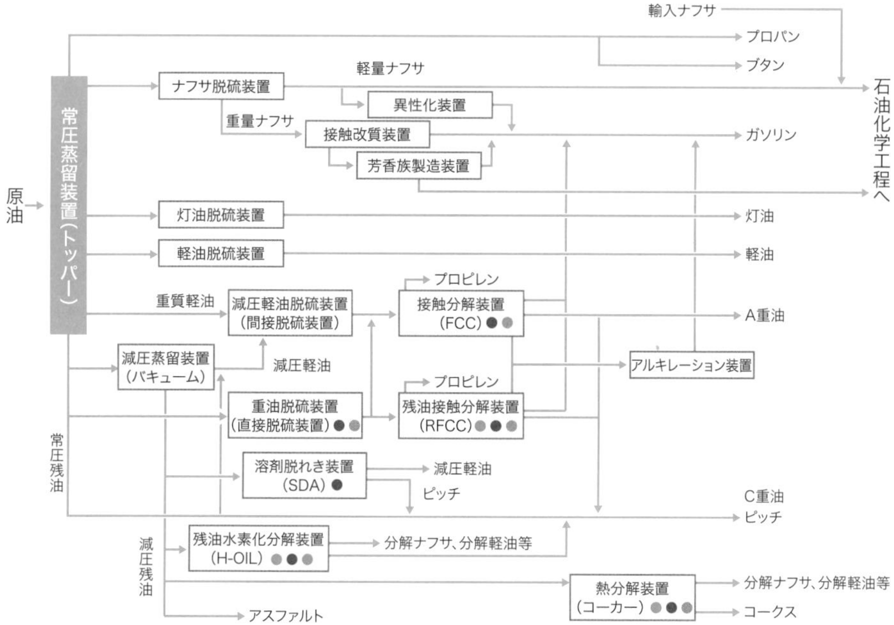

●1次告示対象装置（重質油分解装置）　●2次告示対象装置（残油処理装置）　●3次告示対象装置（特定残油処理装置）

（注）：エネルギー供給構造高度化法に基づく告示（原油等の有効な利用に関する石油精製業者の判断基準）の対象設備
出所：石油連盟「今日の石油産業2022」をもとに作成

Chapter4
10

石油製品供給の社会的インフラ 特約店を中心に構築

供給基地としての数は減少傾向にあるものの、給油所は引き続きガソリンや灯油などの国民にとっての生活必需品を供給する場として重要です。また災害時においてはライフラインといっても過言ではない重要なインフラです。

ガソリンスタンドは特約店経営が主体。その数は減少傾向

ガソリン等の国内販売はENEOSなど石油元売りから系列の特約店に販売され、特約店の経営する給油所、もしくは傘下の販売店の給油所で消費者に小売りされます。元売りは、ガソリンなどを特約店に販売し、特約店は元売りとの商標使用許諾や卸売価格を含む契約をして販売します。系列特約店は、元売りが出資する元売り直営の販売子会社、一般特約店、商社系特約店、全農系特約店に大きく区分されます。なお元売りから系列特約店以外の独立系事業者等向けの販売は系列外販売（業転玉《ぎょうてんぎょく》流通）と呼ばれ、過当競争にあった業界の再編、過剰設備の減少とともに近年は激減傾向にあります。**ガソリンスタンド数**は、1995年の6万件をピークに減少の一途をたどり、2021年度末には約2.9万件と半減しました。理由として1990年からの規制緩和などによるマージンの悪化等が影響しています。特に1996年の石油製品の輸入自由化により新規参入が増加、規制緩和の優等生と言われる一方、収益は落ち込み、中小企業共通の経営難や後継者難に見舞われたことが背景とされています。

ガソリンスタンド数の減少と事業環境対応
ガソリンスタンド数の減少などの環境変化に対応してSS（サービスステーション）の付加価値販売強化や効率化のため、コンビニ併設やカーリースの取り扱い等が進められ、2020年からセルフSSでの従業員が操作するタブレット端末等による給油許可等が行えるようになった。

災害時の石油安定供給

2011年の東日本大震災では、政府災害対策本部に供給要請のあった緊急支援物資の約3割は燃料でした。電気や都市ガスなどネットワーク型の**系統エネルギー**の供給が途絶した場合でも、運搬・貯蔵が可能で取り扱いの容易な石油は分散型エルネルギーとしてその有効性が再認識されました。災害時の燃料供給拠点として緊急車両への優先給油等を行う災害対応型中核給油所設置などが法律改正によって進められています。

系統エネルギー
電気に代表される電線など、その電力網により広域に連携展開されるエネルギー形態。これに対し分散型、例えば灯油はポリ容器で系統なくして配送、消費できる。

主なガソリンの流通経路

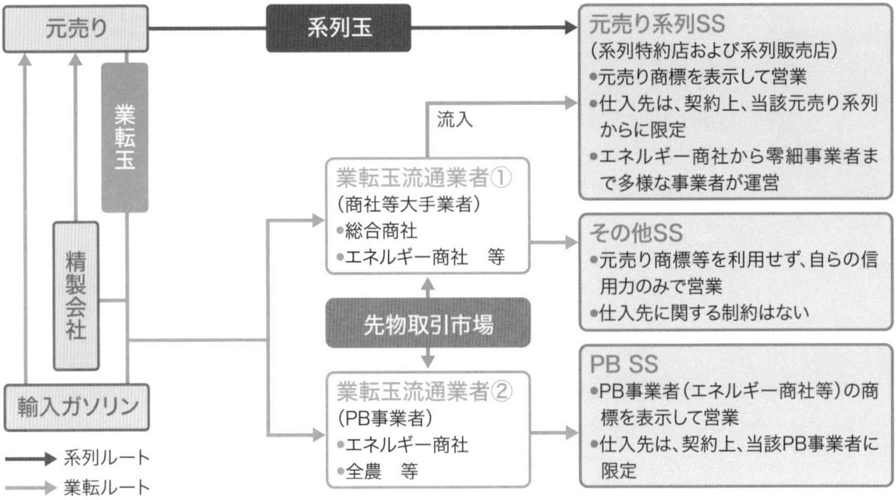

出所：公正取引委員会「ガソリンの取引に関するフォローアップ調査報告書（2016年4月）」をもとに作成

給油所およびセルフ給油所の推移

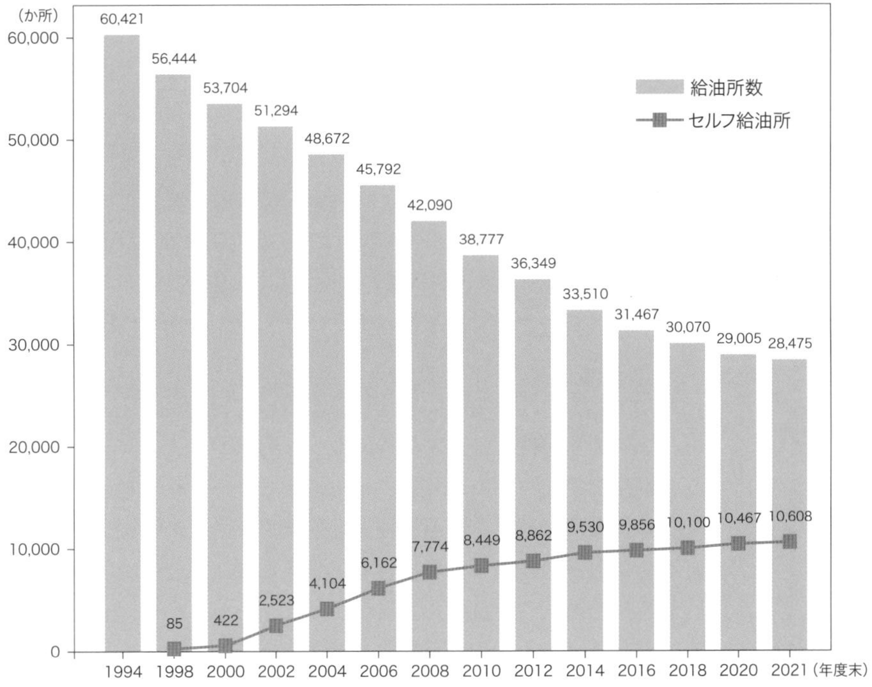

出所：石油連盟「今日の石油産業2022」をもとに作成

Chapter4
11

石油会社の業務⑥石油製品の輸入・輸出

石油製品輸入ではナフサが中心
輸出は軽油が中心で、近年活発化

製品の輸出入は、1996年の石油製品の自由化、国内需要の縮小や国内外の製品市況変化などに伴い活発化。一定の内需を輸入で賄う一方、2004年以降海外の製品市況が国内を上回る状況下で、輸出が伸びることになりました。

輸出入製品や輸出先は最適な生産計画がベースに

輸入する石油製品（燃料油）では、全体の８割超がナフサ、これは石油化学原料として国内製油所の精製量だけでは不足しているためです。また輸出は、統計上輸出扱いとされる航空機や船舶用燃料を除けば、実質的な製品輸出は軽油になります。輸出先は、次々と国内製油所を閉鎖してきたオーストラリアが中心で、硫黄分規制の厳しい同国への製品を生産できる日本の製油所からの2019年度の輸出先の半分をオーストラリアが占めます。

輸出入は、製油所での生産計画がベースとなります。計画では最適な生産パターンが算定され、製品の輸出入の経済性が求められます。この計画に従い製品の販売や購入、すなわち輸出入計画が立てられ、海外の石油会社などと一年単位の長期契約や月次単位で数量や時期など諸条件の販売、購入取引の交渉を行います。

生産計画で予定されるマージンを先物市場にて確定するというオペレーションも多く行われています。これは原油と製品の価格差が輸出入の経済性の主な根拠となることから生じるものです。つまり値差を先に決めてしまうことでその経済性を確保するのです。

製品輸出入の今後

今後の製品輸出は国内需要の減少、堅調に見込まれるアジアでの需要などを考えれば伸びていくことも考えられますが、一方でアジアでは製油所の新設、増設も進展、供給過剰になり日本国内への輸入圧力が強まる可能性も指摘されています。新しい海外の製油所は競争力の高い点も特徴的で、このような中、国内製油所は製油所間の連携や輸出設備を整えていくなど輸出競争力強化の環境整備にも取り組んでいます。

硫黄分規制
軽油に含まれる硫黄はススとなり大気汚染などの原因となることからその含有量が規制されている。日本を含む先進国の規制は世界で厳格化され、0.001%質量以下、すなわち10ppm（ppmは百万分の一）となっている。

マージン
原油と製品の価格差。日本の場合、多くの輸出入の対象となるアジアでのシンガポール指標に基づく原油価格と製品価格の差となる。

先物市場
通常、原油や製品価格は、最終価格の確定していない（商品の受け渡しが行われる）数か月前が取引時点となり、数か月先の原油、製品価格の価格だけを取引、合意する先物市場がシンガポールに存在。主にアジアでの原油ならびに製品（基本的に原油と同じ）の価格決定方法は「章末コラム」を参照。

わが国の主要石油製品の国別輸入構成比（2021年度）

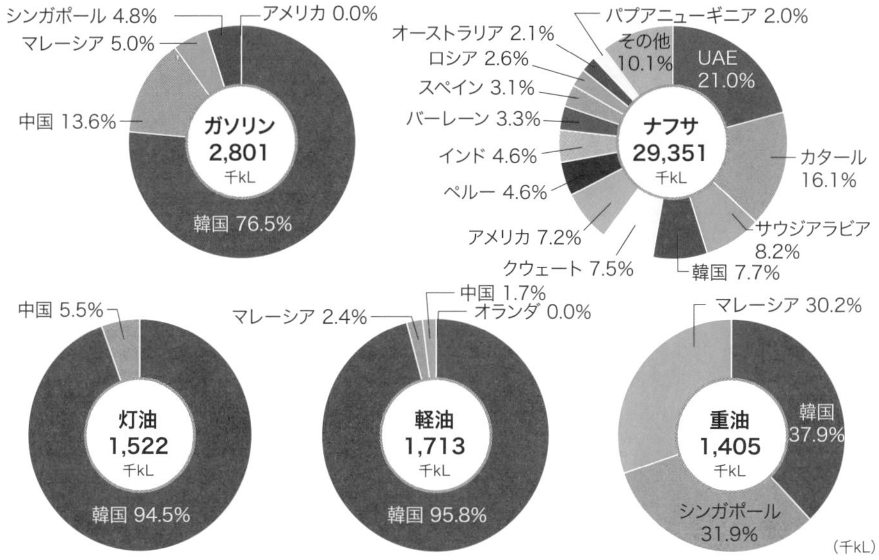

出所：石油連盟「今日の石油産業2022」をもとに作成

わが国の主要石油製品の国別輸出構成比（2021年度）

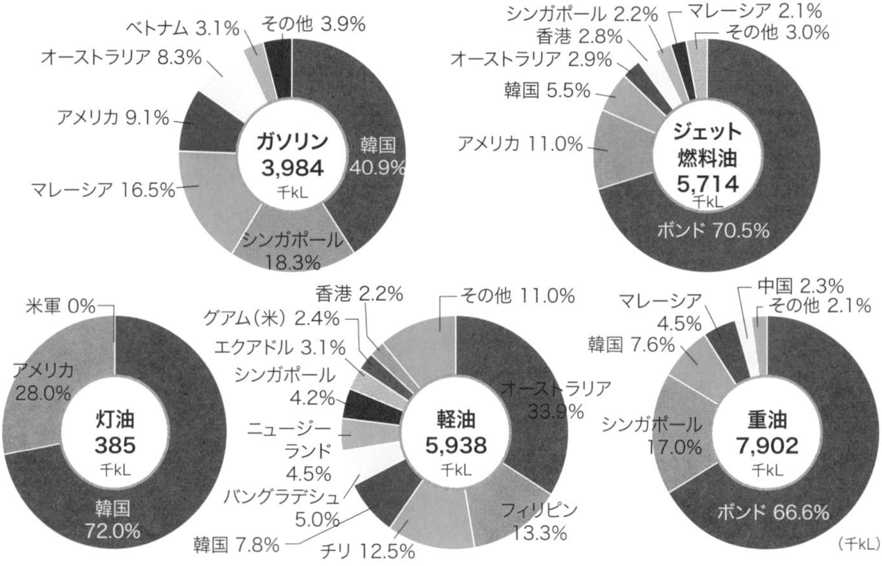

ボンド＝国際線航空機、外航船舶向け供給分
出所：石油連盟「今日の石油産業2022」をもとに作成

Chapter4
12

タンクローリー等を使った物流最適化 産業用と民生用（特約店向）が主

物流は配送の最適化を図るため製油所から大きく2つのルート、すなわち直接配送と油槽所経由のルートになります。販売も大きく産業用を中心とした事業者との直接契約、民生用の特約店等との契約の2つが主流となります。

物流は精緻な物流網構築、いかに最適化を図るか

一般消費者や産業用の企業を中心とする需要家向けに物流網が精緻に構築されています。製油所からは可能な限りタンクローリー等で直接ガソリンスタンドや需要家に直送しています。製油所からの遠隔地は中継基地となる油槽所を設置し、製油所から**内航タンカー**などで油槽所まで一次転送を行い、油槽所でタンクローリーに積み替えガソリンスタンドに配送（二次転送）します。

こうした物流手段を擁しつつ、元売り各社、日本石油運送や丸運といった運送会社などの関係会社は各所の生産と販売計画を合致させ滞りなく製品供給を行いつつ、運賃最小化の物流計画を策定、配送を行います。物流最適化のため石油製品の品質規格が均一である点を利用し、会社の枠を超え、輸送手段や物流施設の共同利用、**石油製品の相互融通**も行われます。

石油元売りから直売と特約店等への販売そして未来

石油製品の販売における産業用の石化用ナフサやジェット燃料等の燃料は元売りから需要家に販売されています。元売りは顧客のエネルギー転換や新しい顧客ニーズにこたえるため、積極的にガスや電気、再生可能エネルギーといった新しい事業にも取り組んでいます。一方、民生用のガソリンや灯油は元売りから特約店等に卸売りされた後、消費者に小売りされています。市場の動向は常に流動的で、元売りの販売部門や特約店ではこうした市場や顧客ニーズの把握、事業やブランドの高付加価値化に向け分析や検討が欠かせません。今後、自動車の電化や脱・低炭素燃料の供給等気候変動問題への対応から**新しいガソリンスタンドのあり方**も求められていくことが予想されます。

内航タンカー
国内物流専用に使用されるタンカー。白油と呼ばれるガソリンや軽油を運ぶタンカーと重油など黒油を運ぶタンカーがあり、4,000トンクラスでタンクローリー約380台分の輸送量となる。

石油製品の相互融通
いわゆるバーター取引。遠隔地にある2社の2製油所間で、それぞれの地域で自社の顧客に対して地元の他社製油所からの製品提供を受ける仕組み、取引。どちらも自社製油所から遠隔地に配送する運賃を安く抑えることができる。場所だけでなく時差を使った同一地域での相互融通もある。

新しいガソリンスタンドのあり方
カーシェア拠点などの高付加価値化に加え、例えば電気なども含む地域の総合的なエネルギー供給プラットフォーム構想を考える際にその重要性は増していくものとみられる。

わが国の石油製品の物流（イメージ）

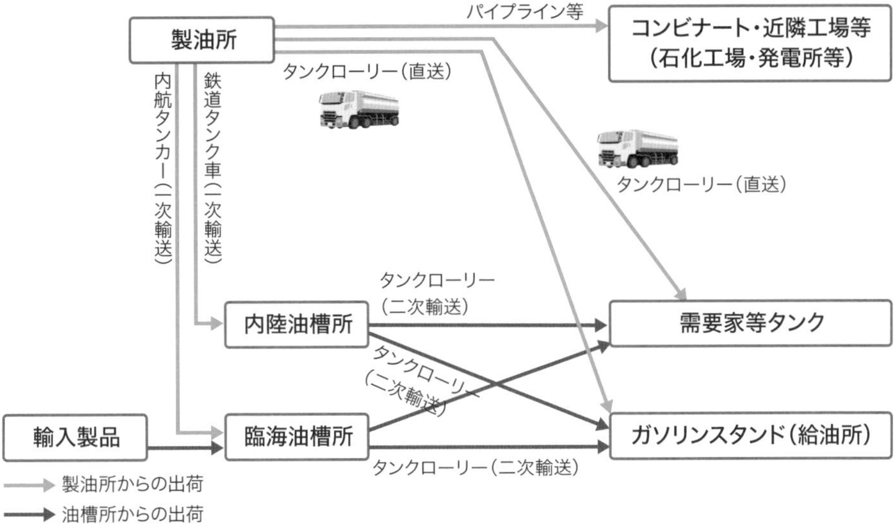

出所：橋爪吉博「石油業界の動向とカラクリがよくわかる本」をもとに作成

石油製品融通（バーター取引）のイメージ

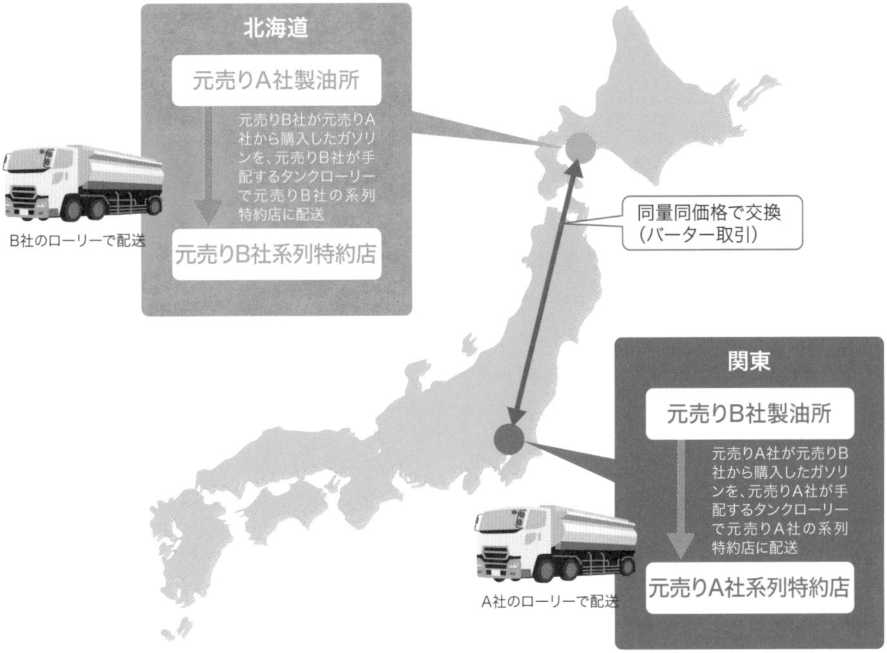

出所：石油連盟「石油のQ&A」をもとに作成

COLUMN 4

値段を知らないままにお買い物

原油価格は購入時には決まっていない

原油価格の高騰時には、タンカー1隻が数兆円に及ぶことがあります。実はこの原油価格は、生産地で積んだときでさえ、その価格が決まっているわけではありません。

ましてやそれ以前の購入時、契約締結時に価格が決まっているわけでもないのです。これはその価格決定方式に基づくものなのです。

中東の原油価格は月決め方式

中東の原油の場合、基本的に月決め方式で価格が決まります。つまり月初に積んでも月末に積んでも価格は同じ、逆に翌月頭に積むと価格が変わるのです。

その毎月の価格は、その月の当日に発表される市場を代表する中東原油指標の月間平均値がベースになります。すなわち、その月の初めに積み、約20日間かけて日本に搬入してもまだ月間平均値はカウント中ということはよくある話で、ようやくその月が終わって月間平均値が確定した後、その原油の価格が確定するわけです。

月間平均値に対してのプレミアムなどを交渉

では買い手・売り手間で何を交渉しているのでしょうか。原油価格は輸入する地域に適用されるフォーミュラ（算式）に基づいています。つまり、フォーミュラ化している月間平均値に対して一般的にはせいぜい数パーセントの加算（プレミアム）、減算（ディスカウント）の絶対額を交渉しているわけです（したがって、交渉締結時には一部分だけは確定します）。石油製品の国際市場も基本的には同じ構造になります。

ものを買うときに価格を知らないままに買う商品というものは、日常生活の中では皆無だと思います。その金額の大きさと「値段を知らないままに」買っていることを話すと驚かれます。

第5章

ガス産業の構造

エネルギーとしてのガスの多くは輸入に頼っており、ガス会社の事業は、海外から調達したガスの製造、輸送・流通、設備管理・メンテナンス、販売・営業などに分けられます。都市ガス小売の全面自由化に伴い、新規参入者が増えており、新サービスの開発や環境負荷の少ないガス利用の研究などが進められています。

ガス産業の構造

Chapter5 01

自由化や世界のエネルギー構造の進展と並行して進化

都市ガス産業および、同業界とともにLNG（液化天然ガス）の大きな需要部門である電力産業も含めたガス産業構造は、世界全体の原料動向や国内市場の改革と並行して進化しています。

原料供給源とともに産業構造も進化

現在のガス産業は、ガス田における生産、生産地から処理地点までのパイプラインでの輸送、輸送のための液化・海上輸送、消費地となる日本での受け入れ、受入基地での気化・調整、国内パイプラインでの輸送・配給、一部の需要地域向けの**LNGローリー**による**サテライト基地**への輸送、発電設備での燃料としての利用、およびこれらを支える付帯産業により成り立っています。

上記は、天然ガスからLNG（液化天然ガス）についてのフローを例にしていますが、日本国内で多く利用されている**LPG（液化石油ガス）**なども同様です。

天然ガスを例にとると、国内にも少量ながら天然ガス生産と、これを支える上流部門の産業が存在します。しかし、ほとんどの天然ガスは海外からLNGとして輸入されており、この部門はほぼ海外の産業といえます。これらにも一部、日本企業（三菱商事、三井物産、INPEXなど）が出資しています。また、ガス資源開発・LNG生産のプロジェクト建設には、日本のエンジニアリング企業（日揮、千代田化工建設、IHIなど）が多く関与しています。LNG海上輸送に関わる造船部門（三菱重工、川崎重工業など）や運航部門（商船三井、日本郵船、川崎汽船など）においても、日本企業は大きな役割を果たしています。

日本国内でのLNGの受入・利用は、日本の都市ガス・電力会社が1960年代末より、世界的にも主導的な役割を果たしてきました。都市ガス産業に関しては、国内でのLNG受け入れからガス販売まで垂直統合型で運営されてきましたが、2010年代の電気・都市ガス小売自由化により、産業構造も変化しています。

LNGローリー
LNGを道路輸送するため、専用のLNGタンクを積載した大型車両。世界的には、LNGトラックと呼ばれる地域もあるが、近年、利用は増加している。

サテライト基地
LNG輸入基地からのパイプラインが到達していない需要地に向けては、LNGローリーによるサテライト基地への輸送が行われ、ここから気化して周辺地域にパイプラインで配給している。

LPG（液化石油ガス）
Liquified Petroleum Gasの略称で、ガス田・油田で副産物として随伴生産されるプロパン・ブタンを液化したもの。石油精製設備で分離・精製されるプロパン・ブタンを液化する場合もある。「LPガス」「LPG」は混用されており、主に利用時に「LPガス」、原料として「LPG」と使われているが、明確な区分ない。

天然ガス産業の上流から下流まで

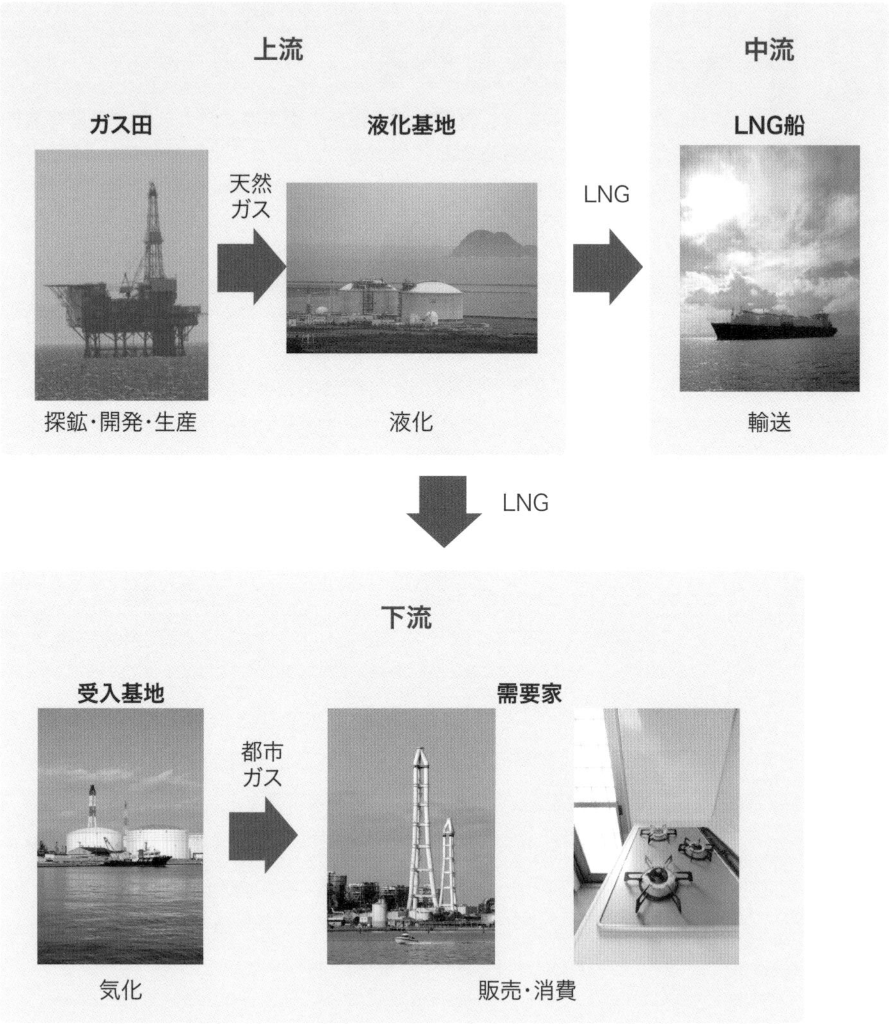

ONE POINT

日本のLNG供給源

　日本には1969年のLNG輸入開始以降、順調に供給源が拡大しており、東南アジア、豪州、中東、北米と拡大してきました。今後もアフリカや太平洋地域など、新たな供給源が期待されています。

都市ガス売上高の8割強を大手4社が占める

日本のガス産業としては、消費者が直接使う都市ガス、ガス火力発電で生まれた電力を使う電力業界を通じての消費分、LPガスをあわせて、14兆円規模となります。ガス体エネルギー輸入額はGDPの1%程度の水準です。

ガスを取り扱う業種は都市ガス、電力、石油業界など

日本のガス産業の市場規模はおよそ14兆円です。都市ガスに関しては、2022年3月期の全国都市ガス事業企業の推計売上高5.4兆円中、83%を大手4社（東京ガス、大阪ガス、東邦ガス、西部ガス）が占めました。

日本の**ガス体エネルギー**の主力であるLNG（液化天然ガス）に関しては2021年、世界全体で3.72億トンが海上輸送により国際貿易され、このうち7,400万トン（20%）を日本が輸入しました。この規模は、中国に次ぐ第2位ですが、日本は1973年から維持してきた世界最大のLNG輸入国でなくなりました。ただし2022年については、再び世界筆頭のLNG輸入国となる可能性もあります。世界のLNG貿易金額は、2021年時点で推定約2,200億米ドルとなります。日本のLNG輸入金額は4兆円強でした。

このほかにガス体エネルギーとしてLPG（液化石油ガス）輸入量は約1,000万トン、輸入金額は約7,000億円強でした。

これらを合計して、ガス体エネルギーの**コモディティ部分**だけで日本のGDPの1%程度の水準にあります。

エンジニアリング、建設、金融も世界のLNGビジネスに貢献

都市ガスや電力など、ガスを直接使う事業のほか、海外でのガス生産などの上流部門、LNG生産プロジェクトに関わる総合商社、石油企業、LNGなどの輸送に関わる海運各社、LNGプラント・上流部門ガスの生産に携わる**エンジニアリング企業**、これらの資本集約型プロジェクトの初期投資が巨額になる**プロジェクトの資金調達・金融**に貢献する金融機関など、幅広い業種がガス産業を支えているといえます。

ガス体エネルギー
都市ガスやLPガスなど、最終的にガス（気体）状態で消費されるエネルギーの総称。

コモディティ部分
国内でのインフラ設備、受入・処理・流通・販売にかかるコストを除くガス供給減のみ。

エンジニアリング企業
ガス産業の原料となるLNGを生産するプロジェクト開発には、日本のエンジニアリング各社が貢献してきた。

プロジェクトの資金調達・金融
LNGなどの巨額資金を必要とするプロジェクトの開発には、日本の金融機関が資金調達面で貢献している。

都市ガス業界の大手4社の主な指標（2021年度）

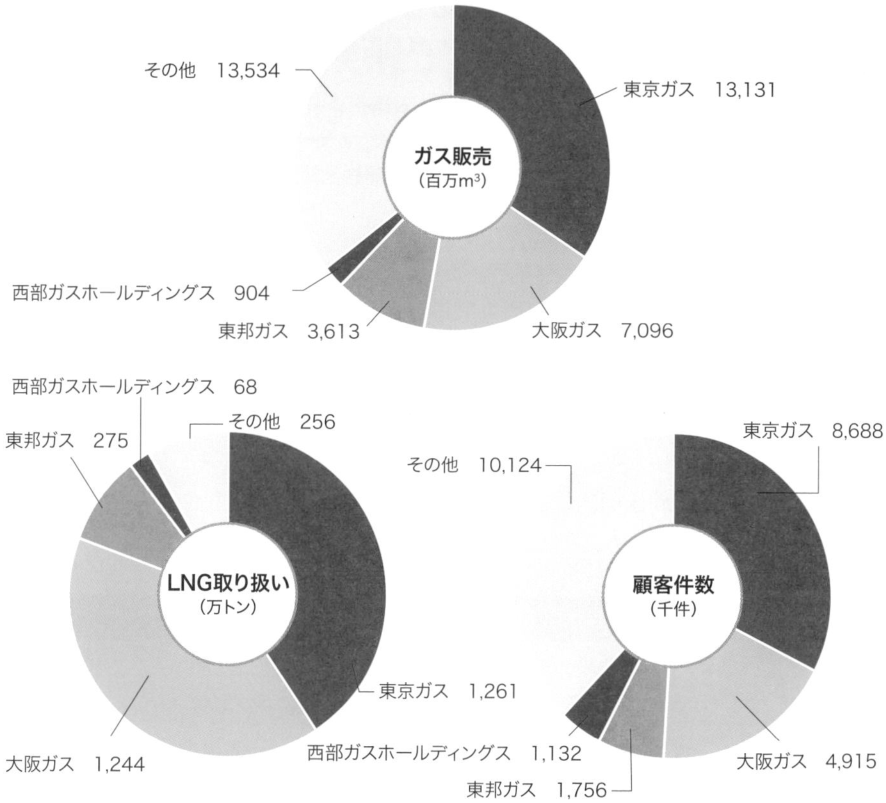

出所：各社発表データをもとに作成

ONE POINT

垂直統合型プロジェクト

1970年代から2000年ころまで、日本のガス産業の基礎となる原料・燃料を供給するLNGプロジェクトは、ガス田開発からガス処理・液化、さらには消費先となる日本の都市ガス・電力会社のLNG受入基地まで、バリューチェーン一体の垂直統合型プロジェクトとして計画されることが多く見られました。2000年以降は、供給源・市場とも多様化したことと並行して、LNGバリューチェーンも多様化し、上流・液化要素分断型プロジェクトの開発も増加しています。これらバリューチェーン全体のコストが、産業の規模に反映されています。

ガス事業の自由化の影響

Chapter5
03

自由化進展で競争導入へ LNG価格高騰で新規参入は停滞

2017年4月に都市ガス小売が全面自由化され、大都市を中心に一定の新規参入者による供給拡大が進んでいます。ただし、2021年以降、原料LNG価格の高騰により、当面、新規参入進展に困難な状況となっています。

都市ガス小売の全面自由化

2017年3月以前、一般の消費者が都市ガスを使うためには、居住地の「地域の都市ガス会社」と契約をする以外に選択の自由がありませんでした。ガス会社が地域ごとに独占して**ガス**を供給していたためです。ガス事業法が2017年4月に改正され、ガスの小売が全面的に自由化されたことで、さまざまな企業が新規参入者としてガスを販売できるようになりました。

ガス小売自由化
ここでいうガス小売自由化におけるガスとは、基本的には都市ガスのことを指している。

ガス市場自由化の展開

ガス市場の自由化は、電気と同様に大口販売から始まり、段階的に進められてきました。1995年に年間使用量200万m^3以上の大口需要家（工場など）を対象とした部分的自由化からスタートし、2007年には10万m^3以上へと範囲が拡大していきました。

2017年4月の全面自由化により、ガスを利用するすべての需要家がガスの供給を受ける会社を原則自由に選択できるようになりました。「原則」としているのは、地域によっては新規参入が実現していないためです。一方で、これら新規参入がない地域でも、従来からのガス会社にサービス向上の取り組みは見られ、自由化導入の成果ともいえます。

ガス市場の自由化では、大都市地域を中心に、主に電力会社がこれまで当該地域のガス供給を独占してきた都市ガス会社の最大のライバル新規参入者です。なお、2021年以降、原料LNG価格の高騰により、新規参入の進展が困難な状況となっています。

日本向けLNGの価格は、約7割が**原油価格に連動**し、残りの**スポットLNGの価格**は市況で変動します。原油価格の高さと、国際LNG市場の供給不足により、価格は高水準になっています。

原油価格に連動
都市ガスの原料となるLNG価格は、長期契約の場合、原油価格に連動しているものが過半を占める。

スポットLNGの価格
長期契約でのLNG調達で過不足が生じる場合、スポット市場でLNGを調達ないし売却するが、多くの場合、相対での価格決定となる。

ガス小売自由化の流れ（1995年から段階的に進展）

	1995年～	1999年～	2004年～	2007年～	2017年4月～
自由化範囲	年間ガス使用量200万m^3以上	年間ガス使用量100万m^3以上	年間ガス使用量50万m^3以上	年間ガス使用量10万m^3以上	全需要家
自由化対象例	大規模工場 大規模病院	大規模ホテル	中規模工場 中規模病院	中規模ホテル 小規模工場 小規模病院	家庭用 事務所
自由化割合（販売量基準）	49%	53%	57%	64%	100%
大口料金	自由交渉料金	自由交渉料金	自由交渉料金	自由交渉料金	自由交渉料金
小口料金	許可制	許可制（値下げは届出制）	許可制（値下げは届出制）	許可制（値下げは届出制）	原則規制撤廃

小売全面自由化による変化のイメージ

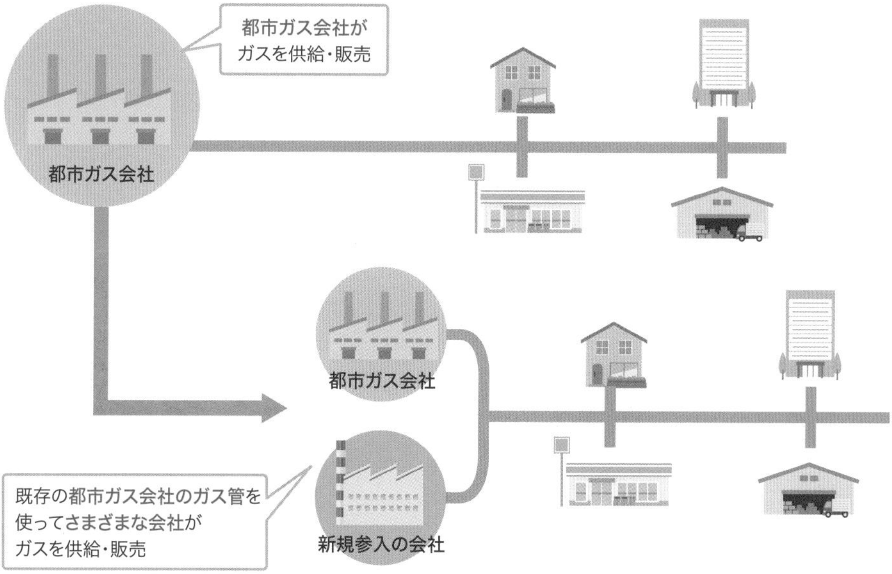

出所：経済産業省資源エネルギー庁「2017年４月 都市ガスの小売全面自由化スタート！」をもとに作成

ONE POINT

ガスの自由化では電力会社が最大のライバル

ガス小売の自由化では、従来からLNG供給を持っている電力会社が新規参入の有力候補となります。LNG供給を持っていない場合には、実際に市場参入しにくく、2021年以降のLNG価格高騰により、さらに新規需要開拓が困難となっています。

都市ガスとLPガス

Chapter5
04

ガス体エネルギーとして供給方法や業界構造に大きな相違

日本のガス市場は、都市部を中心にパイプライン網で供給される都市ガスと、ガスボンベで供給されるLPガスに分けられます。両者の需要家件数は同様の水準にあるものの、業界構造と事業者数は大きく異なっています。

LPガスの供給システム

ガス体エネルギーの市場は、パイプライン網によりガスを運ぶ「都市ガス」と、ボンベで運ぶ「LPガス（LPGに基づくガス）」（いわゆるプロパンガス）に大別できます。一般消費者に対するLPガスの供給システムとして、最も一般的な形態は、各家庭にLPガス容器（ボンベ）を設置して供給し、消費先に設置されたガスメーターで使用量をカウントする方式です。以前は定期的な容器交換が一般的でしたが、使用量を遠隔監視することで効率的に配送や交換を行う方法も導入されています。

日本向けのLPG供給源としては、2000年代中盤までサウジアラビアが大半を占め、その価格は同国国営石油会社が通告する**CP**が主流でしたが、近年は**米国産LPG**の供給拡大に伴い、米国価格の影響が大きくなっています。

LPガスの消費量・需要家件数と都市ガスの販売量

LPガス消費は1996年度に最高（1,970万トン）を記録後、減少が続き、2021年度には1,312万トンとなりました。用途では家庭業務用56.0%、工業用19.2%、化学原料用11.0%、熱量調整の都市ガス用11.0%、タクシー等自動車用2.8%となります。

LPガスの家庭用の需要家件数は2,219万件（2022年3月）で**減少**が続いています。他方、都市ガス需要家件数は、2,662万件（2022年6月）で増加しています。都市ガス販売量は、2021年度が383億m^3（統計1,720ＰＪ《ペタジュール》）で、用途では家庭用33.1%、工業用59.2%となっています。都市ガス販売量は、2016年度がいったんピークとなり、その後はコロナ禍に伴い**減少**しましたが、2021年度は前年度比4.1%増加しました。

ガス体エネルギーの市場
消費者にとっては都市ガス、LPガスのどちらもガス体エネルギーとして同じように使われる。

CP
Contract Price（契約価格）のこと。中東でLPG生産量が多いサウジアラビア国営石油会社サウジアラムコ社が毎月通告する同国産LPG価格で、2000年代まで他国産のLPG価格にも影響力を有してきた。

米国産LPG
近年、米国シェール革命によりシェール随伴LPGの輸出が増加し、同国でのLPG指標であるMB（モントベルビュー）価格が影響力を拡大している。

減少
都市部では導管網の拡大により都市ガス化が進み、非都市部ではオール電化の傾向が強いため。

需要家までのガスの流れのイメージ

都市ガス

LNGを主原料にする場合

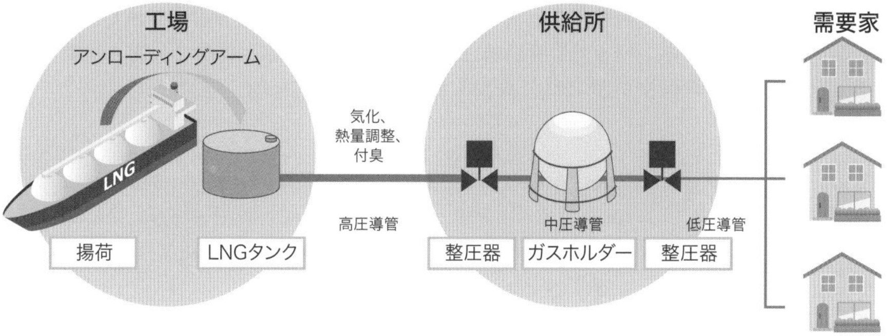

LPガス

輸入LPGの例

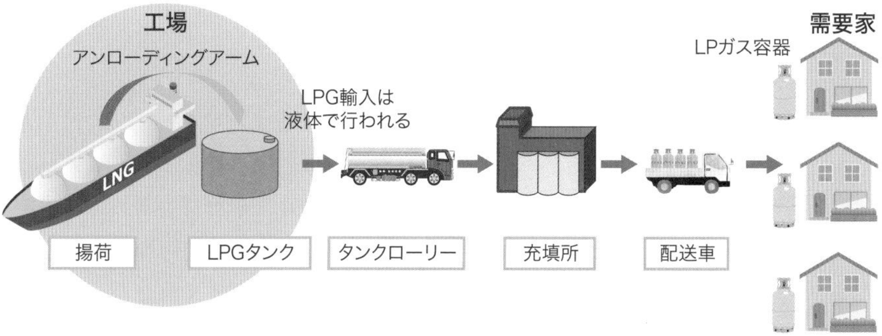

出所：日本ガス協会webサイト（https://www.gas.or.jp/chigai/）をもとに作成

ONE POINT

LPG供給源の推移

日本向けのLPG供給源としては、2000年代中盤までサウジアラビアが大半を占めていましたが、以降はカタールのLNG生産増加に伴い、随伴LPGの生産・輸出が増加しました。その後、米国のシェール革命進展に伴い、同国からLPGの輸出が増加し、現在、日本向けでも最大のLPG供給源となっています。

Chapter5
05

天然ガスの販売と発電利用

日本では発電利用が中心 民生・産業向け販売は全体の３～４割

日本では、発電用途が天然ガス利用の６～７割程度を占めており、今後もコージェネレーションを含めた高効率利用が期待されます。一方、家庭・商業向けの民生用が19%、産業用が12%程度となっています。

日本の天然ガス利用は発電用が6～7割を占める

日本で利用される天然ガスの97～98%はLNG（液化天然ガス）として海外から輸入され、その後、気化し、天然ガスに戻して利用されています。

天然ガスの用途は、日本では発電用の割合が全体の6～7割を占めており、民生用と産業用は合わせて3～4割程度です。これに対して、米国、OECD欧州では発電用の割合がそれぞれ4割、3割と日本と比較して低く、その分、民生・その他用や産業用の割合が高くなっています。

天然ガスの主たる用途が世界の他地域と異なっている理由としては、①天然ガスの価格が日本では欧州・米国よりも割高となったこと、②LNG輸入という形態でしか天然ガスを導入できていないこと、③このため、需要が集積しやすい発電用や一定規模以上の大手都市ガス会社による利用を中心に導入されたためです。発電用と比べ、需要が地理的に分散している民生用や工業用では、天然ガス利用は相対的に発展途上にあるといえます。特に1990年代以降は、民生用ガスの需要は主に都市部において成熟し、販売量の面では伸び悩んでいますが、工業用に関しては、堅調に増加しています。

一方、欧米では、民生用、工業用への天然ガス利用が先に進みましたが、近年、発電利用も増加しています。2010年から2020年の間、世界の天然ガス消費は年率1.9%で増加しました。ただし2020年は、パンデミックの影響から2.1%減少しています。天然ガスはほかの化石燃料に比べて環境負荷が低いこと、**コンバインドサイクル発電**などの技術進歩、競合燃料に対する価格競争力の向上により、近年まで利用が拡大してきました。

コージェネレーション
都市ガスを燃料として、エンジン、タービン、燃料電池などで発電し、その際に生じるエネルギーを蒸気や温水に変えて利用するエネルギー効率の高いシステム。熱電併給CHP (combined heat and power) とも呼ばれる。

コンバインドサイクル発電
ガスタービンと蒸気タービンを組み合わせた発電方式で、効率が高くなる。

天然ガス用途の欧米との相違（2020年）

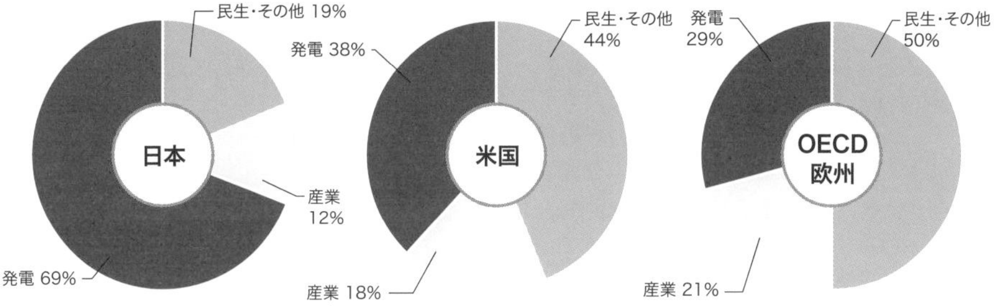

出所: IEA「World Energy Balances 2021 Edition」をもとに作成

コンバインドサイクル発電のしくみ

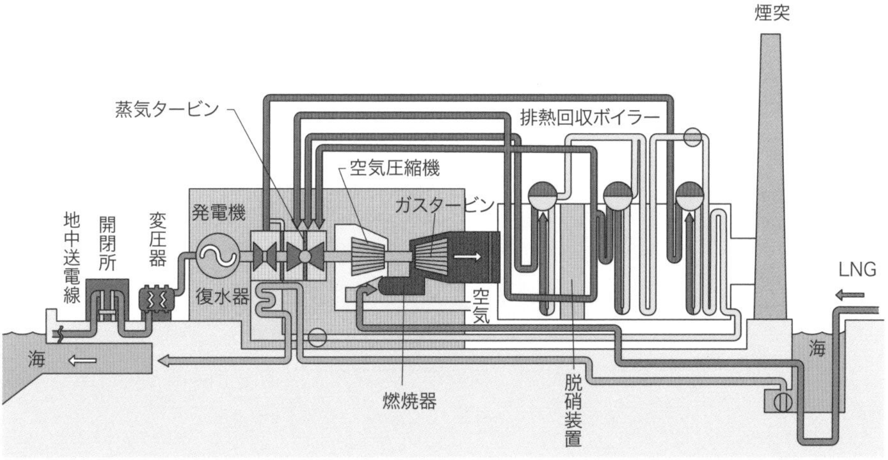

出所：JERA「火力発電の種類と仕組み」（https://www.jera.co.jp/business/thermal-power/type）をもとに作成

ONE POINT

将来の基盤となる新たな用途

エネルギー供給の安定確保と、地球温暖化対策を進めるうえで、天然ガスには一段と大きな役割が期待されています。ガスの利用面では、コンバインドサイクルガスタービンによる発電、熱電併給CHP＝コージェネレーション、CNG・LNGステーションでの陸上輸送用燃料、LNGバンカリングでの海上輸送用燃料としての拡大、燃料電池など高効率技術の進化が続いています。

Chapter5
06

LNG調達をもとにガスを製造し流通・輸送などを経て消費者に販売

ガス会社の事業は、都市ガスの場合、LNGなどを調達し、そこからガス製造、ガスの流通・輸送、設備管理・メンテナンス、ガス販売・営業、ユーザーサポート、研究・事業開発、などに分けることができます。

ガスを安全・安心な方法で利用者に提供

ガス会社の仕事は、ガスを製造し、安全・安心な方法で家庭や企業、工場などに提供することです。なお事業分類としては、2017年4月のガス小売全面自由化後、「ガス製造事業（LNG基地事業）」「一般ガス導管事業」「ガス小売事業」とされています。

ガス製造事業（LNG基地事業）は、海外のLNG生産者やトレーダーなどと交渉し、LNGを調達して、自社が運営するLNG基地にて気化調整をすることです。気化後はLPGを加えて**熱量調整**を行い、パイプラインで送出する前に臭いを付けること（**付臭**）も含みます。ガス導管事業は、ガス輸送・供給パイプラインの建設と保安業務、設備管理・メンテナンスを担当し、自社や他社のガスを輸送・流通することです。ガス小売事業は、大口、小口を問わず、工業用・商業用、家庭用の需要家との直接やり取り・販売をする営業や、ユーザーサポートを行うこととです。

熱量調整
LNG（液化天然ガス）は海外から輸入され、LNGタンクに貯蔵後、気化されて、LPGを加えることにより、所定の熱量に調整する。

付臭
ガスの安全対策の一環として、ガス漏れが発生した場合でも検知しやすいように臭いを付けている。

都市ガス会社における安定供給の基本

都市ガス会社は、利用者が安心して都市ガスを使えるよう、ライフラインとしてのパイプライン網を安全・安定的に運営する必要があります。都市ガス会社の中には、エネルギーを効率的に使用し、CO_2削減を実現するシステムを構築するなど、広い視点で研究開発を行っている会社もあります。ガス供給源のほとんどが海外に依存していることから、LNG供給の確保、シェールガスに代表されるような新しい資源の確保を行い、ガス供給のみならず、価格の面でも安定供給を図っています。こうしたことから、今後はガス会社も、広い視点や将来的な展望を持った取り組みが求められています。

都市ガス会社
都市ガス会社（一般ガス導管事業）には、大小あわせて全国に193の企業がある。なお、東京ガス、大阪ガス、東邦ガスは2022年4月、導管部門が法人化された。

LNG受入基地のフローのイメージ

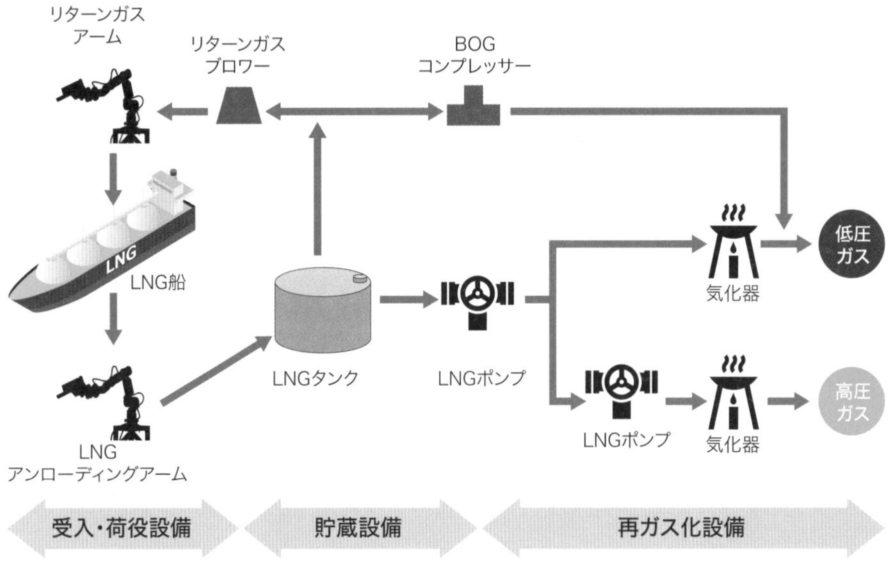

出所：独立行政法人エネルギー・金属鉱物資源機構「LNG 受入れ基地」（https://oilgas-info.jogmec.go.jp/termlist/1001917/1001968.html）をもとに作成

LNG調達から都市ガス供給までの流れ

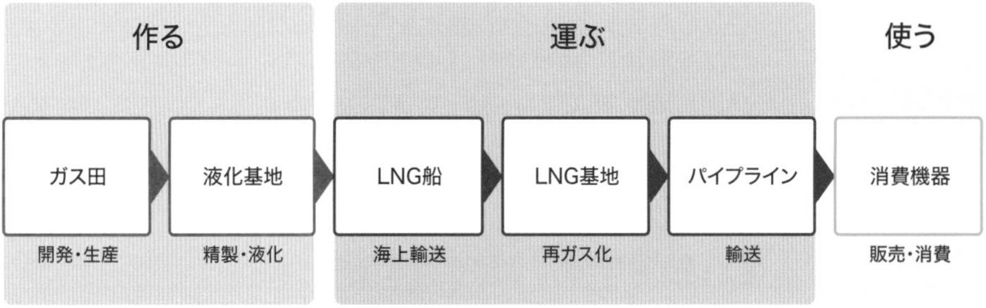

出所：東京ガス株式会社「LNG導入と挑戦の軌跡」をもとに作成

ONE POINT

新規参入のガス会社

新たにガス事業に参入するガス小売事業者（新規参入者）は、一般ガス導管事業者と託送契約を締結し、一般ガス導管事業者が所有している既存のパイプライン網を利用して、消費者に都市ガスを供給します。

Chapter5

07

ガス会社の業務①ガスの製造

LNGを調達し受け入れたLNGをガスとして送出

ガスの製造業務は、その原料の大部分がLNG（液化天然ガス）で、輸入に依存しており、その調達業務、LNGを受け入れる基地・ガスとして送出する設備の運営・管理・修繕、基地新設の場合には建設関係業務が含まれます。

都市ガスの主原料「LNG」の調達

都市ガスの主原料は天然ガス、特にLNG**（液化天然ガス）**です。そしてLPガスの主原料は**LPG（液化石油ガス）**です。いずれも大部分を海外からの輸入に頼っているのが現在の状況です。LPガスには国内製油所からの供給も一定程度あります。

LNGの場合、2010年代以降は**調達先**が多様化すると同時に、契約内容も多様化しており、ガス・電気事業の小売自由化や温室効果ガス排出対応で中長期の見通しが不透明化していることから、ガスの安定供給をするために、原料調達部門の役割はより大きくなっています。ガス原料の安定供給の確保とともに、安定・低廉価格が課題です。LPG調達の課題も基本は同じです。

国際市場でのLNGをはじめとするエネルギー価格が高騰する中、適切なLNG調達ポートフォリオ、リスクヘッジなど、新たな課題が拡大しています。さらに他ガス会社などへのガス・電力の卸売拡大なども視野に入れた対応が求められています。

LNG（液化天然ガス）

LNG（Liquefied Natural Gas）は、天然ガスを冷却した無色透明の液体。天然ガスは、ほぼ大気圧下で−162℃まで冷却すると液体になり、体積が気体の600分の1になる。この特性を利用し、LNGタンカーで大量の天然ガスを輸送できる。

LPG（液化石油ガス）

LPG（Liquefied Petroleum Gas）は、炭素と水素の化合物で、炭素数3のプロパン（C_3H_8）と炭素数4のブタン（C_4H_{10}）と2種類がある。一般家庭用で使われているのはプロパンでプロパンガスとも呼ばれる。

調達先

オーストラリアでの新規プロジェクトの増加、パプアニューギニア、米国本土からの新規供給の開始など。

LNG基地の運転管理・設備建設

輸入されたガスの原料としてのLNGは、いったん基地に貯蔵され、需要状況に応じて気化し、都市ガスとして調整された後、パイプラインで送出されます。安全な貯蔵と安定供給のため、基地のLNGタンクはガス会社にとって生命線ともいえます。タンクの温度・圧力管理、原料受入・送出時に必要になる計装設計、タンクを運用するための制御システムなど、専門的な知識が必要です。将来的なガス需要を踏まえ、基地設備の拡張計画を立てるほか、安定供給のために設備のメンテナンスやトラブル対処も行います。

都市ガス製造の流れ

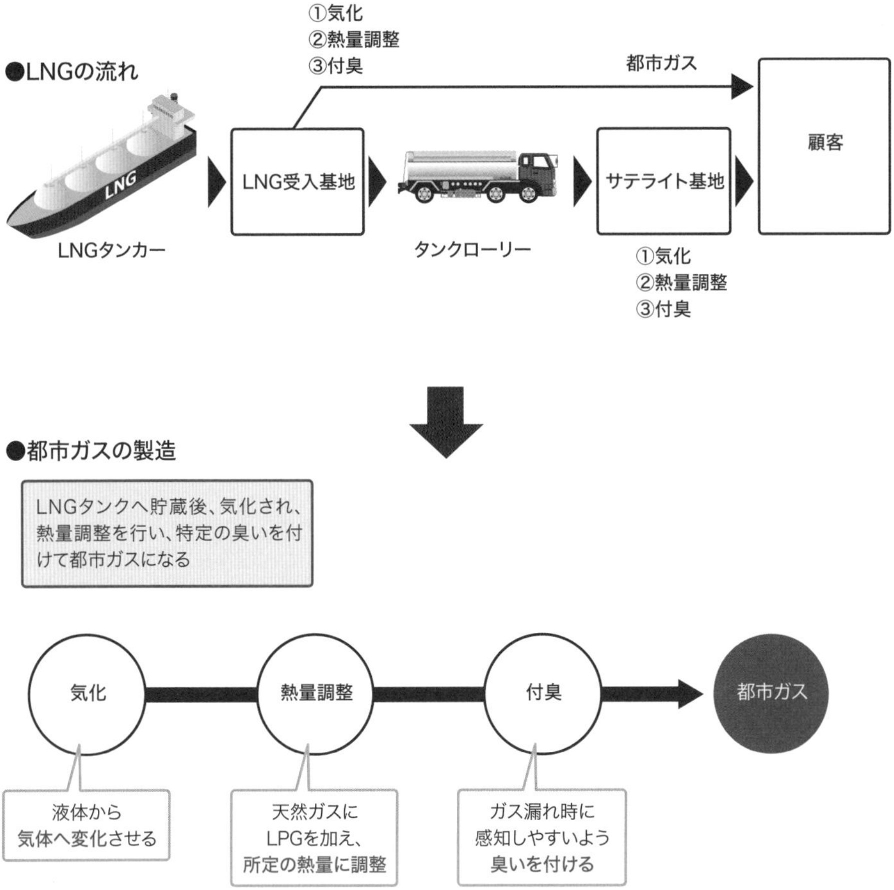

出所：日本ガス協会「都市ガスが届くまで」（https://www.gas.or.jp/gastodokumade/seizo/）をもとに作成

ONE POINT

将来のガス原料であるメタネーション、水素

政府が定める「エネルギー基本計画」（2021年）では、ガス体エネルギーの脱炭素化に向けて合成メタンを中心に水素の直接利用、バイオガスなどの利用を行う目標を設定しています。都市ガス業界も同じ目標を掲げており、東京ガスや大阪ガスは2030年に合成メタン1％の導入を表明しています。

Chapter5 08

輸送・流通網の計画、活用と管理を行い高圧幹線と低圧パイプラインで供給

都市ガスは、主として大都市地域沿岸の受入基地で輸入されたLNG（液化天然ガス）を、気化して高圧幹線パイプラインで送出し、需要地の低圧パイプライン網を通じて消費者に供給しています。

ガス流通・輸送の現状

都市ガスの原料は、主に天然ガスで、97〜98％は海外からLNG（液化天然ガス）として輸入して利用されています。残り2〜3％が少量ながら**国産天然ガス**です。都市ガス導管網は、東京、大阪、名古屋をはじめ、大都市を中心に需要地近隣の港湾地域に作られたLNG受入基地を起点として、需要の拡大に応じて扇形に整備されてきました。基地から需要地へと大量・高圧輸送をする幹線パイプライン、中・低圧で消費者へと輸送する本支管に区分されます。都市ガス導管網は全国的につながっておらず、普及エリアの合計は国土面積の約６％にとどまっています。送電線・配電線を持つ事業者（一般送配電事業者）10社により全国的に送配電網が網羅されている**電気と異なります**。

都市ガス会社や国産天然ガス生産会社のパイプラインのほか、電気事業者、その他製造事業者が利用するため、それぞれ**電気事業法・高圧ガス取締法に基づくパイプライン**も運用されています。

国産天然ガス
新潟、千葉、福島、秋田県では、天然ガス生産が行われており、これらを輸送するためのパイプラインも存在する。

電気と異なる
電気はほぼすべての世帯で使用されているが、都市ガスは熱源として電力や石油、LPガスなど、他燃料と競争関係にあり、普及率は約50%。

電気事業法・高圧ガス取締法に基づくパイプライン
ガス事業法・鉱山法に基づくパイプラインのほか、電気事業者が火力発電設備に燃料ガスを供給する電気事業法によるパイプライン、化学会社や製鉄会社がオフガスを供給するための高圧ガス取締法に基づくパイプラインが存在する。

輸送・流通事業の概要

都市ガス会社（一般ガス導管事業者、場合によってはガス製造事業者〈LNG基地事業者〉も含む）は、地域のガス需要の見通しに応じて、輸送・流通用インフラを計画・建設することとなります。こうした対応を行っていくためには、営業部門や他ガス小売事業者との適切なコミュニケーションが重要になります。

供給源となるLNG輸入基地と、目的需要先の特色によっては、LNGを液体状態でタンクローリーにより道路輸送し、需要先にサテライト気化設備を設けて利用する形態もあります。

都市ガス業界の復旧体制（大災害時の事例）

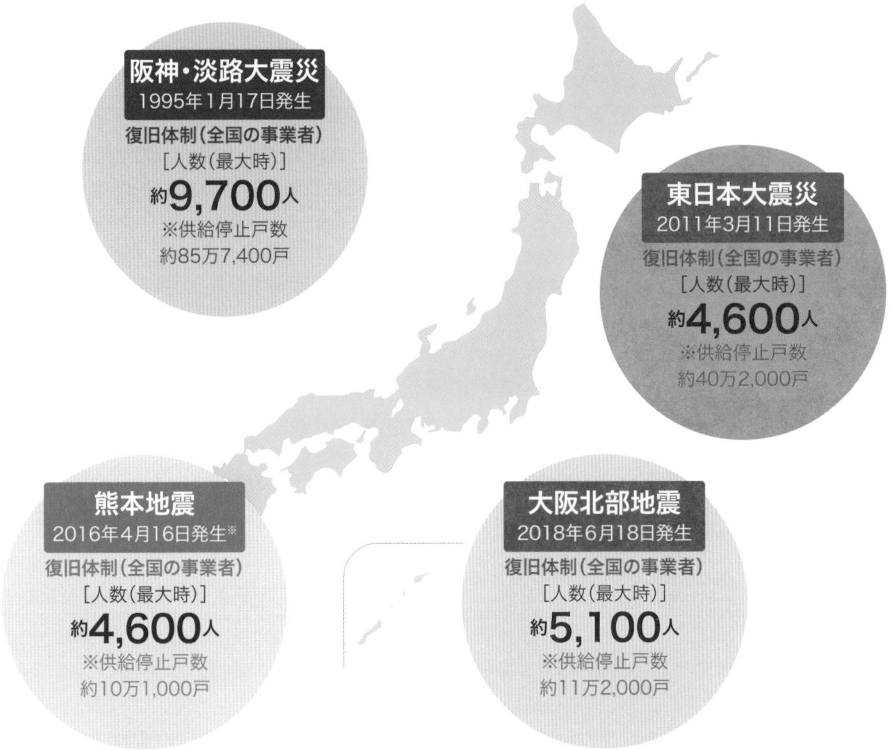

※本震発生時

出所：日本ガス協会「都市ガス事業の概況（2021-2022）」（https://www.gas.or.jp/gasfacts_j/#target/page_no=7）をもとに作成

ONE POINT

都市ガス用パイプライン、国産天然ガスパイプライン

日本のパイプラインは、大きく都市ガス事業者によるもの、国産天然ガスの鉱業権者によるものに分けられます。

都市ガスのパイプラインは、ガス事業法に基づいて敷設されており、ガスの製造工場から供給区域の需要家にガスを供給する、あるいは他ガス事業者にガスを卸供給する、また自ら製造工場を持たないガス事業者の場合は、他社からのガスの卸供給を受けて、自社の供給区域の需要家に供給するパイプラインがあります。

国産天然ガスのパイプラインは、鉱業法・鉱山保安法に基づくパイプラインで国産天然ガスの生産事業者が井戸元から、主としてガス事業者に卸供給することを目的とするパイプラインとなっています。

Chapter5
09

ガス会社の業務③設備管理・メンテナンス

ガスの安全を見守る設備管理・メンテナンス

ガス会社の業務としての設備管理・メンテナンスには、パイプライン網の設計・施工・維持管理からそのメンテナンス、漏えい点検・修理対応および消費者が所有する（消費者敷地内の）内管の工事・維持管理対応が含まれます。

ガス会社における設備管理

市街地内のパイプライン網設計の業務として、道路に埋設するガス管の設計や費用の算出を行います。道路にはガス管だけでなく、水道や電気など、多くの管が埋設されているため、現場状況に応じた設計内容の変更などにも対応する必要があります。

これら維持管理に関して、安全性を確保するため、さまざまなガス消費場所やパイプライン網近傍を巡回し、ガス漏えい検査などを行っています。点検の前後には、図面準備、消費者側との打ち合わせ、事後資料作成などを行います。近年は強度の優れた**ポリエチレン管**が普及し、パイプラインの安全性は向上しています。

ポリエチレン管
強度と延性（伸びやすさ）が優れており、地震でガス管に力が加わっても、漏えいが発生しない。

ガス会社におけるメンテナンス

メンテナンス業務のうち、高圧ガスを輸送するガス導管（幹線）を取り扱う「幹線維持管理」では、施設に異常がないか、機器が問題なく作動するかなどを確認するため、日常的なパトロールや他事業者の工事の把握などを行っています。

また、街中に設置されているガス設備について「本支管維持管理」として、導管網などの設備の点検やガスの圧力管理、付随する電気計装システムの保守などの作業を行っています。

これに加え、ガス漏れや工事に伴うトラブルなどの通報を受け、いち早く駆けつける緊急保安業務として、消費者に最も身近なところで24時間365日、ガスの安全を見守っています。消費者への避難指示や、ガスの引火防止処置などを行い、二次災害防止や迅速な復旧を行います。大規模な災害が発生し、当該地域でガス供給に支障が発生、あるいは予期される場合には、復旧を支援する**業界全体での協力体制**が構築されています。

業界全体での協力体制
日本の都市ガス業界では、大規模な災害発生によりガスの製造・供給を停止する場合などに、ガス業界を挙げて復旧を応援する体制が確立されている。

ガス保安義務の範囲

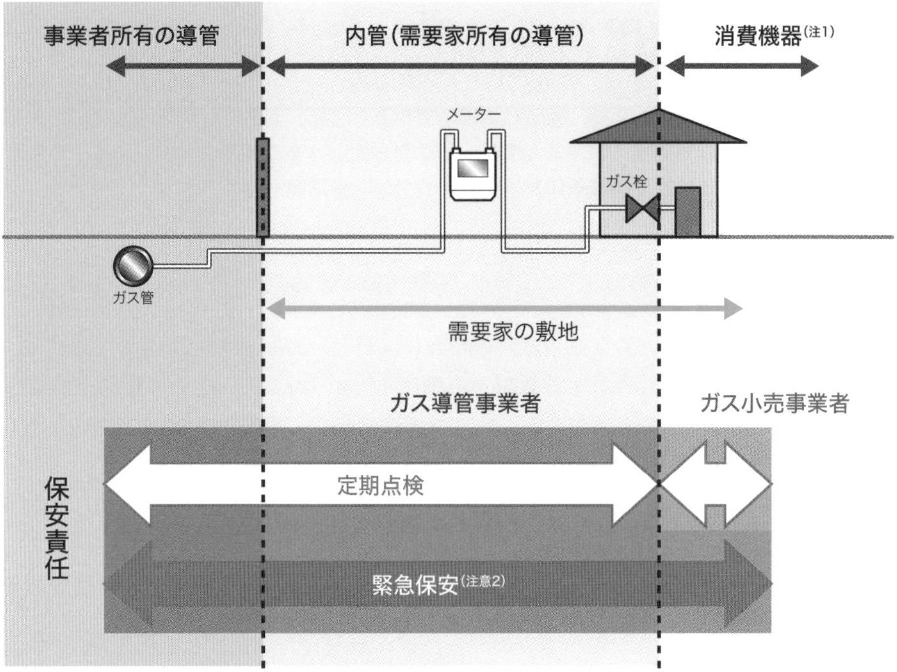

(注1) ガス用品については、別途製造・輸入事業者に対する規制あり
(注2) ガス小売事業者も、需要家との連絡窓口になるなど、連携・協力する
出所：経済産業省「ガスシステム改革保安対策WG報告書」をもとに作成

ONE POINT

ガスシステム改革後の保安に係る検討結果

2017年4月のガス小売全面自由化に際して、保安義務の検討が行われ、2016年6月に「ガスシステム改革保安対策WG報告書」がまとめられました。WGとはワーキンググループの略です。これにより、改正ガス事業法では、一般ガス導管事業者が内管保安・緊急時対応を、ガス小売事業者が消費機器の調査・周知を原則担うこととされています。

ガス会社の業務④ガス販売・営業、主要顧客

Chapter5
10

家庭用、業務用、自由化への対応

ガス会社の販売・営業に関わる業務としては、消費者によるガス利用の申し込みや開栓、使用量の検針、請求から支払いまでの接点業務を含み、小売自由化に伴う消費者に対するマーケティング活動も含まれます。

ガス販売・営業・マーケティング業務

ガス会社の販売・営業の業務は、家庭用・商業用・工業用に分けられます。共通する業務として、ガスメーターの検針やガス料金の受領、問い合わせ対応などがあります。

なお、都市ガスの販売先としては、販売量ベースで工業用が約6割、家庭用・商業用が約3割となっています。工業用や商業用での主な販売先は、工場や病院、学校、ビル、飲食店などです。

家庭用営業の業務には、一般家庭の消費者に対して、日常的なガス利用に関わる対応から、安全に利用してもらうための対応、さらに暮らしを快適にするガス機器の提案や、普及させるためのマーケティング戦略を立案することまで含まれます。

コージェネレーション
（5-05参照）

ガス冷暖房
ガス冷暖房システムは、オフィスビル、学校、病院などの個別ビルや店舗から、ショッピングセンターや地域冷暖房まで幅広い用途で普及が進んでいる。

消費機器調査とガス漏れ検査

消費者の敷地内のガス管やガス機器は、消費者の所有物です。したがって、修理・取り替えは有償で対応することとなります。一方、ガスメーターおよび敷地外のガス設備は、ガス事業者の所有物です。ガスメーターは計量法に基づき、検定満期（7年または10年）が来ると取り替えます。これらを消費者に知らせ、実施していくことも、ガス会社営業部門の大切な仕事となります。

ガス小売事業者は、ガス事業法に基づき、すべての消費者を対象に4年に1回以上の頻度で消費機器調査を実施します。ガス導管事業者が行うガス漏れ検査とあわせて実施する場合があります。

工業用、商業用の営業については、自社製品の提案はもちろん、エネルギーコストなどの悩みを解決する提案も行います。これら消費者向けの業種は多岐にわたっており、ニーズも多様化しているため、消費者に寄り添った、柔軟な提案力が求められています。

営業部門の行う安全・保安業務

消費機器調査

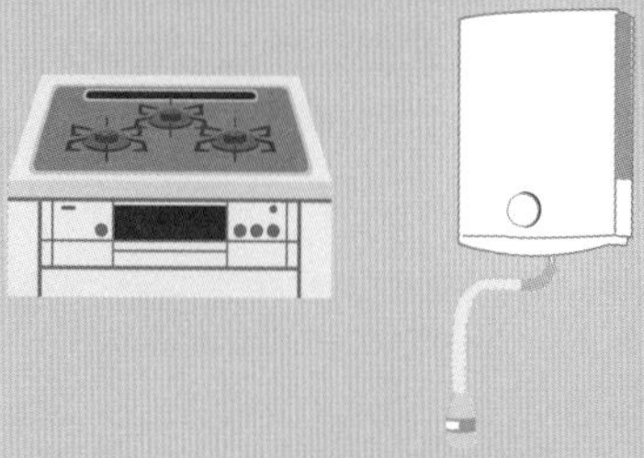

［事業者］
ガス小売事業者
［作業内容］
消費者の所有するガス機器の調査

ガス漏れ検査

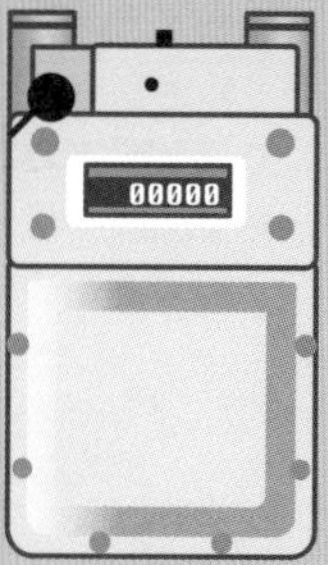

［事業者］
ガス導管事業者
［作業内容］
ガス管、ガスメーター、ガス栓からのガス漏れの確認

ONE POINT

コージェネレーション、ガス冷暖房

日本の都市ガス業界は、分散型エネルギーシステムとして、都市ガスを使って必要な場所で発電し、その排熱を給湯などに有効利用できる、省エネ性、電源セキュリティ性の優れたコージェネレーションシステムの普及を図ってきました。また、省電力で高い冷暖房効果といったメリットを生かし、ガス冷暖房システムの普及も進めてきました。ガスコージェネレーションシステムによる分散型電源にすることで、発電ロス、送電ロスを減らし、省エネに貢献できます。

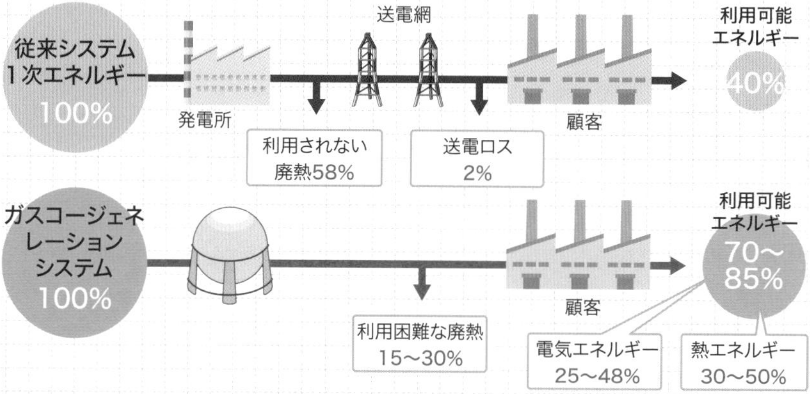

Chapter5
11

ガス会社の業務⑤ユーザーサポート

高まるユーザーサポートの重要性 きめ細かなサービスで差別化

ガス会社のユーザーサポート体制は、ガス・電気の小売自由化に伴い、各社で取り組みの強化が図られています。価格面での優位性だけでなく、ワンストップサービスや駆けつけサービスなど、他社との差別化を図っています。

きめ細かい対応が必要なカスタマーサポート

近年、消費者からの要望や問い合わせに対して、電話だけでなく、webサイトを利用して、対応する体制を整えているガス会社が多くなっています。

各社とも、自社のwebサイトに顧客がログインすることにより、消費量実績・支払い金額実績を参照できるようにしています。さらに、電気・ガス小売の自由化に伴い、都市ガス以外にも取り組みの強化により、提供している電力もワンストップサービスで参照できるようにしており、ガス・電気消費量に応じた利用ポイントなども組み合わせ、利便性を向上することで顧客確保・維持を図っています。これは、エネルギー業界の競争の激化、ガス、電気事業の小売自由化により、きめ細かい対応が必要となってきたためです。特に電気小売にも進出している各社の問い合わせ窓口では、ガス・電気・サービスに関わるあらゆる問い合わせや要望に対応する取り組みを行っています。顧客の安心のため、安全を守り、信頼を得るために、ガス漏れ・停電などの緊急用件を24時間365日受け付けできる体制を整えています。これを、一部の企業では**駆けつけサービス**と呼んでいます。

新電力としての都市ガス事業会社の中には、近年の電力需要のピークの変動に対応し、ピーク緩和対策の1つとして**節電ポイント**を提供している企業もあります。

なお、これらの対顧客接点業務のうち、対面で顧客と対話・対応する部分に関して、地域単位のサービス専業会社（ガス会社自身の関係会社である場合も多い）に業務委託している事例も多くなっています。

駆けつけサービス
都市ガス会社はじめ、新電力としての企業の一部が、顧客に困ったことがあったときに、自宅まで作業員を派遣して対処するサービス。

節電ポイント
新電力としての都市ガス事業会社には、販売拡大だけでなく、電力需要ピーク時の節電をポイント化し、インセンティブを提供している事業者もある。

家庭用のサポート

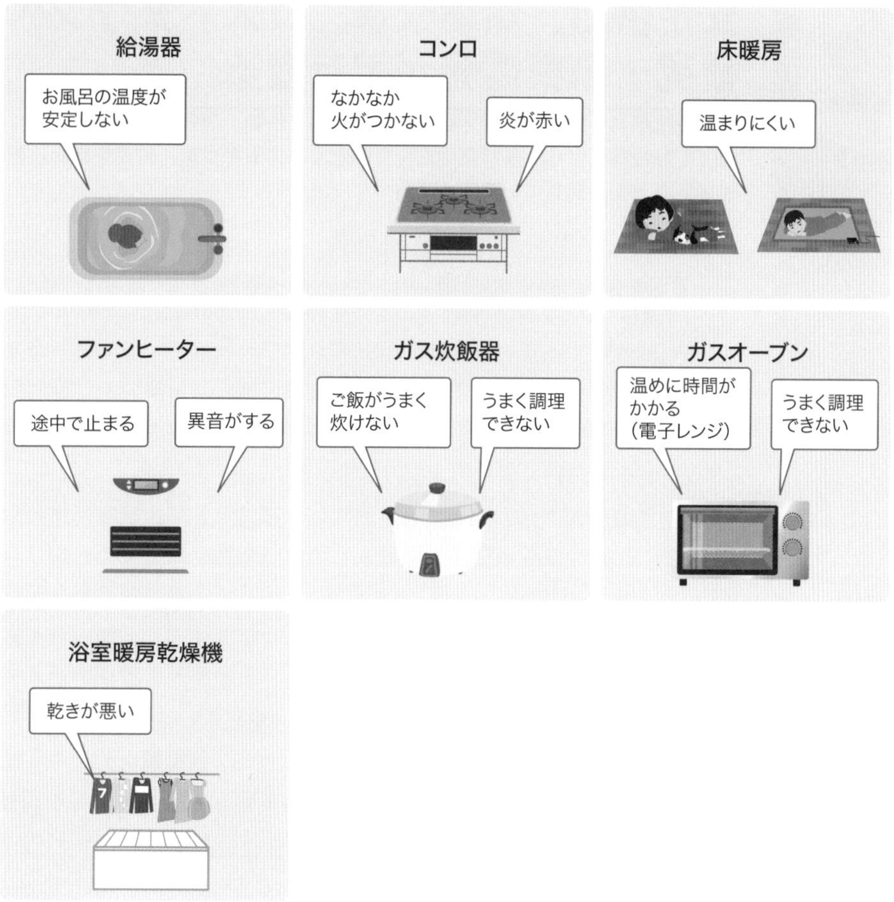

出所：東京ガス「ガス機器スペシャルサポート」（https://home.tokyo-gas.co.jp/service/s_support/index.html）をもとに作成

ONE POINT

自由化とサービス水準の向上

　都市ガス・電気の小売自由化とともに、各社の価格面での競争も激化していますが、価格面だけでは差別化しにくいため、関連サービスの向上も競争の一環となっています。携帯電話、固定電話、インターネット、ケーブルテレビなどの通信サービスを含めたパッケージとして提供したり、トラブル対応の駆けつけサービスや節電ポイントを織り込んだりするなどの工夫が見られます。

Chapter5 12

ガス会社の業務⑥研究・事業開発

安定供給、環境改善、コストダウンへ 研究・事業開発が鍵を握る

ガス会社が取り組む研究開発は、ガスの製造、供給、消費部門のそれぞれについて行われており、各部門で安全性向上、コストダウン、効率性向上、顧客満足向上を目指しています。

安定供給とコストダウンに向けた研究開発

会社によっては、自社に研究開発部門を設けている場合もあります。ガスの分析、耐震性評価、金属・高分子材料分析、家庭用ガス機器開発、スマートエネルギーネットワークの構築など、さまざまな分野の研究開発を行っています。

家庭用ガス機器開発では、代表的な事例として、家庭用燃料電池「**エネファーム**」のメーカーとの共同開発や開発協力が挙げられます。エネファームは、ガス会社にとり、2009年の発売開始以降、家庭用ガス販売における切り札となっていますが、消費者との直接接点があることで、機器販売を行い、消費者から直接要望を受けることができる立場を活用して改善が重ねられています。

エネファーム
自宅で電気を作り、お湯も同時に作り出す家庭用燃料電池として、「エネルギー」と「ファーム＝農場」を組み合わせて名付けられた。2008年6月25日に燃料電池実用化推進協議会が、認知向上の取り組みとして、統一名称として決定。

それ以前のガス消費機器開発においても、調理用のガステーブル、給湯器、衣類乾燥機などで、一般消費者との接点を有するガス会社が、メーカーとの共同開発に重要な役割を演じてきました。ガス販売量の拡大に努めるだけではなく、「**エコジョーズ**」など、より効率的な消費機器の開発にもつながってきました。

エコジョーズ
少ないガスで効率よくお湯を沸かすことができ、省エネに貢献できる給湯器。家庭のエネルギー消費のうち、約3分の1が「給湯」で、そのお湯を作る際に発生する高温の熱を、最大限回収して再びお湯を作るのに活用する。

将来に向けた事業開発も重要

日本の都市ガス大手は、1990年代以降、海外のLNG生産プロジェクトにも参加出資し、LNG調達の安定性向上を図っています。

また、東南アジアを中心に、発電部門・都市ガス配給網を含めてガス需要開発プロジェクトに参画することにより、日本での事業ノウハウを活用して、LNG市場拡大にも取り組んでいます。

日本のガス業界は、カーボンニュートラルに向けた取り組みの柱として**メタネーション**を推進しています。既存の都市ガス設備を有効活用できる優位性があります。

メタネーション
水素とCO_2から都市ガス原料の主成分であるメタンを合成。

エネファームのある住宅イメージ

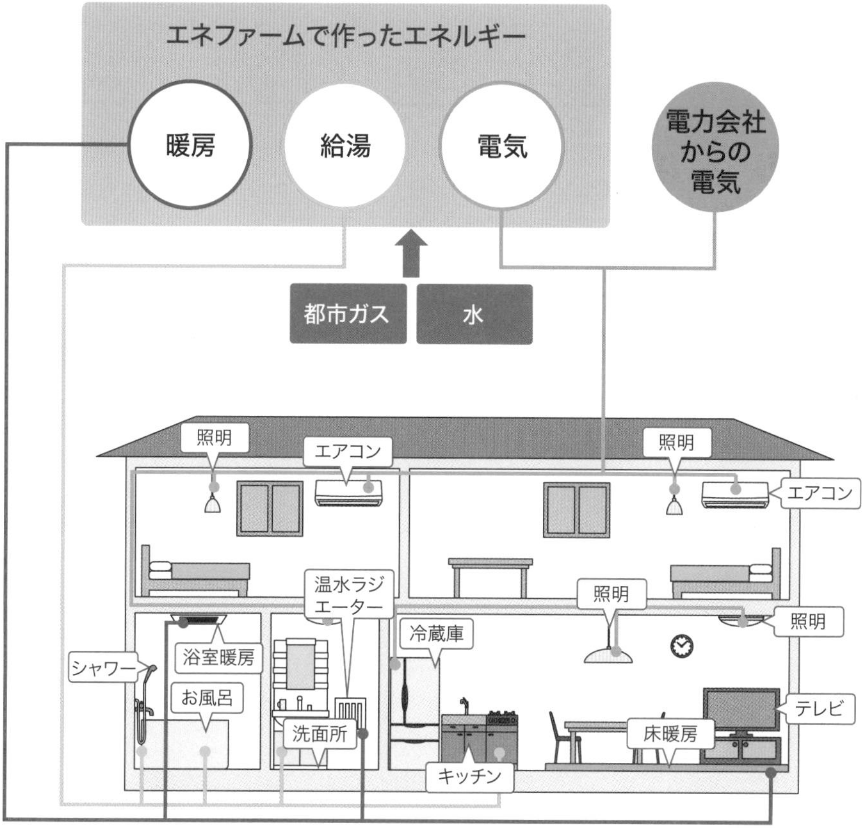

出所：東京ガス「エネファーム」（https://home.tokyo-gas.co.jp/living/enefarm/index.html）をもとに作成

ONE POINT

プライベートブランド

東京ガスは、2017年3月末、『プライベートブランド』ガス機器の取り扱いを終了しました。消費者が安心して快適に使用できるよう、安全・環境・快適性など、高付加価値機能を搭載した「プライベートブランド機器」をメーカー各社と共同で開発し、販売してきましたが、近年のガス機器が、業界全体の取り組みとして各種安全装置が搭載され、機能も充実してきたことから、「プライベートブランド機器」は一定の役割を終えたものと判断されました。

COLUMN 5

供給・価格安定のために十分な投資が必要

ほかの地域と比べて高価格が続くガスと電気

2021年後半以降、欧州や、日本を含む東アジアなど、各地の天然ガスやLNGの高価格が続き、世界中でガス代・電気代が上昇しています。それ以前にも2011年から2015年の間、日本を含む東アジアのLNGの高価格が続いた時期がありました。これは「アジアプレミアム」「ジャパンプレミアム」などと呼ばれ、LNG価格が他地域と比較して高い状態が続きました。その際、「ガスをLNGで購入しているから高い」ともいわれましたが、これだけではガスやLNGの価格の状況を十分に説明しきれているとはいえません。

現在、日本で主力のLNG供給源となっている東南アジア、オーストラリア、ロシアからパイプラインを敷設してガスを輸送する方式では経済的に成り立ちにくいため、LNG方式で供給されてきたのです。それが、輸送する距離と数量の関係で最も安価に供給できる方式でした。むしろ「LNGだから安かった」のです。

供給源と消費地との距離が価格に影響

「価格が高い」というのは、LNGかパイプラインガスかといった問題ではなく、自国内あるいは消費地と近い位置に豊富な供給源があるか否かで決まります。特に2021年後半には、欧州でパイプラインガスの価格が高騰したため、米国などから供給されるLNGが価格競争力を持つ状態になり、ロシアなどからのパイプラインガスの供給の一部を駆逐する状況も起こりました。

同様に、シェール革命後、国産ガスの供給が増加し、ガス価格が低水準で安定している米国でも、北東部の大都市地域で冬季にガス需要が増加する際、国産パイプラインガスによる供給だけで賄いきれないピーク需要が発生し、海外からのLNG輸入も行われることがあります。

LNGでもパイプラインガスでも、将来の需要を見通して、生産・輸送設備へ適切な水準の投資が継続的に行われ、安定供給を確保することが、適切な価格水準につながります。

第6章
エネルギーのグローバル動向

世界のエネルギー消費量は、経済成長の著しい新興国を中心に増加傾向にあり、化石燃料も使われています。一方で、気候変動問題への対応として、再生可能エネルギーへの転換や、エネルギー消費の抑制なども求められており、各国で方針が検討されるとともに、安定的なエネルギー需給構造が模索されています。

世界のエネルギー動向（消費）

Chapter6

01

エネルギー消費量は増加傾向で化石燃料の割合は依然として高い

世界のエネルギー消費量は、アジアを中心に、経済成長とともに増加を続けています。エネルギー源別に見ると石油の割合が高く、化石燃料が中心の消費構造ですが、今後は再生可能エネルギーの拡大も期待されます。

アジア大洋州地域がエネルギー消費の伸びをリード

世界のエネルギー消費量（一次エネルギー）は、経済成長とともに増加を続けています。1965年の37億トン（石油換算）から2020年には133億トンに達し、年平均2.3％で増加しました。なお、新型コロナウイルス感染症の影響により、2020年のエネルギー消費は前年比4.3％減と大幅な減少となりました。経済成長とともにエネルギー消費量は増加するため、今後は途上国の経済成長がエネルギー消費の伸びを担います。一方、先進国（OECD諸国）では、経済成長率や人口増加率が途上国よりも低いことや、省エネルギーの進展などにより、消費量の伸びは鈍化しています。なお、世界最大のエネルギー消費国は中国（シェア26％）で、米国が第２位です（同16％）。

toe

tonne of oil equivalentの略で、石油換算トンのこと。各種エネルギー源の比較を容易にするため、発生エネルギーが等しくなる石油のトン数に換算する。

エネルギー源別では石油の割合が高い

これまで石油は、輸送用燃料消費を中心に、エネルギー消費の中で最も大きな割合を占めてきました。石油消費量は1965年から2020年にかけて年平均1.8％で増加しています。石炭消費量は、これまでに中国やアジア地域で消費量が拡大しましたが、近年は中国の需要鈍化、米国の天然ガス代替による需要減少などにより伸び悩んでいます。天然ガスは、年平均3.2％で増加しており、発電用や都市ガス用の消費が伸びています。原子力やそのほかの再生可能エネルギーのエネルギー消費に占める割合は大きくありませんが、伸び率が8.7％、12.5％と非常に高いのが特徴です。2020年で見ると、世界全体でのシェアは、石油31％、石炭27％、天然ガス25％で、化石燃料合計で83％です。今後、気候変動対策の強化により再エネの割合が拡大すると見込まれます。

世界のエネルギー消費量の推移（地域別、一次エネルギー）

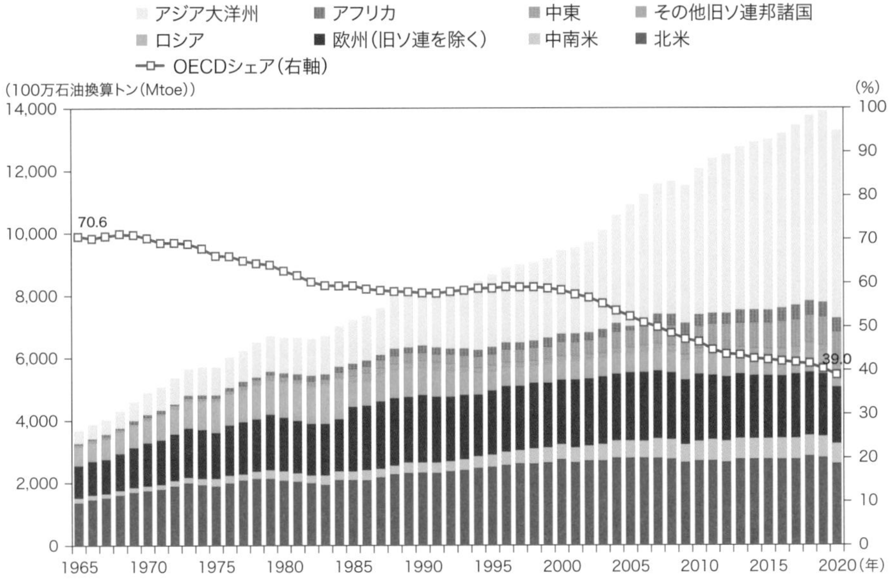

出所：経済産業省資源エネルギー庁「令和３年度エネルギーに関する年次報告（エネルギー白書2022）」をもとに作成

世界のエネルギー消費量の推移（エネルギー源別、一次エネルギー）

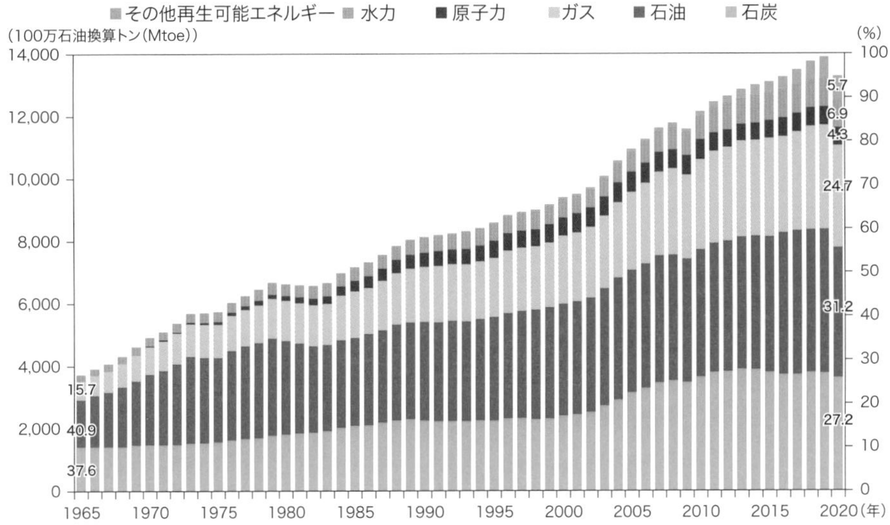

出所：経済産業省資源エネルギー庁「令和３年度エネルギーに関する年次報告（エネルギー白書2022）」をもとに作成

Chapter6
02

世界のエネルギー動向（生産・貿易）

エネルギー生産量や貿易量は増加しアジア地域の存在感が高まる

エネルギー資源の生産は需要を踏まえて変化しますが、これまで化石燃料の生産量はおおむね増加傾向にあります。エネルギー需要の伸びが堅調なアジア地域は化石燃料の輸入量も拡大しています。

需要を踏まえて生産量は変化

世界の原油生産量は、石油消費量の拡大を受けて、1965年から2021年までで約2.8倍に拡大しました。地域別に見ると、ロシア、中東、北米の生産量は堅調に増加、欧州では2000年以降の生産量の減少が進んでいます。天然ガス生産量も増加傾向にあり、特に2011年から2021年の平均伸び率は2.2%となりました。北米ではシェール革命により生産量が大きく増加し、LNGプロジェクトの開発が相次ぐ豪州や、ガス資源も豊富な中東でも生産量の拡大が見られます。石炭生産量は、2013年にピークを迎えたあと、石炭需要の減少により落ち込みましたが、中国の需要増加などにより再び増加しました。国別に見ると、中国とインドが世界の生産量の半分以上を占めます。ちなみに最大の原子力発電国は米国、再生可能エネルギー発電国は中国です。

貿易量の拡大もアジア地域が存在感

原油および石油製品の貿易で、最大の輸出地域は中東であり、2021年の世界の貿易量（6,696万B/D）のうち33%を占めます。主な輸出地域として北米やCIS諸国などが続きます。最大の輸入地域はアジア大洋州地域です。天然ガスの2020年の貿易量（12,437億m^3、世界）のうち、パイプライン取引は61%、LNG取引は39%となりました。主な輸入地域は欧州と北東アジアで、前者はロシアやノルウェーなどからパイプライン経由、後者は豪州や中東、米国からLNGとして輸入しています。石炭の貿易は欧州地域と、アジア地域に分けられ、後者が拡大しています。石炭の主要な輸出国は、インドネシア、豪州、ロシアであり、3か国で世界の輸出量の約72%を占めます。

B/D
（2-06参照）

CIS諸国
独立国家共同体（Commonwealth of Independent States）に加盟する国々。加盟国は、アゼルバイジャン、アルメニア、ウズベキスタン、カザフスタン、キルギス、タジキスタン、ベラルーシ、モルドバ、ロシア。また、トルクメニスタンが準加盟国。

原油、天然ガス、石炭の生産量

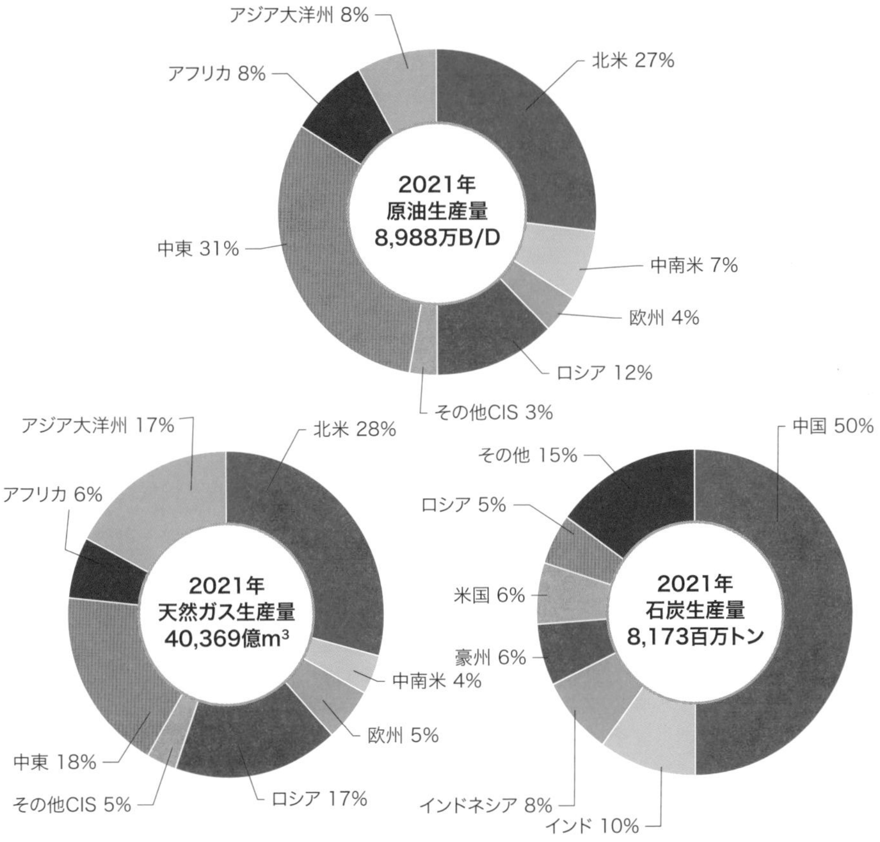

出所：bp「Statistical Review of World Energy 2022」をもとに作成

ONE POINT

日本のエネルギー輸入量

日本は国内に化石燃料資源が乏しく、エネルギー資源のほとんどを輸入に頼っています。資源ごとに輸入量を見ると、日本は、2021年の輸入量（世界合計）のうち、原油は6%、石油製品は4%、LNGは20%、石炭は15%を占めています（bp統計2022年版）。近年、中国のLNG輸入量が増加していますが、日本も世界最大規模のLNG輸入国です。

Chapter6
03

温室効果ガスの多くを占めるCO_2の削減に向けた対応が必須

二酸化炭素は、温室効果ガスの多くを占めています。エネルギーの利活用に起源を持つ二酸化炭素が排出量の多くを占めています。世界全体で、あらゆる分野での排出削減に向けた取り組みが必要です。

CO_2は温室効果ガスの一種

二酸化炭素（CO_2）は温室効果ガス（GHG）の一種です。世界のCO_2排出量は、2019年に約335億トン（CO_2換算）となりました。最大の排出国は中国（シェア29%）で、次いで米国（同14%）、インド（同7%）などとなっています。CO_2を含む温室効果ガス削減の世界的な枠組みとして、国連気候変動枠組条約の京都議定書やパリ協定が採択されています。なお、最近は気候変動対策の強化の観点から、CO_2に加えてメタンの排出削減にも焦点があてられるようになっています。

百万トンCO_2換算（$Mt\text{-}CO_2$）
温室効果ガス排出量をCO_2換算として算出したもの。活動量×排出係数×温暖化係数として算出。

バンカー
バンカー燃料。国際航空および外航海運の燃料のこと。

日本のCO_2排出量は減少傾向

2020年度の日本の温室効果ガス排出量は11億5,000万トンとなり、うちCO_2は10億4,400万トンでした。なお、日本のCO_2排出量は世界の3%で、第５位の排出国です。CO_2のうち84%が燃料の燃焼で発生・排出されるエネルギー起源CO_2です。その中でも、製油所や発電所といったエネルギー転換部門からの排出が約40%と最も大きく、次いで産業部門（約24%）、運輸部門（17%）の順になっています。日本だけでなく、世界各国において、さらなるCO_2排出量削減のためには、発電だけでなく産業や運輸部門の低炭素化・脱炭素化が必要です。

日本のCO_2排出量は2013年をピークに減少傾向にあります。これは、省エネルギーなどによるエネルギー消費量の減少や、再生可能エネルギーの拡大、原子力発電所の再稼働による電力の低炭素化などが要因として考えられます（2020年度は新型コロナウイルス感染症によりエネルギー消費量が減少した点に注意）。

世界のCO_2排出量（2019年）

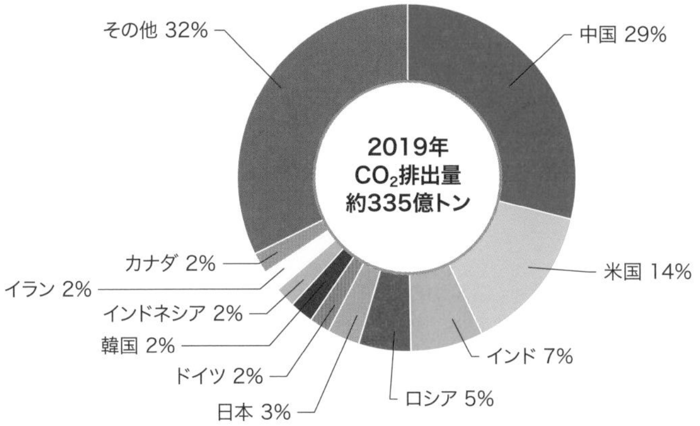

出所：日本エネルギー経済研究所『EDMCエネルギー・経済統計要覧 2022年度版』（理工図書）をもとに作成

世界のCO_2排出量の推移（地域別）

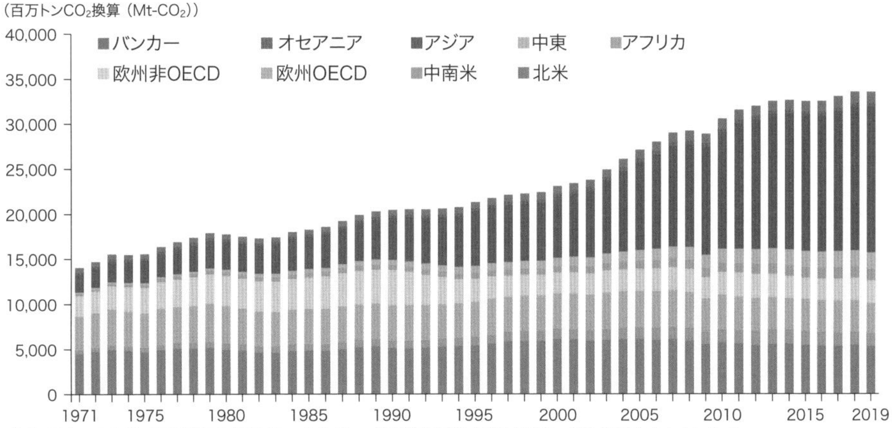

出所：日本エネルギー経済研究所『EDMCエネルギー・経済統計要覧 2022年度版』（理工図書）をもとに作成

ONE POINT

CO_2排出量はなぜ増えたのか

18世紀後半に産業革命が起こり、私たちはエネルギー源として石炭をはじめとする化石燃料を利用するようになりました。また、農地や工業地として利用できる土地を増やすため、森林の伐採が進められました。このような化石燃料の利用、さらに大量生産・大量消費型の産業の発展によるCO_2排出と、CO_2を吸収する森林面積の減少などが、CO_2排出量の増加をもたらしたと考えられます。

Chapter6
04

気候変動対策の枠組みとして パリ協定でほぼすべての国が参加

国連気候変動枠組条約の目的を達成するため、国際的な合意として京都議定書やパリ協定が定められました。締約国会議では、エネルギーや経済情勢が国によって大きく異なる中で、具体的なルールが議論・交渉されています。

国連気候変動枠組条約の締約国会議

COPとは締約国会議という意味で、エネルギー・環境分野におけるCOPは主に「国連気候変動枠組条約（UNFCCC）」の締約国会議を指します。UNFCCCは、大気中の温室効果ガスの濃度を気候体系に危害を及ぼさない水準で安定化させることを目的として1992年5月に採択され、1994年3月に発効されました（197か国・地域が締約国）。COPは1995年から毎年開催されています。COPでは、「共通だが差異ある責任」という原則に基づいて、先進国と途上国の扱いを区別しています。

京都議定書とパリ協定

UNFCCCの目的を達成するための具体的な枠組みとして、京都議定書とパリ協定がCOPで採択されました。京都議定書は、2020年までの枠組みとして、1997年12月に採択され（COP3）、2005年2月に発効されました。京都議定書では、附属書Ⅰ国に対して一定期間における温室効果ガス排出量の削減義務を国ごとに設定する一方、途上国には削減義務がありませんでした。

パリ協定は、2020年以降の枠組みとして、2015年12月に採択され（COP21）、2016年11月に発効されました。パリ協定では、世界共通の長期目標として2℃目標を設定し、1.5℃に抑える努力を追求することを目的としています。また、パリ協定は、先進国と途上国の区別なく、すべての国が参加するもので、各国は自発的に排出削減目標を作成することになっています。そして5年ごとに削減目標を提出・更新することや、世界全体としての実施状況を5年ごとに評価するしくみ（グローバル・ストックテイク）を取り入れています。

附属書Ⅰ国
温室効果ガス削減や報告の義務がある国。主として先進国、OECD加盟国および経済移行国（旧ソ連、東欧諸国）が含まれる。

2℃目標
世界的な平均気温の上昇を産業革命以前に比べて2℃より十分下方に抑えること。

附属書Ⅰ国と非附属書Ⅰ国

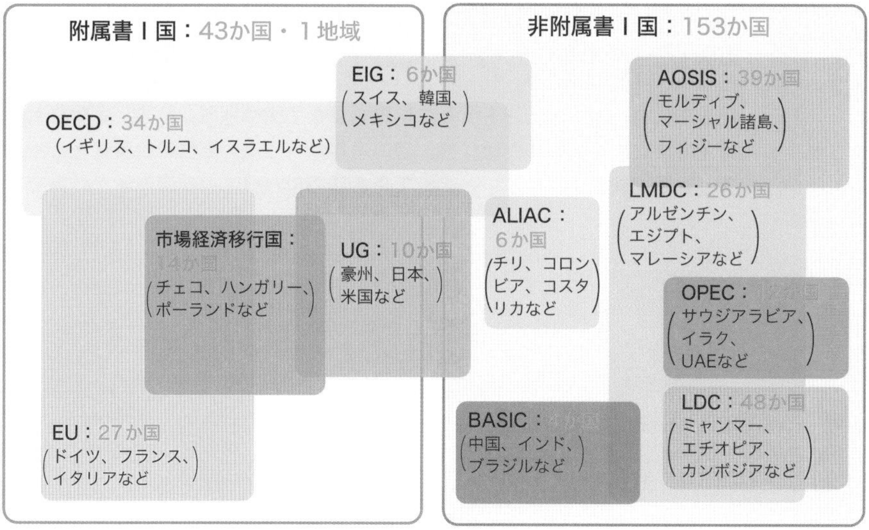

注：グループの重なりは一部の国が複数のグループに所属することを表す。
出所：経済産業省資源エネルギー庁webサイト（https://www.enecho.meti.go.jp/about/special/johoteikyo/cop26_01.html）をもとに単純化して作成

主な国別一人当たりエネルギー起源CO_2排出量（2019年）

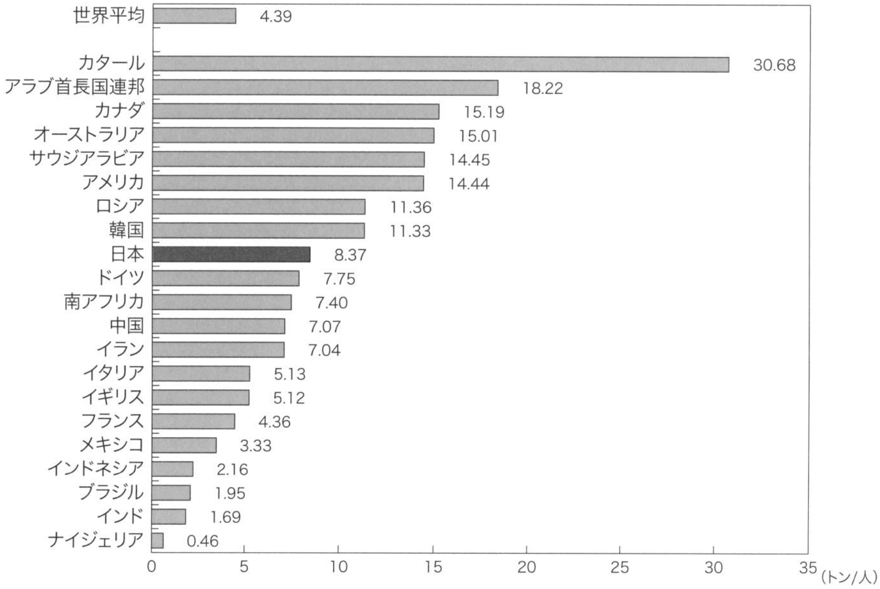

出所：環境省「世界のエネルギー起源CO_2排出量（2019年）」をもとに作成

Chapter6 05

カーボンニュートラルを目指す国際動向

CO_2の排出量と除去量の均衡の達成にはイノベーションが重要

世界ではカーボンニュートラルの実現を目指す国や地域、都市、企業などが増えています。実現のためには、省エネルギーや電力部門の脱炭素化に加えて、従来脱炭素化が難しいとされてきた部門においても技術革新が必要です。

CO_2の排出量と除去量を差し引きゼロにする

カーボンニュートラルとは、CO_2の人為的な排出量と**人為的な除去**量が、一定期間、均衡した場合に達成されることです。これは、ネットゼロCO_2排出量と同じことを指します。

2021年11月時点で、154か国・1地域が2050年などの年限を区切ったカーボンニュートラルの実現を表明しました。これらの国におけるCO_2排出量とGDPが世界全体に占める割合は、それぞれ79%、90%に達します。

日本も、2010年10月に「2050年カーボンニュートラル宣言」を発表しました。

人為的な除去
意図的な人間活動の結果、大気中から温室効果ガスを除去すること。生物学的なCO_2吸収源の強化や、化学工学を利用した長期的な除去・貯留などが含まれる。

カーボンニュートラル達成にはイノベーションが必要

カーボンニュートラルを実現するためには、エネルギー消費量の削減（省エネルギー）、電力部門の脱炭素化に加えて、電力部門だけでなく産業や運輸、民生部門といったすべての部門における脱炭素化に向けた取り組みが必要となります。

非電力部門は、まず脱炭素化された電力による電化を進め、電化が困難な部門では水素や**メタネーション**、**合成燃料**などを利用して脱炭素化を目指します。さらに、**ネガティブエミッション技術**も活用する必要があります。ネガティブエミッション技術とは、大気中のCO_2を除去し、地中、陸上、海洋の貯留層や製品に永続的に貯留する人為的な活動のことです。

各国で研究開発が進められている技術として、大気中のCO_2を直接回収して取り除く直接空気回収技術とCO_2回収・貯留技術を組み合わせたDACCS、バイオマス燃料とCO_2回収・貯留技術を組み合わせたBECCSなどが挙げられます。

メタネーション
CO_2と水素から都市ガス原料の主成分であるメタンを合成すること。

合成燃料
CO_2と水素を原材料として製造する石油代替燃料のこと。

ネガティブエミッション技術
技術の具体例は右ページの表を参照。

カーボンニュートラルの実現を表明した国・地域

●2019年12月時点 121か国

世界全体の CO_2 排出量に占める割合 17.9%

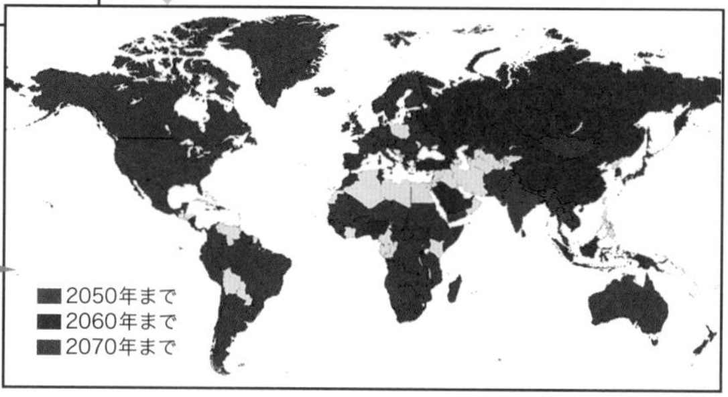

●2021年11月時点 150か国以上

世界全体の CO_2 排出量に占める割合 88.2%

2050年まで：144国（42.2%）
2060年まで：152国（80.6%）
2070年まで：154国（88.4%）

出所：経済産業省資源エネルギー庁webサイト（https://www.enecho.meti.go.jp/about/special/johoteikyo/cop26_02.html）をもとに作成
出所：経済産業省資源エネルギー庁「エネルギー白書2022」をもとに作成

ネガティブエミッション技術

植林・再生林		植林は新規エリアの植林化、再生林は自然や人の活動によって減少した森林への植林
土壌炭素貯留		バイオマスを土壌に貯蔵・管理する技術（自然分解による CO_2 発生を防ぐ）
バイオ炭		バイオマスを炭化し、炭素を固定する技術
BECCS		バイオマスの燃焼により発生した CO_2 を回収・貯留する技術
DACCS		大気中の CO_2 を直接回収し、貯留する技術
風化促進		玄武岩などの岩石を粉砕・散布し、風化を人工的に促進する技術。風化の過程（炭酸塩化）で CO_2 を吸収
ブルーカーボン	海洋肥沃・生育促進	海洋への養分散布や優良生物品種などを利用することにより、生物学的生産を促して CO_2 吸収・固定化を人工的に加速する技術。大気中からの CO_2 の吸収量の増加を見込む
	植物残差海洋隔離	海洋中で植物残差に含まれる炭素を半永久的に隔離する方法（自然分解による CO_2 発生を防ぐ）ブルーカーボンのみならず外部からの投入を含む
海洋アルカリ化		海水にアルカリ性の物質を添加し、海洋の自然な炭素吸収を促進する炭素除去の方法

出所：国立研究開発法人新エネルギー・産業技術総合開発機構「ネガティブエミッション技術（NETs）について」をもとに作成

エネルギー価格の動向

Chapter6
06

需給バランスや紛争が価格を左右する国際市場の化石燃料

化石燃料には国際取引市場が存在します。また、価格決定の方式については、同じエネルギーでも地域によって異なる場合があります。コロナ禍からの経済回復やウクライナ侵攻は、世界的なエネルギー価格の高騰を招いています。

国際市場により価格決定方式はさまざま

原油や天然ガス、石炭といった化石燃料は、エネルギー源ごと、また地域ごとに国際取引市場が存在します。国際石油市場は、北米、欧州、アジアの3大市場に大きく分類され、北米では**WTI原油**、欧州ではブレント原油、アジアではドバイ原油が取引の指標原油です。

天然ガスの主要市場も北米、欧州、アジアですが、原油のように指標となるガスが存在するわけではありません。アジアのLNG輸入価格は、JCCという日本向け原油の平均CIF価格にリンクしています。米国やイギリスではガス市場の自由化が進み、**Henry Hub**や**NBP**という国内のガス取引地点での需給で価格が決定しています。また、石炭には**一般炭**と**原料炭**があり、一般炭のアジア向けの指標価格は、豪州ニューカッスル港積み価格です。

WTI原油
West Texas Intermediate。ニューヨーク商業取引所などで取引される。WTIおよびそれとほぼ等質の軽質低硫黄原油が北米市場では指標原油となっている。

Henry Hub
米国の天然ガス価格指標。米ルイジアナ州ヘンリーハブ（ガスの取引集積地）における引き渡し価格。

NBP
National Balancing Point。イギリスの天然ガス価格指標。

一般炭
燃料として利用され、発電用燃料やボイラー燃料、セメント製造用として利用される。

原料炭
主に製鉄（コークス）の原料として利用される。

コロナ禍とウクライナ侵攻が価格高騰に影響

原油価格は、新型コロナウイルス感染症拡大による石油需要の大幅な縮小を受けて、2020年にマイナス価格を付けました。2021年は経済回復に伴う需要増加、原油価格低迷による供給側の生産減少やOPECプラスの協調減産による石油在庫の低迷が、原油価格の上昇を下支えしました。2022年2月のロシアによるウクライナ侵攻を受けた、欧米主要国によるロシア産原油の禁輸措置の発表や、欧州によるロシア産ガスからの脱却方針は、原油価格やガス価格の高騰を引き起こしています。天然ガスについては、2022年3月には欧州だけでなくアジアLNG市場でも価格が急上昇し、8月にはオランダの天然ガス指標価格（TTF）で90ドルを超える最高値を更新しています。

原油価格の推移

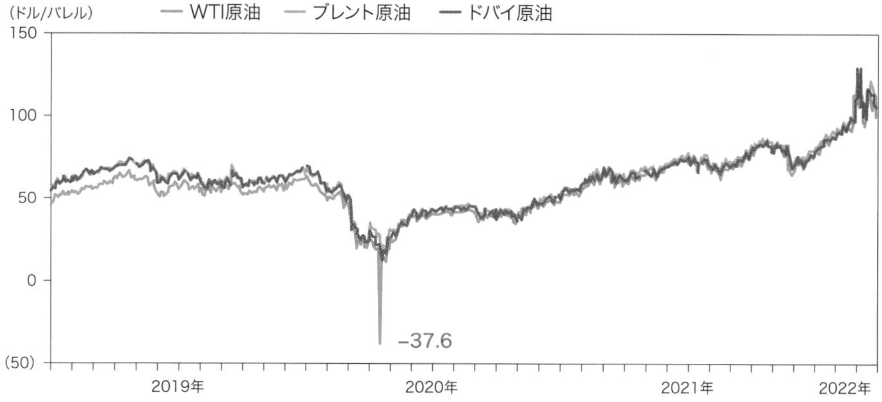

出所：経済産業省資源エネルギー庁webサイト（https://www.enecho.meti.go.jp/about/whitepaper/2022/html/1-3-2.html）をもとに作成

天然ガス・LNG価格の推移

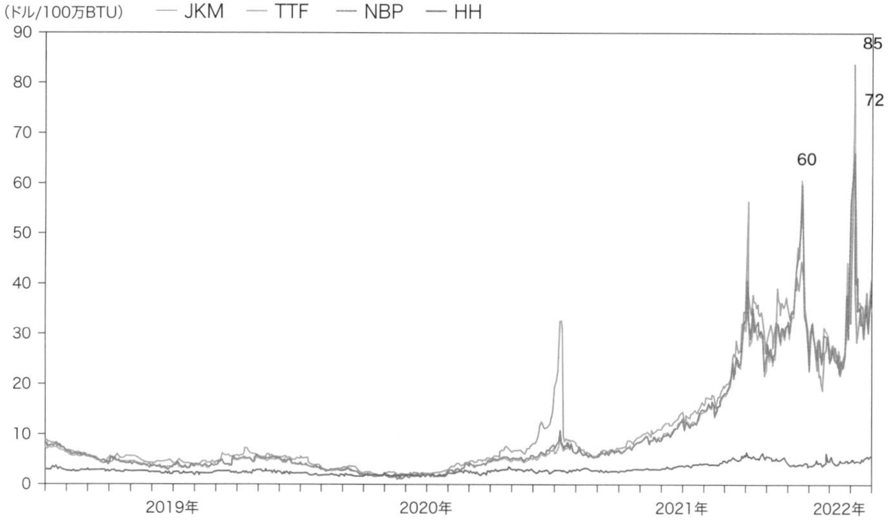

出所：経済産業省資源エネルギー庁webサイト（https://www.enecho.meti.go.jp/about/whitepaper/2022/html/1-3-2.html）をもとに作成

エネルギー需給見通し

Chapter6
07

前提や手法の特性を理解した定量的なエネルギー需給の予測

将来のエネルギー需給構造がどうなるのかを分析するときに活用されるのが、モデルを用いた定量的なエネルギー需要見通しです。モデルにもさまざまな種類があり、分析手法にもそれぞれ特性があります。

現在から将来へエネルギー需給構造の変化を予測

エネルギー需給見通しとは、現在から将来に向けたエネルギーの消費量や供給量、その内訳（エネルギー源別、部門別）などの予測のことです。短期的や長期的な見通しがあり、国際機関や民間企業、シンクタンクがモデルを用いて定期的に作成しています。予測には、フォアキャスト型とバックキャスト型があり、前者は現在を出発点としてさまざまな前提を置きながら将来を見通す手法、後者は将来目標を置いて現在からどのような対策を打つべきかを考える手法です。また、各見通しには複数のシナリオが用意されています。エネルギー・環境分野で有名なエネルギー需給見通しとして、国際エネルギー機関（IEA）のWorld Energy Outlook（WEO）、米エネルギー省エネルギー情報局のAnnual Energy Outlook、イギリスの企業であるbpのEnergy Outlook、日本エネルギー経済研究所のIEEJ Outlookなどがあります。

国際エネルギー機関（IEA）
International Energy Agency。第一次石油危機後の1974年に設立。参加要件は、OECD加盟国かつ備蓄基準（前年の当該国の1日当たり石油純輸入量の90日分）を満たすこと。

前提の置き方や手法の特性を理解したうえで活用を

エネルギー需給見通しの例として、IEEJ Outlookではフォアキャスト型の見通し、WEOのカーボンニュートラル分析ではバックキャスト型が用いられています。フォアキャスト型の見通しでは、前提が大きく外れると予測も外れることになるため、いくつかの想定値を使い分けるシナリオ分析を行います。一方、バックキャスト型は現状と将来目標に大きな乖離がある場合、目標への道筋が過去のトレンドから大きく外れ、実現が難しくなることもあります。多くの見通しでは、現状の政策が継続する場合、エネルギー需要は拡大を続け、CO_2排出制約がかかるほど低減します。前提の置き方や手法の違いを理解することが重要です。

一次エネルギー供給の見通し（IEAとIEEJ）

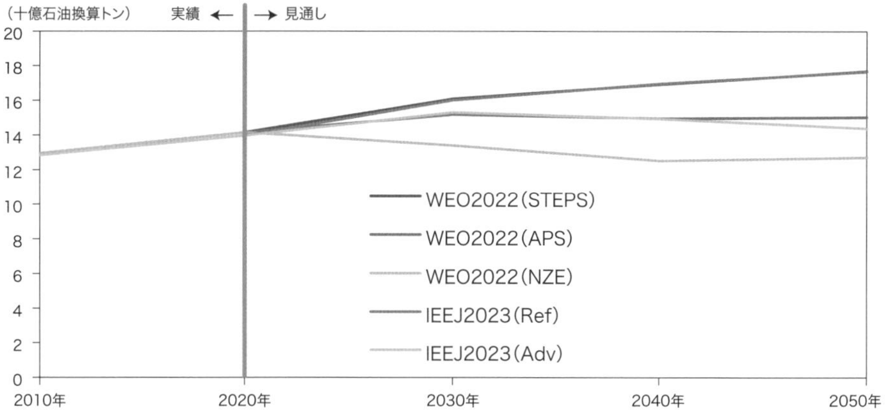

出所：IEA「world Energy Outlook 2022 Free Dataset」をもとに作成
出所：日本エネルギー経済研究所「IEEJ Outlook 2023」をもとに作成

エネルギー需給見通しに関する報告書

機関	報告書
国際エネルギー機関	『World Energy Outlook』 (https://www.iea.org/topics/world-energy-outlook)
米国エネルギー省 エネルギー情報局	『Annual Energy Outlook』 (https://www.eia.gov/outlooks/aeo/)
英国エネルギー企業 bp	『Energy Outlook』 (https://www.bp.com/en/global/corporate/energy-economics/energy-outlook.html)
日本エネルギー経済 研究所	『IEEJ Outlook』 (https://eneken.ieej.or.jp/)

ONE POINT

IEAとIEEJのエネルギー需給見通し

IEAのWorld Energy Outlook 2022では、すでに公表・実施されている政策に基づく「公表政策シナリオ（STEPS)」で、2020年代半ばにすべての化石燃料の総需要がピークを迎えるという分析を初めて示しました。石炭は数年以内に、天然ガスは2030年までに、石油は2030年代半ばに需要のピークを迎え、化石燃料全体の需要は2020年代半ばから着実に減少すると指摘しています。

また、IEEJのIEEJ Outlook 2023では、過去の趨勢的な変化が継続する「レファレンスシナリオ」でも、脱炭素化が進む「技術進展シナリオ」でも、化石燃料への依存は続き、レファレンスシナリオでは2050年時点で一次エネルギーの8割、技術進展シナリオでも6割を化石燃料が占めると分析しています。

エネルギー地政学をめぐる現状

Chapter6

08

米中関係が大きく影響し 中東地域では中ロが存在感を示す

エネルギー源ごとに国際的な市場が存在して貿易や取引が行われているのと同時に、国ごとのさまざまな分野における協調あるいは対立関係も踏まえながら、エネルギー地政学が成り立っています。

エネルギー地政学とは

ここでは、エネルギー問題と国際問題の相互関係のことをエネルギー地政学といいます。エネルギーは生活に身近なものであると同時に、国際的なサプライチェーンのもとで供給されています。そのため、エネルギーは国際問題の側面も持ちます。エネルギー問題が国際政治や経済における国家の力（発言力や影響力など）に影響を及ぼしたり、逆に国際政治や経済がエネルギー問題に影響を及ぼしたりすることもあります。前者の例として、第一次石油危機の際に産油国の力が大きく発揮されました。後者の例では、経済制裁などがエネルギー供給に影響し、エネルギーの価格高騰や需給ひっ迫をもたらすことがあります。

地政学

さまざまな定義があるが、国家戦略や国家どうしの関係を地理的な条件から分析・研究する学問分野、また、ときには地理的な条件が国家間の力関係に及ぼす影響とその状況を指す。エネルギー問題と地政学は密接に関連しているといえる。

米中関係、中東との関係

エネルギー地政学に大きな影響を与える主要国・地域として、米国、中国、ロシア、中東が挙げられます。特に米中関係は近年、米中間の貿易不均衡に端を発する「貿易戦争」から、香港・台湾・新疆《しんきょう》ウイグル自治区における人権問題や海洋進出問題などへと対立が激化しています。また、ロシアのウクライナ侵攻により、米国や欧州、日本とロシアの政治的、外交的、経済的な対立が激化する一方、ロシアと中国の関係強化が進展しています。

これまで中東の安定化には米国が深く関わってきました。しかし、シェール革命によって米国がエネルギー供給国として新たに中東の競合相手となり、さらに米国の国力が相対的に低下する中で、中東地域への米国の関与がさらに低下していくのではないかという懸念も高まっています。そのような状況で、ロシアや中国の存在感が、中東地域で高まる可能性があります。

貿易不均衡

輸入・輸出のバランスが取れず不均衡な状態。貿易摩擦の主な原因となる。

最近の世界のエネルギー地政学環境の全体構造

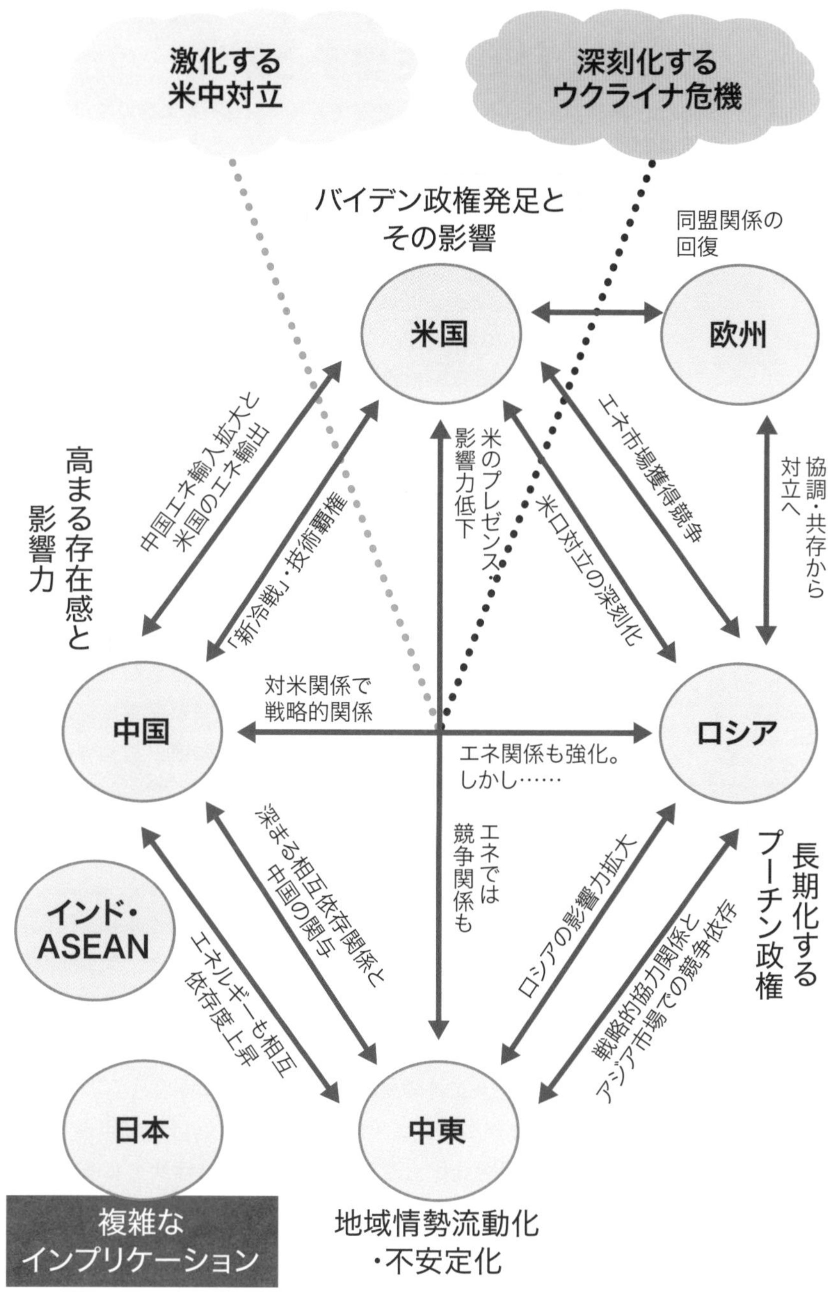

出所：小山堅『エネルギーの地政学』（朝日新聞出版、2022、p.216）をもとに作成

米国のエネルギー事情

シェール革命でエネルギー輸出国となり気候変動対策で主導する米国

米国は世界第2位のエネルギー消費国であり、シェール革命以降は石油や天然ガスの世界最大の生産国となりました。バイデン政権では、気候変動対策の強化に重点が置かれ、排出削減に向けて多様な技術を利用する考えです。

シェール革命によってエネルギーの輸出国へ

米国の一次エネルギー消費量は2,221百万石油換算トン(Mtoe)(2021年)と日本の約5.2倍であり、中国に次いで世界第2位のエネルギー消費国です。一次エネルギー供給構成は、石油が38%、天然ガスが32%、石炭が11%、原子力が8%、水力が3%、太陽光や風力、バイオマスといったその他再生可能エネルギーが8%を占めます。エネルギー自給率は104%と高く、国内には石油、天然ガス、**石炭**と化石燃料資源が豊富に存在します。米国では、2006年以降への「**シェール革命**」により、シェール層というこれまで採掘できなかった層に含まれる石油や天然ガスの生産が本格化し、石油や天然ガスの生産量が大幅に増加しました。石油や天然ガスの輸入依存度は、2008年頃から大きく低下し、現在は輸出を行うまでになっています。特にLNGは世界最大級の輸出国に成長しました。

石炭
特に米国の石炭の確認埋蔵量は世界シェアの23%に達する。

シェール革命
シェール層に含まれる石油や天然ガスの新たな掘削技術(水圧破砕法)が開発され、経済的に見合ったコストで掘削できるようになったこと。

気候変動対策の強化

バイデン政権のエネルギー分野における特徴は、気候変動対策の重視です。トランプ政権下で離脱したパリ協定への復帰をはじめ、2035年までの電力部門の脱炭素化、2050年までに米国のエネルギーシステム全体の脱炭素化の実現を公約としています。また、2050年カーボンニュートラルに向けて、2030年までに温室効果ガス排出量を50〜52%削減(対2005年比)にする目標としています。バイデン政権は、排出量削減に資するものは**技術中立**の立場で支援しています。再生可能エネルギーや水素、電気自動車などに加えて、原子力、特に既設炉の運転継続とSMRを含めた新型炉開発を重視しています。2022年には気候変動対策を加速させるインフレ抑制法が成立しました。

技術中立
Technology neutralの訳。特定の技術に依拠しないこと。

米国の一次エネルギー供給構成（左）、発電電力量構成（右）（2021年）

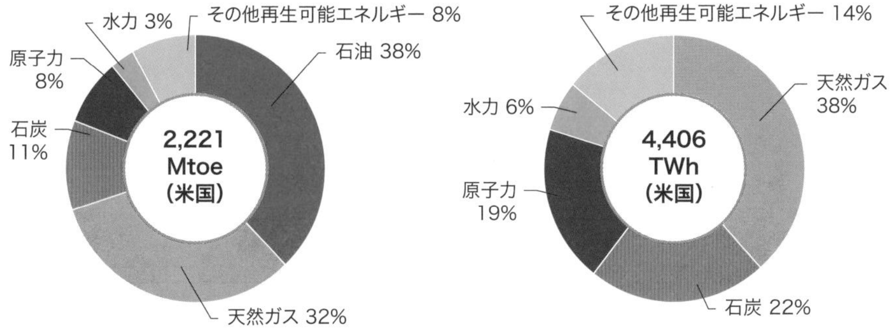

出所：bp「Statistical Review of World Energy 2022」をもとに作成

米国の石油・天然ガスの純輸入依存度の推移

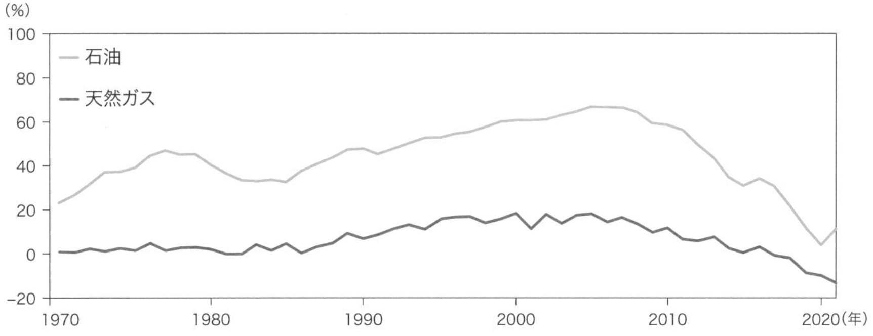

出所：bp「Statistical Review of World Energy 2022」をもとに作成

ONE POINT

米国産LNGの特徴と意義

従来型のLNG事業は、特定のガス田を供給源として液化施設で生産を行っています。一方、米国のLNG事業は、世界のLNG需要に応じて国内の天然ガス（ガス田は特定しない）を基地で液化し、出荷する仕組みです。また、米国産LNGは仕向地の制限がないものが多くなっています。仕向地とは、LNG船の目的地のことで、仕向地が指定されている（仕向地条項）場合は、LNG船が向かえる基地が限定されます。従来のLNG売買契約では、仕向地条項が規定されることが通例でした。仕向地の制限がないと、LNGの購入者は市場の状況やLNGの需要に応じて、仕向地を柔軟に設定したり、変更したりすることができ、ときにはLNGの転売も可能となります。米国産LNGは、LNG市場に柔軟性をもたらしているといえます。

欧州のエネルギー事情

脱ロシアが最重要課題となり脱炭素化の取り組みで主導する欧州

欧州は域内の化石燃料生産が減少し、輸入依存度が高まっています。ロシアは最大の輸入相手国ですが、ウクライナ侵攻を受けて脱ロシアが最重要課題になりました。同時に、脱炭素化で世界を主導する役割を目指しています。

ロシア産化石燃料への依存低減が大きな課題

欧州（EU27か国）の一次エネルギー消費量は1,436Mtoe（2021年）と日本の約3.4倍で、一次エネルギー供給構成は石油が36%、天然ガスが24%、石炭が11%、原子力が11%、水力が5%、太陽光や風力、バイオマスといったその他再生可能エネルギーが13%を占めます。エネルギー自給率は43%にとどまり、東欧諸国を中心に石炭資源は存在するものの、化石燃料の多くは域外からの輸入に依存しています。特に、欧州はロシア産化石燃料に長年依存し、2021年のロシア依存度は石油が27%、天然ガスが45%、石炭が46%と高い水準でした。しかし、ウクライナ侵攻の発生を受けて、ロシア依存からの脱却がエネルギー政策の中心となっています。なお、EU加盟国のエネルギー事情はそれぞれ異なり、加盟国が自国のエネルギーミックスの決定権限を有すため、必ずしもエネルギー政策の面で一枚岩でない場合もあります。

脱炭素化の方針を堅持

EUは、気候変動対策に積極的な姿勢を示し、2030年までに温室効果ガスを1990年比55%削減、2050年に気候中立化といった野心的な目標を掲げています。ウクライナ侵攻後、短期的には、石炭火力発電所の利用再開など、一時的なCO_2排出量の増加も容認する考えですが、脱炭素化の方針は堅持され、中長期的には、脱ロシア依存を従来の脱炭素化の取り組みを加速する契機としたい考えです。欧州委員会は「REPowerEU計画」を発表し、省エネルギー、エネルギー供給の多角化および再生可能エネルギー普及の加速を主要な柱に掲げています。また、原子力の利用（既設炉の運転継続、新規建設）にも改めて注目が集まっています。

気候中立
Climate neutrality。カーボンニュートラルと同義。

REPowerEU計画
2022年3月に概要、5月に詳細を発表。Fit for 55パッケージを土台として、省エネルギー、エネルギー供給の多様化、再生可能エネルギー普及の加速を通じてロシア依存度の低減を目指すもの。

欧州の一次エネルギー供給構成（左）、発電電力量構成（右）（2021年）

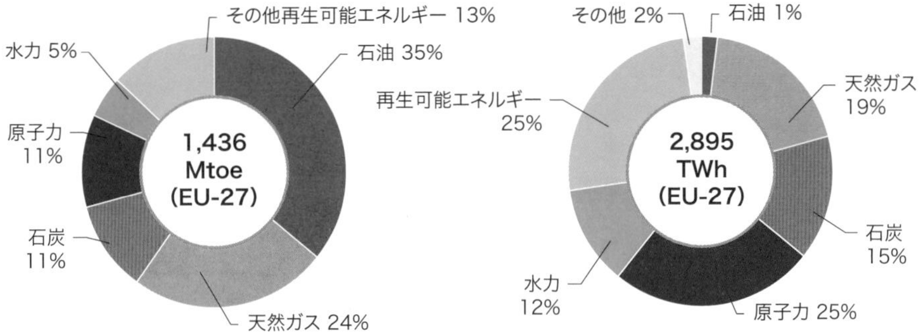

出所：bp「Statistical Review of World Energy 2022」をもとに作成

REPowerEU計画のコンセプト

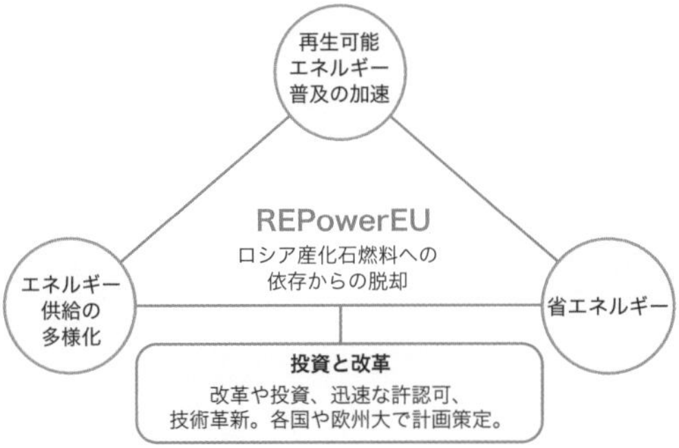

出所：欧州委員会の政策文書（https://energy.ec.europa.eu/system/files/2022-05/COM_2022_230_1_EN_ACT_part1_v5.pdf）をもとに作成

ONE POINT

欧州における原子力発電の利用

2022年1月1日現在、欧州の15か国で119基の原子炉（設備容量は116GW）が運転中です。欧州では、国によって原子力利用に対する立場が異なります。たとえばフランスは、世界第2位の原子力大国（第1位は米国、第3位は中国）で、国内で56基の原子炉が稼働し、電源構成の69%を占めています。マクロン大統領は、2050年までに6基の新規建設、さらに追加的に8基の建設に向けた検討を開始すると表明しています。またベルギーは、ウクライナ侵攻を受け、既設炉の運転期間の10年延長を決定しました。一方、ドイツは福島第一事故を受けて脱原子力を進めています。2022年末までに全既設炉を閉鎖予定でしたが、ウクライナ侵攻後、ロシアからのガス供給量減少を受け、既設炉の一時的な運転延長を決定しました。

中国のエネルギー事情

世界最大のエネルギー消費大国であり石炭の消費削減を図る中国

世界最大のエネルギー消費大国である中国では、エネルギーの安定供給確保が重要課題です。また、省エネルギーの促進や再生可能エネルギーへの転換、原子力発電の拡大といった脱炭素化の取り組みも積極的に進めています。

堅調に伸び続けるエネルギー消費

中国の一次エネルギー消費量は3,765Mtoe（2021年）と日本の約8.9倍であり、世界最大のエネルギー消費国です。経済成長に伴い、エネルギー需要が堅調に増加し続けています。一次エネルギー供給構成は、石炭が55%、石油が19%、天然ガスが9%、原子力が2%、水力が8%、太陽光や風力、バイオマスといった、その他再生可能エネルギーが7%を占めます。なお、中国の石炭消費は、世界全体の消費量の半分を占めます。国内には石炭資源を中心に化石燃料が存在し、エネルギー自給率は80%と比較的高い水準にありますが、石油や天然ガスの輸入依存度は高く、石炭もエネルギー消費の急拡大に国内生産が追い付かず輸入に依存しています。特に石油の輸入依存度は71%、中東依存度は47%と高く、安定供給対策が重要視されています。

2060年までのカーボンニュートラルも目指す

中国は世界最大のCO_2排出国でもあり、2019年の世界のCO_2排出量の29%を占めました。2020年9月に国連総会の場で、中国は2030年までにCO_2排出量のピークアウトを目指し、2060年までにカーボンニュートラルを達成するよう努力すると発言しました。2030年に向けた行動計画では、石炭の消費を段階的に削減し、風力・太陽光発電所の建設を早め、水力発電所の増設、原子力発電所の設置を進めるとし、NDCにおいて一次エネルギー消費に占める非化石燃料比率を2030年までに25%とする目標を掲げています。第14次五カ年計画においても、クリーン、低炭素、安全、効率的なエネルギーシステムを構築し、エネルギー供給保障を向上させることが基本政策になっています。

ピークアウト
頂点に達し、それ以上は上がらない状態のこと。

NDC
Nationally Determined Contribution。国が決定する貢献。パリ協定に参加する国が、国連に提出する温室効果ガスの排出削減目標。第14次五カ年計画2021年から2025年が対象。

第14次五ヵ年計画
2021年から2025年が対象。

中国の一次エネルギー供給構成（左）、発電電力量構成（右）（2021年）

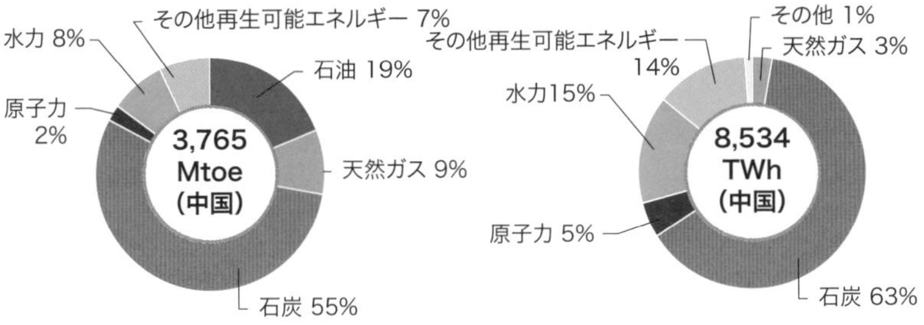

出所：bp「Statistical Review of World Energy 2022」をもとに作成

中国のエネルギー・環境政策の各種目標

指標	目標	期限	基準
エネルギーのGDP原単位（13.5）	−15%	2020年	2015年
CO_2排出量のGDP原単位（13.5）	−18%	2020年	2015年
エネルギーのGDP原単位（14.5）	−13.5%	2025年	2020年
CO_2排出量のGDP原単位（14.5）	−18%	2025年	2020年
CO_2排出量（NDC）	ピークアウト	2030年より前※	
CO_2排出量のGDP原単位（NDC）	−40～45%	2020年	2005年
CO_2排出量のGDP原単位（NDC）	−65%以上※	2030年	2005年
非化石燃料比率（NDC）	15%程度に向上	2020年	
非化石燃料比率（NDC）	20%程度に向上（2015年目標） 25%（2021年更新）	2030年	
カーボンニュートラル目標	カーボンニュートラル実現	2060年まで	

注：13.5、14.5はそれぞれ第13次、第14次五カ年計画を表す。※は上方修正値
出所：日本エネルギー経済研究所「令和２年度燃料安定供給対策に関する調査（諸外国のエネルギー政策動向及び国際エネルギー統計、エネルギー研究技術等調査事業）」をもとに作成

ONE POINT

中国はエネルギー輸入大国

世界最大のエネルギー消費国である中国は、国内に石炭資源を中心とした化石燃料が存在するものの、化石燃料の多くを輸入に頼っています。化石燃料資源ごとに各国の輸入量を見ると、2021年の輸入量（世界合計）のうち、原油は26%、石油製品は8%、LNGは21%、石炭は20%を中国が占めています（bp統計2022年版）。2021年には、原油、LNG、石炭について輸入量が世界第一位となりました。パイプライン経由のガス輸入は、中国の割合は8%にとどまりますが、中央アジア（トルクメニスタン、カザフスタン、ウズベキスタン）やロシアから輸入しています。

Chapter6
12

東南アジアのエネルギー事情

エネルギー需要をけん引し脱炭素化との両立が課題の東南アジア

東南アジアは、今後も旺盛な経済成長がエネルギー需要の増加をもたらすと考えられています。化石燃料の純輸入地域となりつつある中、エネルギー安全保障の確保と脱炭素化との両立が課題として浮かび上がっています。

経済成長によるエネルギー需要拡大が今後も継続

東南アジア（ASEAN 10か国）の一次エネルギー消費量は673Mtoe（2020年）と日本の約1.6倍であり、一次エネルギー供給構成は、石油が33%、石炭が26%、天然ガスが19%、水力を含む再生可能エネルギーが21%となっています。その中でも、**バイオマス**が12%と比較的高い割合を占めます。ASEANは2005年から石油の純輸入地域となりましたが、天然ガスと石炭は純輸出地域です。エネルギー自給率は109%と高いのですが、資源の賦存量《ふぞんりょう》や生産能力は国によって異なり、今後は天然ガスも純輸入地域になると見込まれています。2020年のASEANの一次エネルギー供給は、2005年比で約1.5倍に拡大しており、今後も経済成長とともに**エネルギー需要の急増**が予想され、これまで世界のエネルギー需要増加をけん引してきた中国に代わる存在となることが予想されています。また、各国は野心的なGHG削減目標を掲げており、経済成長との両立が課題です。

エネルギー分野における地域協力を推進

ASEANは各国で、地理的条件や経済規模、発展状況が異なります。ASEANは地域協力を重視しており、エネルギー分野では**APAEC**を作成し、国際連系線、越境ガスパイプライン、省エネルギー、再生可能エネルギーなどの7つの分野で地域協力を目指しています。APAECは2025年の目標を掲げています。①一次エネルギー供給の再エネ比率を23%、②設備容量の再エネ比率を35%、③2005年比のエネルギー原単位を32%削減。ASEANによる将来見通しでは、①と③が既存と発表済み政策だけでは達成困難とされ、産業や運輸部門などでの燃料転換が求められます。

バイオマス
ここでは燃料として直接使用される、あるいは燃焼前にほかの形に変換されるすべての植物性物質のこと。工業プロセスや林業、農業から直接発生する木質材料を対象とする。

エネルギー需要の急増
エネルギー需要の増加と化石燃料輸入への依存の高まりは、ASEANにとってエネルギー安全保障上の大きなリスクと考えられる。

APAEC
ASEAN Plan of Action for Energy Cooperation。エネルギー分野における地域協力の青写真。5年ごとの計画が策定され、2003年に最初の計画が発表された。現在はAPAEC 2016-2025 Phase II（2021-2025）の期間。

ASEANの一次エネルギー供給構成（左）、発電電力量構成（右）（2020年）

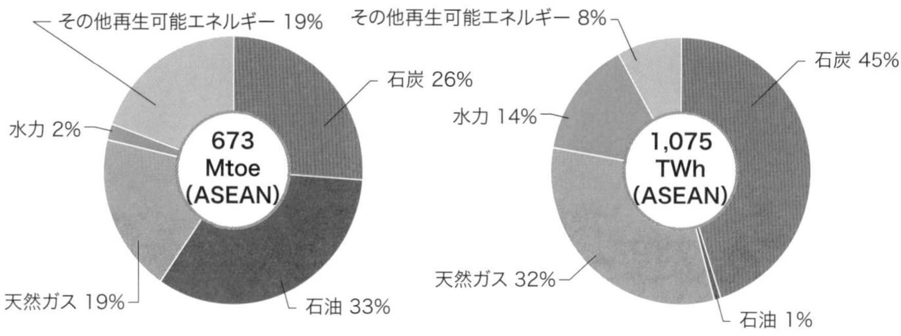

出所：bp「Statistical Review of World Energy 2022」をもとに作成

ASEAN加盟国の排出削減に向けた目標

ブルネイ
無条件：20%

カンボジア
条件付き：42%

インドネシア
無条件：29%
条件付き：41%

ラオス
無条件：60%

マレーシア
GDP当たりGHG排出量を
2005年比45%削減

ミャンマー
無条件：244.52$MtCO_2$削減
条件付き：414.75$MtCO_2$削減

フィリピン
無条件：2.71%
条件付き：72.29%

シンガポール
2030年のGHG排出量を
約60$MtCO_2$へ

タイ
無条件：30%
条件付き：40%

ベトナム
無条件：15.8%
条件付き：43.5%

出所：ASEAN Center for Energy「The 7th ASEAN Energy Outlook 2020-2050」(https://aseanenergy.org/the-7th-asean-energy-outlook/) および各国NDCを参考に作成

APAEC Phase IIの7分野とは、ASEANパワーグリッド、広域ASEAN天然ガスパイプライン、石炭・クリーンコール技術、省エネルギー、再生可能エネルギー、地域エネルギー政策・計画、民生用原子力エネルギーのことです。

Chapter6
13

中東のエネルギー事情

石油や天然ガスの供給の中心地で地域の安定と多様化が課題の中東

中東は石油や天然ガスの重要な供給国であり、国際市場に大きな影響を持ち続けています。同地域の安定は、国際エネルギー市場の安定の要となっています。将来の発展のため、経済構造の多様化の取り組みを進めています。

化石燃料に大きく依存したエネルギー供給構造

中東の一次エネルギー消費量は904Mtoe（2021年）と日本の約2.1倍であり、一次エネルギー供給構成は、石油が43%、天然ガスが55%と、化石燃料がほとんどを占めます。中東は特に石油と天然ガスの資源が豊富で、多くを域外へ輸出しています。2021年の輸出量（世界計）に占める中東の割合は、原油40%、石油製品20%、天然ガス（LNG）25%に上り、石油の多くはアジア地域へ、天然ガスは欧州とアジア地域へ輸出されています。

中東
ここでは、バーレーン、イラン、イラク、ヨルダン、クウェート、レバノン、オマーン、カタール、サウジアラビア、シリア、アラブ首長国連邦、イエメンを含む。

中東の産油国の多くはOPEC（石油輸出国機構）に加盟しています。OPECは各国の石油政策を調整し、国際的な石油市場の価格を安定させるため、原油の生産量を増やしたり減らしたりしています。OPEC加盟国の中で、最大の余剰生産力を持つ国はサウジアラビアです。最近では、ロシアなどの非加盟主要産油国も加わったOPECプラスが原油生産量の調整を行っています。

原油
地下（油田）から採取されたままの状態の石油のこと。原油を精製して製品化したものを石油製品という。

国内産業の高度化や再エネ、原子力の導入を図る

中東の産油国や産ガス国の多くは、国家財政を資源収入に依存しています。そのため、資源価格の安定的な維持を目指し、特に原油についてはOPECやOPECプラスを通じた生産調整を行っています。また、経済の石油輸出に依存する構造からの脱却を目指し、また世界の脱炭素化に対応するため、経済構造の多様化に取り組んでいます。中東地域は経済成長や人口増加により、国内のエネルギー需要が拡大しています。そこで、省エネルギーの推進に加え、発電用途の石油を節約するため、再生可能エネルギーや原子力の導入・拡大に積極的です。再生可能エネルギー発電では、水力に次いで太陽光が多く導入されています。

経済構造の多様化
多様化の一環として、CO_2フリー水素・アンモニアの輸出に取り組む国もある。

中東の一次エネルギー供給構成（左）、発電電力量構成（右）（2020年）

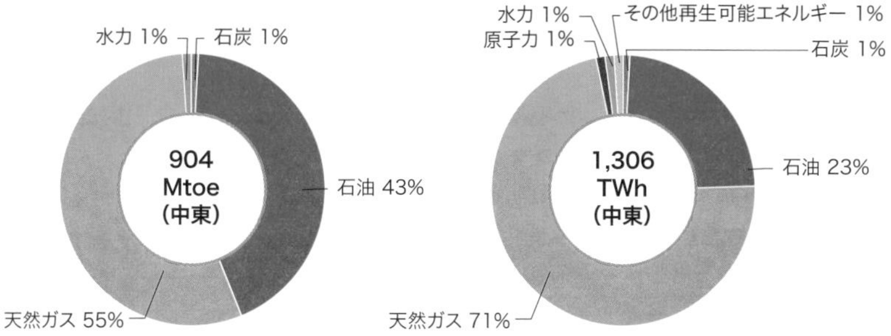

注：四捨五入の関係で合計が100%とならない場合がある。
出所：bp「Statistical Review of World Energy 2022」をもとに作成

世界の石油生産量の国別シェア（2021年）

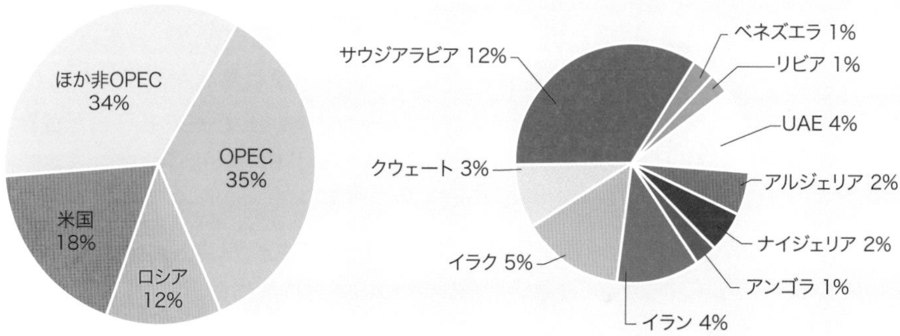

出所：bp「Statistical Review of World Energy 2022」をもとに作成

ONE POINT

2度の石油危機

1973年に第一次石油危機、1979年に第二次石油危機が発生しました。これは、原油価格の急激な上昇による国際石油市場やエネルギー需給の激変と、それによる経済的・社会的・政治的な混乱を指します。2つの石油危機は、産油国（中東）での政治的な不測事態の発生をきっかけとして、原油供給に支障（不足）が発生したことが背景です。第一次石油危機は第四次中東戦争が、第二次石油危機はイラン革命がきっかけとなりました。

Chapter6 14

最大の化石燃料輸出国で経済の化石燃料依存が高いロシア

ロシアはエネルギー輸出を戦略的に活用し、国益の追求を行っています。欧州市場からアジア・太平洋市場への輸出先の多角化を重視しています。また、原子力の国際展開にも積極的です。

エネルギー供給大国であるロシア

ロシアの一次エネルギー消費量は748Mtoe（2021年）と日本の約1.8倍で、世界第4位のエネルギー消費国です。一次エネルギー供給構成は、石油が21%、天然ガスが55%、石炭が11%、原子力が6%、水力が7%を占め、国内に豊富な天然ガスの占める割合が高いのが特徴です。エネルギー自給率は189%と非常に高く、国内には石油、天然ガス、石炭と化石燃料資源が豊富に存在し、その輸出量は世界最大級です。確認埋蔵量は石油が世界の6%、天然ガスが20%、石炭が15%を占め、生産量でも石油が世界の12%、天然ガスが17%を占めます。特に、ロシアにとって欧州は最も重要な市場であり、2021年の石油輸出の53%、ガス輸出の76%、石炭輸出の35%は欧州向けと高い割合に達しました。ロシアは、石油・天然ガス**輸出先の多角化**を目指しています。

輸出先の多角化
欧州市場への輸出偏重是正を視野に、アジア・太平洋市場の開拓を急いでいる。

化石燃料の生産量拡大を重視

ロシアは、「2035年までのロシアのエネルギー戦略」を発表し、産業の高度化やエネルギー効率の改善、経済のエネルギー依存度の低減などを目標としています。ロシアのNDCでは、温室効果ガス排出量を2030年までに1990年比30%削減を目標としています。また、2060年までにカーボンニュートラル実現を目指す方針で、低炭素化技術の導入支援やエネルギーリサイクルの促進などに取り組むとしています。また、世界の脱炭素化に対応して、CO_2フリーの水素・アンモニアの輸出も計画しています。なお現在、再生可能エネルギーの位置付けは必ずしも高くありません。原子力は、国内の原子炉新増設や海外への原子炉輸出拡大が基本方針です。

ロシアの一次エネルギー供給構成（左）、発電電力量構成（右）（2021年）

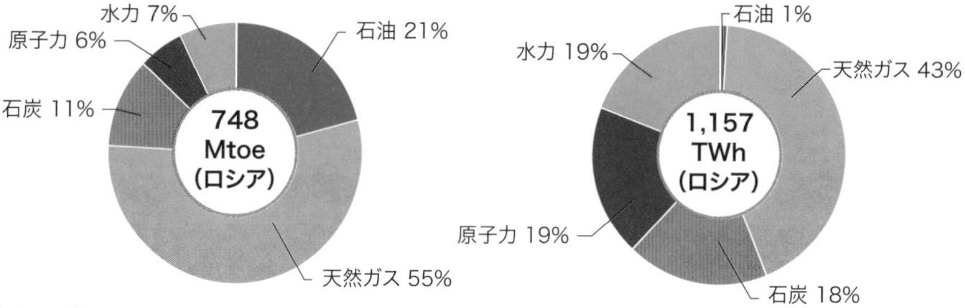

出所：bp「Statistical Review of World Energy 2022」をもとに作成

ロシアの原子力発電所一覧

出所：WNA「Nuclear Power in Russia」（https://world-nuclear.org/information-library/country-profiles/countries-o-s/russia-nuclear-power.aspx）をもとに作成

ONE POINT

ロシアのエネルギー輸出の状況と課題

ロシアは世界有数のエネルギー輸出国であり、2021年の輸出量（世界計）のうちロシアの占める割合は、原油の13%、石油製品の11%、パイプラインガスの39%、LNGの8%、石炭の18%に達しました。ウクライナ侵攻を受け、日米欧が経済制裁措置（ロシアからの化石燃料輸入の禁止を含む）を発動したことで、ロシア産化石燃料の輸出先が変化しています。ロシアは、経済制裁に参加しない中国やインド、中東を中心に、割安な価格で石油や石炭の輸出を拡大しています。制裁措置による需給ひっ迫によってエネルギー価格が高騰し、ロシアのエネルギー輸出による収入が一時的に増加したとも指摘されており、G7諸国はロシア産原油・石油製品への上限価格の設定に合意しました。

COLUMN 6

経済成長が期待されるアフリカはエネルギーアクセスの改善が急務

中南アジアとサブサハラアフリカの人口増加

世界人口の増加率は2020年、1950年以来初めて１％を下回り、減少しています。しかし、世界人口が増加傾向にあることは変わりません。国連の「世界人口推計2022年度」によると、世界人口は2030年に約85億人、2050年に約97億人に増加する見込みです。この人口増加の大部分は、中央・南アジア地域とサブサハラアフリカ地域が占め、特にサブサハラアフリカ地域は2050年までの人口増加の半分以上を占めると予想されています。

経済成長と脱炭素化を同時に推進することが必要

IEEJ Outlook 2023では、アフリカの一次エネルギー消費は2050年に1,300Mtoeと増加し、2020年から2050年までの年平均変化率は1.5％になると見込まれています。ASEANと同様、アフリカは経済成長と脱炭素化に同時に取り組むことが必要とされるのです。

エネルギーへの安定したアクセスの確保も必須

またアフリカにとって、エネルギーへのアクセスの確保は非常に重要な課題です。SDGsの目標７（エネルギーをみんなに。そしてクリーンに）でも、2030年までに安価で信頼できる現代的エネルギーサービスへの普遍的なアクセスを確保することが、３つの達成基準のうちの１つとなっています。この達成基準は、「電気へのアクセス」と「クリーンな調理燃料・技術へのアクセス」の推進を目指すものです。

世界的に見ると、2020年に電気へアクセスできている人口は90％、クリーンな調理燃料・技術へアクセスできている人口は67％と拡大傾向にあります。しかしアフリカでは、北アフリカが前者99％以上、後者95％以上と非常に高い一方で、サブサハラアフリカは49％と17％と低い値になっています。同地域のエネルギーアクセス改善に向け、先進国をはじめとした国際社会の協力が一層求められるところです。

第7章

エネルギー業界の主要企業とステークホルダー

エネルギー業界の主要な３分野が電力・石油・ガスです。どの分野においても、エネルギー情勢などの課題を対処するにはステークホルダーの存在も大切です。７章では各分野の主要な企業に加え、政府機関やシンクタンクなども解説していきます。

Chapter7
01

大手電力会社

地域独占体制から競争環境へ 技術開発と電力の安定供給を担う

戦後の9電力体制から沖縄電力を加えた10社による地域独占体制を経て、現在は電気の小売業の全面自由化に伴って多くの企業が参入しています。競争時代での大手電力会社の役割が改めて問われています。

戦後の発展を支えた10電力会社体制

日本の電力産業は戦後に東京電力、関西電力に代表される9つの電力会社に再編され、沖縄の復帰に伴う沖縄電力を加えて10の電力会社がそれぞれの供給区域で独占的に電力販売を行い、電力の安定供給を支えることで経済成長を支えてきました。これは電力産業が多額の設備投資が必要で**規模の経済**が機能する産業であるため、経済効率的な事業推進のためから大手電力会社による独占が認められたことによります。最大手の**東京電力ホールディングス**のグループで日本の電力需要の約4分の1を供給しています。また、10電力会社合計で日本の電力需要の約3分の2程度を供給しています。10電力会社以外にも電源開発株式会社や原子力発電の導入を支えた日本原子力発電株式会社といった事業会社が国や大手電力会社の資本をもとに設立され、新たな電源の開発を進めることで安定供給を支えてきました。地域独占の10電力会社体制に対して事業者間の競争を促すことでより効率的な事業運営と消費者の選択肢の拡大を目指して一連の規制緩和と自由化の促進が進められています。

規模の経済
製品の生産量や生産規模を大きくすることで単位当たりの生産コストが低下すること。

東京電力ホールディングス
グループ全体で、従業員数は約3.8万人、2021年度の売上高は約5.3兆円、総販売電力は2,338億kWhである。

脱炭素に向けた技術開発と電力の安定供給

電力自由化の促進のためには、競争が有効に働く部門と規模の経済の観点からある程度集約することが有効である部門を見極めることが重要です。現在は、発電と小売の部門では新しい事業者の参入を推進する一方、送配電の部門では規模の経済の有効性と社会的なインフラという観点から大手電力会社が開発と運営を担う役割分担が進められています。また、大手電力会社が有する豊富な経験と技術に関する知見をさらに発展させていくために技術開発や海外展開などに関しても大手電力会社が果たす役割は大きいといえます。

各地域の電力会社の供給区域

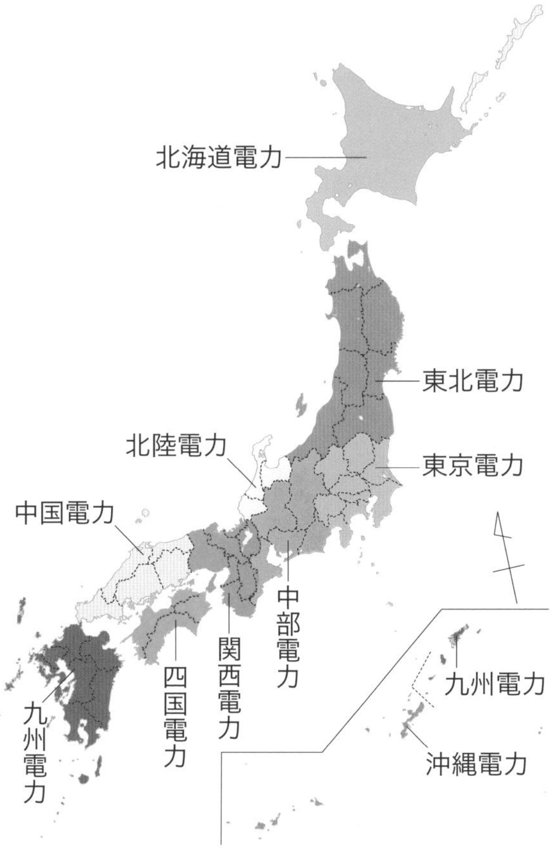

電力会社	売上高（2021年度）	販売電力量（2021年度）
北海道電力	6,634億円	299億kWh（他社販売含）
東北電力	21,044億円	841億kWh（卸販売含）
東京電力ホールディングス	53,099億円	2,338億kWh（卸販売含）
中部電力	27,051億円	1,289億kWh（他社販売含）
北陸電力	6,137億円	362億kWh（他社販売含）
関西電力	28,519億円	1,214億kWh（他社販売含）
中国電力	11,366億円	564億kWh（他社販売含）
四国電力	6,419億円	316億kWh（卸販売含）
九州電力	17,433億円	973億kWh（卸販売含）
沖縄電力	1,762億円	70億kWh

Chapter7
02

新電力

電力産業の新たなプレイヤー 新規事業と競争の活性化に貢献

電力産業の段階的な自由化において大手電力会社以外の事業者として新電力が電力市場に参入しています。新電力による新たな事業展開によって電力産業の競争促進と市場の活性化が期待されています。

電力産業の新たなプレイヤーである新電力

大手電力会社10社による独占体制から段階的な自由化において発電事業から小売事業への新規参入が認められ、新電力と呼ばれる多くの新たな事業者が**電力市場**に参入しています。代表的な新電力としては、石油会社やガス会社のようにエネルギーを扱っている企業のほか、通信事業や鉄道事業を親会社に持つ企業や地方自治体が中心となって設立した企業などがあります。2016年の全面自由化以前から新規参入が認められていたオフィスや工場に供給する高圧の部門では、電気代に対するコスト意識が高く新電力への切り替えが進んでいます。全販売電力量に占める新電力のシェアは2022年6月現在で19.9%となっています。2016年以降は新電力が認知されるにつれて低圧向けのシェアも増加し、電力市場全体における新電力のシェアの高まりとともに大手電力会社からの切り替えを通じた市場の活性化が期待されています。

電力市場
2022年6月現在、737社の小売事業者が登録されている。

新規参入の拡大による新規事業と競争の活性化

大手電力会社が、広く一般需要家への電力供給を目的としているのに対し、新電力は、顧客やサービスを絞った形で特色ある事業展開を進めています。インターネットなどを通じて、電力会社の切り替えが容易になったことも事業者の切り替えを後押ししています。特に電力の小売事業と同じく自由化が進められたガスの小売事業との連携や通信事業との連携などにより、光熱費や通信費のセット割引といった顧客の利便性の向上を目的とした事業展開が増えています。また、地域の資源や再生可能エネルギーの活用などを中心として特定地域での電力供給と経済への貢献を目的とした**地域新電力**と呼ばれる事業の検討も進んでいます。

地域新電力
地方自治体が設立に参画もしくは関与している新電力。

新電力のシェアの推移

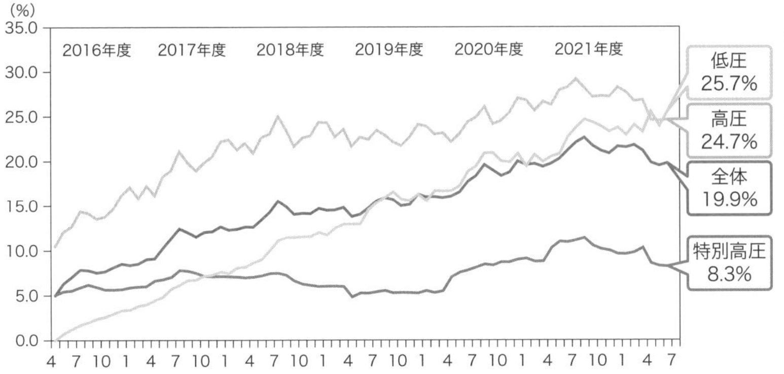

全販売電力量に占める新電力のシェアは、2022年6月時点では約19.9%。うち家庭等を含む低圧分野のシェアは、約25.7%。

出所：経済産業省資源エネルギー庁「電力・ガス小売全面自由化の進捗状況について」（2022年10月17日）をもとに作成

再生可能エネルギーなどを活用した地域マイクログリッド構築支援事業

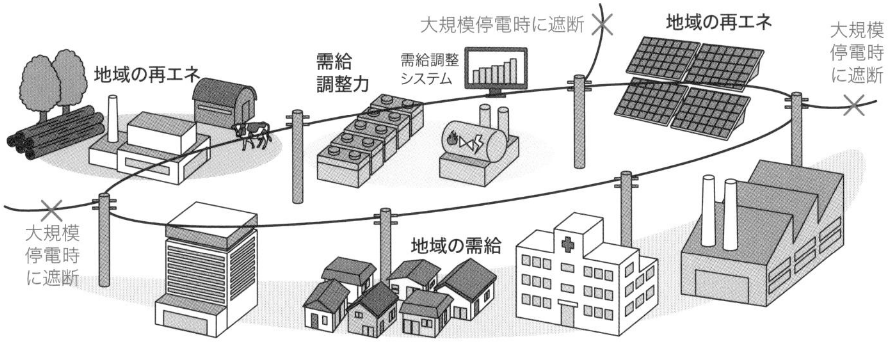

出所：経済産業省資源エネルギー庁「地域新電力の更なる発展に向けて」（2021年6月）をもとに作成

ONE POINT

小売電気事業者数の推移

全面自由化以来、小売電気事業者の登録数は増加してきましたが、2022年に入り状況は一変しています。2020年からのCOVID-19の拡大によって経済活動が大きく落ち込みましたが、2022年に入り経済の回復が進むとともに電力需要も回復してきています。そして、電力の需要増に加えてロシアによるウクライナ侵攻と国際エネルギー価格の高騰が重なることで、卸電力市場の価格が大きく高騰しています。小売電気事業者にとっては市場価格の高騰は電力の調達コストの上昇につながり事業の採算性が悪化するため、新たに参入した事業者が小売電気事業から撤退する事例が増加しています。

Chapter7
03

巨大な事業規模を持つオイルメジャー 膨大な資源を保有する国営石油会社

オイルメジャーは欧米の民間企業で石油の開発から販売活動を大規模かつグローバルに展開する国際石油資本を指し、国営石油会社は石油資源に対する自国の利益を最大化するために設立された巨大石油会社です。

世界石油市場を席けんしたメジャー（国際石油資本）の力は強大

メジャーは欧米の大規模な国際石油資本として、グローバルに石油の開発、生産から販売を一貫体制で占める企業体です。具体的には20世紀初頭より欧米に台頭した、オイルメジャーと呼ばれる、エクソンなど大手7社が「**セブンシスターズ**」として世界石油市場で力を揮《ふる》いました。石油は世界の経済発展に伴い市場が急速に拡大、産業の中心プレイヤーとして1970年代初頭まで世界の石油生産の大半を管理し、強大な経済力を持ちました。

その後「セブンシスターズ」は1970年代、産油国石油産業国有化によって中東での油田権益を失い、保有する石油埋蔵量は大きく減少、さらに1990年代を通じて原油価格が低位に推移し、合理化のため7社のオイルメジャーは1990年代末から順次合併し、エクソンモービルなどの4社に集約されました。また、フランス系の2社が合併し、2000年にトタールフィナエルフ（現トタル・エナジーズ）が誕生、今はこれら5社をスーパーメジャーと呼びますが、いまだ莫大な企業規模を持ち、2020年世界の石油会社売上上位10社に5社ともランクインしています。

国営石油会社の台頭

オイルメジャーの力が相対的に低下する中、石油産業では**資源ナショナリズム**を背景に自国の石油資源をメジャーから取り戻した**国営石油会社**が台頭してきました。

産油国国営企業は、オイルメジャーの石油資産を接収して設立されたものが多く、**中国3大国営石油会社**も、同様に政府機関を母体に設立されました。これらの国営石油会社は、国内事業の独占等が認められています。

セブンシスターズ
ガルフ、エクソン、モービル、シェブロン、テキサコ、ロイヤル・ダッチ・シェル、ブリティッシュ・ペトロリアム（BP）の7社を指す。1975年アンソニー・サンプソンの著書で知られた。後にエクソンモービル、シェブロンテキサコ、ロイヤル・ダッチ・シェル、BPの4社に集約。

資源ナショナリズム
多くの天然資源を持つ途上国などが自国資源や製油所など需要インフラを他国の資本を介せず自国の利益のために利用しようとする考え方。

国営石油会社
一般的にはサウジアラビアのサウジアラムコのような産油国国営企業、中国などの輸入国の国営企業で区別されることが多いのが現状である。

中国三大国営会社
中国石油天然気集団（CNPC）、中国石油化工（SINOPEC）、中国海洋石油のこと。

メジャーズ再編の流れ

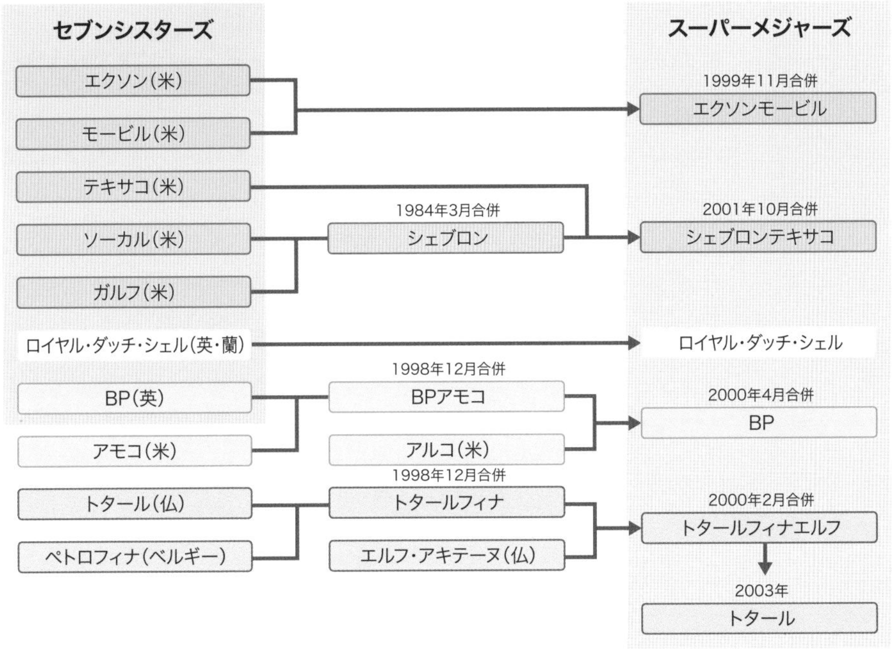

出所：石油連盟「石油のQ&A」をもとに作成

原油価格の推移（月平均）

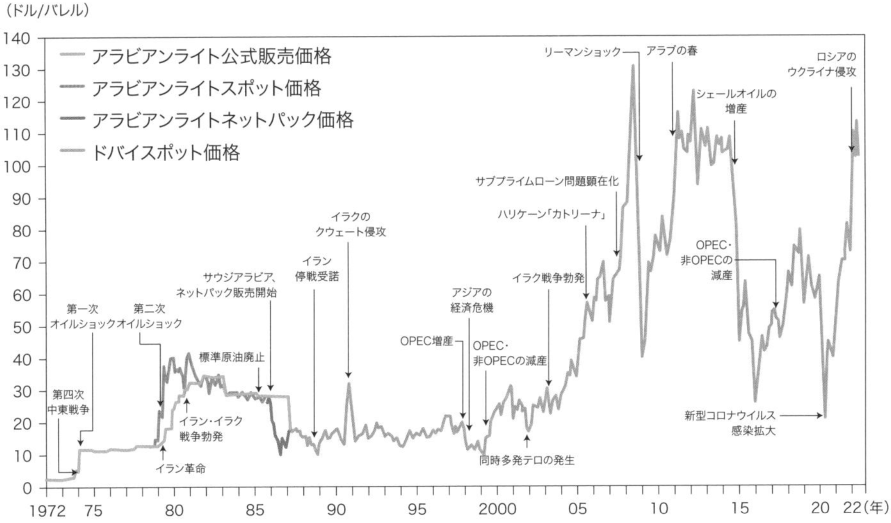

出所：石油連盟「今日の石油産業2022」をもとに作成

Chapter7
04

日本の石油精製元売り企業

元売りは3大グループ体制 上位2社で国内ガソリンシェア80%

国内元売りはENEOS、出光興産、コスモ石油の3大グループに集約されましたが、ガソリンシェアは、上位のENEOSと出光興産の2社で80%に達しています。

石油の輸入、精製、販売を行う石油元売りは、近年再編が加速

1980年代の前半では、元売りは13社でしたが、その後石油需要が大きく減少し、石油市場の規制緩和が進む中で、石油会社の統合が進み、産業再編が行われました。現在、国内元売りは2017年のJXTGエネルギー（2020年社名変更後、現ENEOS）が発足、コスモ石油とキグナス石油が資本・業務提携、それに続き、2019年には出光と昭和シェルの経営統合（現 出光興産）が行われました。他方、オイルメジャー（国際石油資本）のエクソンモービルやシェルもそれぞれ2012年、2015年に撤退、国内元売りは3大グループに集約されました。最大シェアはENEOS 1社で国内ガソリンシェアの約50%、出光興産は30%を超えており、上位2社で80%に達しています。売上はENEOSホールディングス、出光興産、コスモエネルギーホールディングスが各々10.9兆円、6.7兆円、2.4兆円、営業利益は同7,900億円、4,300億円、2,400億円（いずれも2021年度連結、概数）となっています。また、そのほかの**国内石油会社**として太陽石油などがあります。

そのほかの国内石油会社
ほかに愛媛県に製油所（12万B/D）と近隣などに販売網を持つ太陽石油、精製専業の富士石油（袖ヶ浦に14万B/Dの製油所）、西部石油、国内販売の大手である三愛オブリ、三菱商事エネルギーなどがある。

今後も石油の安定供給とカーボンニュートラルを目指す元売り会社

今後、カーボンニュートラルの動きが加速化する中、燃料油の内需減少も進むことは間違いありません。元売りでも今後も国内石油需要は減少傾向にあると見られています。こうした中、国際競争力の維持、経営の合理化による石油の安定供給や**海外事業新進出**、さらに電力や再生可能エネルギー、水素事業といった事業転換の推進を各社は事業戦略に組み込んでいます。

海外事業進出
各社とも潤滑油販売や石油ガスの上流開発をはじめ多岐にわたる海外事業進出を果たしている。例えば出光興産はベトナムに合弁会社によるニソン製油所（20万B/D）建設、2018年11月に商業運転を開始、同様にENEOSもベトナムで50%の市場シェアを持つペトロリメックスに出資、製油所や物流面での共同利用を図り、さらには同国での太陽光発電事業などを開始している。

日本の石油元売り会社の再編動向

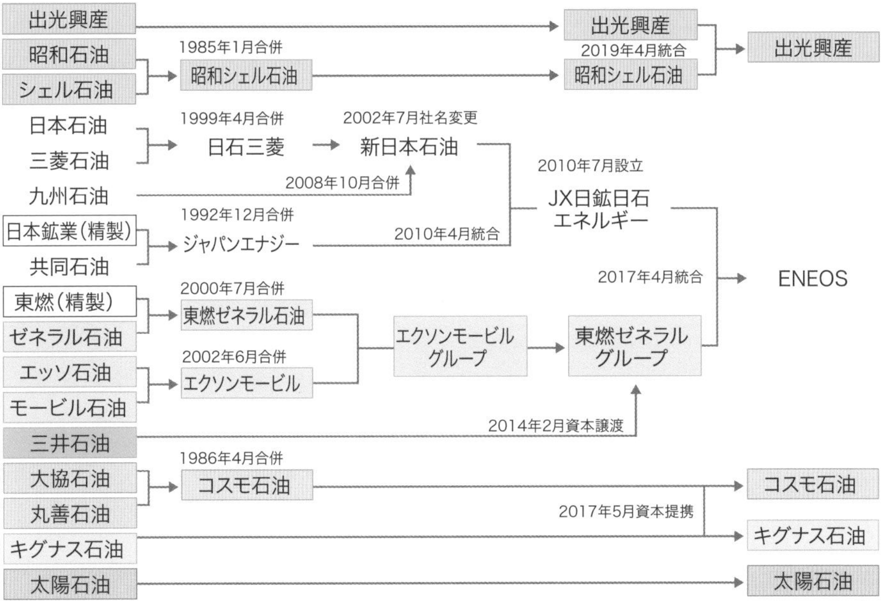

出所：石油連盟「今日の石油産業2022」をもとに作成

石油業界のカーボンニュートラルに向けたビジョン

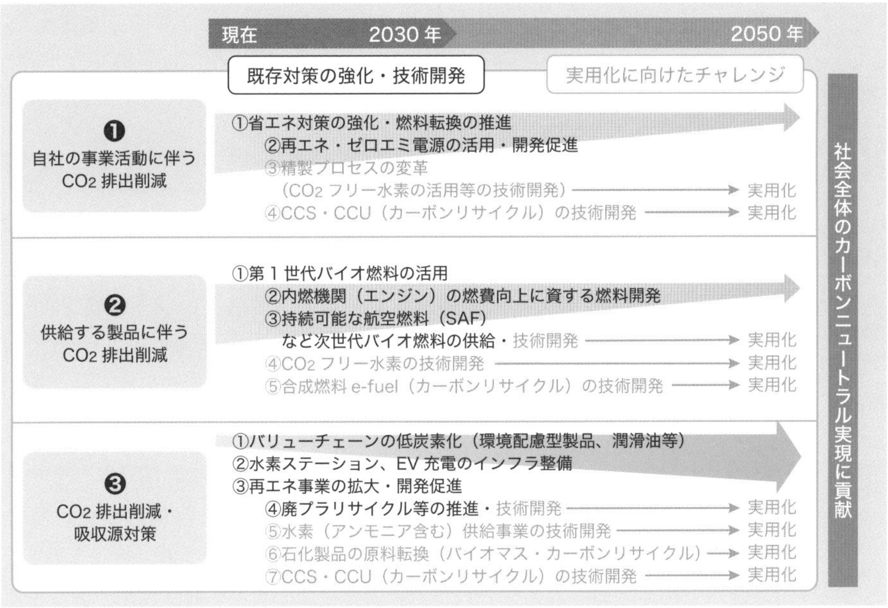

出所：石油連盟「今日の石油産業2022」をもとに作成

日本の石油上流開発企業

Chapter7 05

国内専業は2大会社 INPEXが最大、石油生産35万B/D

石油開発会社としてはINPEX、JAPEXが専業2大会社であり、それぞれ石油生産量35万B/D、3万B/D、ほかに石油元売り系としてJX石油開発などに加え、商社系として大手各社も開発事業に取り組んでいます。

INPEXは世界20数か国で事業展開、低炭素事業への取り組みも強化

INPEXは、それまでの国際石油開発と帝国石油によって2006年に設立された共同持株会社「国際石油開発帝石ホールディングス」が前身です。2021年にINPEXに社名変更されました。INPEXは、豪州・インドネシア・UAEなど世界20数か国で石油やガスの探鉱・開発生産事業を行うほか、国内では、上流事業のみならず、パイプラインやLNG受入基地といったガスインフラも所有、ガスの供給事業にも取り組んでいます。また政府の**2050年ネットゼロ目標設定**を受け、2021年1月に2050年に向けたネットゼロ目標を設定しています。

INPEXの掲げる主なネットゼロ事業分野は、水素・アンモニア、**CCUS**、再生可能エネルギーなどであり、2030年には事業ポートフォリオの10%とする目標を有しています。

JAPEXなどにおける海外事業展開と低炭素事業

同じく石油開発専業大手の**JAPEX**は、石油・天然ガスの開発事業を国内はじめ、カナダ・インドネシアなどで行うとともに、国内ではLNG受入基地や発電所などのガス関係インフラ事業を有し、石油製品の販売も行っています。また、低炭素事業としてCCSを重点事業に掲げており、苫小牧CCS実証試験への参画も行っています。

そのほかの元売り系では、JX石油開発が東南アジアなどを中心に、2021年度で石油とガスで12万B/Dの生産量（石油はうち36%）さらにノルウェー、ベトナムなどで石油・ガス計約3万B/Dの生産量がある出光のほか、コスモエネルギー石油開発があります。なお商社系も三井石油開発など大手各社に開発会社があります。

2050年ネットゼロ目標設定
2020年10月に当時の菅首相のによるカーボンニュートラル宣言を指す。カーボンニュートラルとは二酸化炭素をはじめとする温暖化効果ガスの排出と森林等による吸収を合算し正味（ネットで）「ゼロ」とすること。

CCUS
「Carbon dioxide Capture, Utilization and Storage」の略で、「二酸化炭素の分離回収・利用・貯留」。化石燃料等の利用時に発生する二酸化炭素を発電所などから回収し、その二酸化炭素を例えばセメントなどの生成に利用、または地下に貯蔵する技術。二酸化炭素削減に寄与する。

JAPEX
正式名称は石油資源開発株式会社。1970年のそれまでの石油開発公団が民営化され、その後2003年に東証一部に上場した。

原油の輸入先（2020年度）

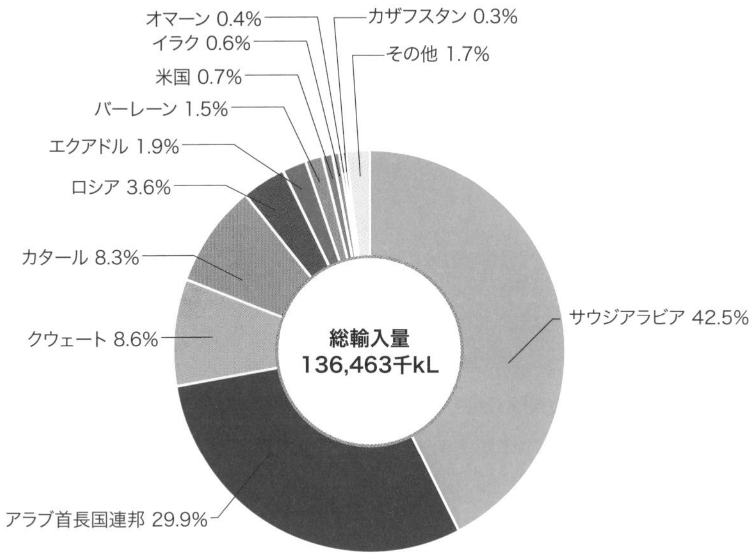

出所：経済産業省資源エネルギー庁「令和３年度エネルギーに関する年次報告」（エネルギー白書2022）をもとに作成

二酸化炭素の回収・貯留技術（CCS）の概要

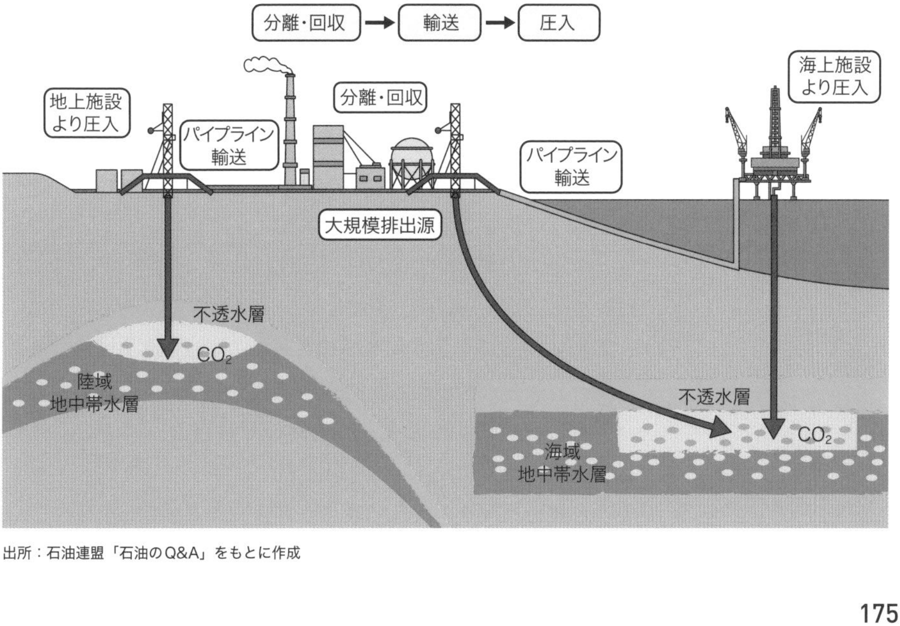

出所：石油連盟「石油のQ&A」をもとに作成

一般ガス導管事業者は193社 新規参入含むガス小売事業者は約270社

都市ガス事業者（法的分類としては「一般ガス導管事業者」）は、全国の地域ごとに193社が存在し、導管網の規模の経済性を生かして効率的にガスを供給することを特徴とするため、都市部を中心に普及しています。

主要企業

都市ガス事業者のうち、東京ガス、大阪ガス、東海地方の東邦ガス、九州北部の西部ガスの4社が会社規模・供給範囲面で「大手」として扱われています。東日本エリアは東京ガス、西日本エリアは大阪ガスが最大の都市ガス供給事業者であり、都市ガス製造から都市ガス消費機器開発に関わる技術も両社がリードするものが多くなっています。なお、このうち東京ガス、大阪ガス、東邦ガスのパイプライン部門は、2022年4月より**法的分離**されました。

大手3社の事業の法的分離
2017年4月、ガス小売事業の全面自由化に続き、2022年4月からは大手ガス導管事業者3社（東京ガス、東邦ガス、大阪ガス）の導管事業部門について法的分離を義務化した。この法的分離により、これら3社は、「ガス小売事業者」となった。

主要企業の概況

都市ガスの2021年度の全国販売量合計約383億m^3（45MJ/m^{3}換算）中、上記の大手4社が65%を占めています。また、全国の都市ガス需要家件数約2,600万件中でも、大手4社が62%を占めています。これは、都市ガス普及が国土の中でも大都市部に集中していることによるものです。

特に東京ガスは、ガス販売量、需要家件数の両面で、全国分の約3分の1を占めています。大阪ガスはこれに次いで、両面で全国の2割弱を占めています。

また、都市ガス業界の企業の売上高推計約5.4兆円中、大手4社が8割以上を占めています。4社については、電気小売自由化に応じて、電気の売上高も含まれていることも、比重を高めている要因です。例えば東京ガスの場合、2021年度の売上高2.1兆円（全国都市ガス業界企業の約4割）中、国内ガス部門の売上高が約3分の2、電気の売上高が約2割強となっています。

なお、都市ガス事業各社は、電力業界等も含めた日本全体のLNG輸入量中、約4割を占めています。

都市ガス業界売上高（2021年度）

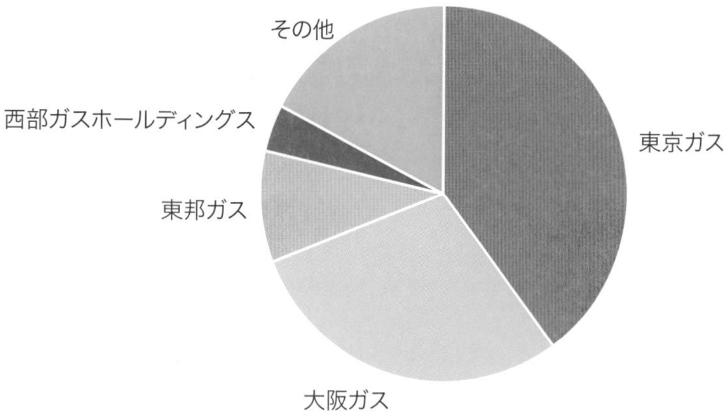

都市ガス大手のシェア概観

	大手4社	東京ガス	大阪ガス
ガス販売量（100万m^3/ 45 MJ）	24,744	13,131	7,096
（国内シェア）	3分の2	3分の1	2割
ガス需要家件数（1,000件）	26,620	8,688	4,915
（国内シェア）	6割	3分の1	2割
売上高（億円）	44,624	21,451	15,868
（国内シェア）	8割強	4割	3割

大手3社の導管部門法的分離

	大阪ガスネットワーク	東邦ガスネットワーク	東京ガスネットワーク
対象地域	大阪府、京都府、兵庫県、和歌山県、滋賀県、奈良県、三重県	愛知県、三重県、岐阜県	東京都、神奈川県、千葉県、埼玉県、栃木県、茨城県、群馬県
導管延長	約62,000 km	約30,000 km	約62,000 km
取付メーター数	約748.6万件	約250.9万件	約1,193.9万件

ONE POINT

カーボンニュートラルチャレンジ2050アクションプラン

日本ガス協会は、2020年11月に「カーボンニュートラルチャレンジ2050」を公表しました。2021年6月には、その実現に向けた実行計画として、具体的な取り組みやロードマップを取りまとめたアクションプランを策定しました。

Chapter7
07

LPガス会社

大手の元売り会社10社と卸売り、家庭販売の小売りで構成

日本で供給されるLPGの4分の3強を輸入する大手の元売り事業会社10社、事業規模はさまざまながらLPガスのボンベ充填を行う卸売り事業、事業規模が分散している小売り事業者など多様な事業者・会社があります。

元売り、卸売り、小売りで構成

一次基地
海外から輸入されたLPGの受入、貯蔵、出荷を行う基地。全国35か所にあり、約150万トンの民間備蓄を常時保有している。

充填所
LPガスを容器に充填する設備を有する基地のこと。全国約2,200か所にあり、そのうち約340か所が中核充填所に指定されている。中核充填所には、災害時にも自立的に稼働できるようにするため、非常用発電設備、緊急用通信設備、LPG車等が配備されている。

LPGは、日本で供給される77%（2021年度実績）がタンカーによって低温・液化で**一次基地**に輸入され、内航船により常温・高圧で二次基地へ輸送された後、ローリーで**充填所**まで輸送されます。そして容器へ充填し、消費先までトラック配送します。

流通は、輸入・生産を行う「元売り」、容器充填を行う「卸売り」、各家庭へ販売する「小売り」により構成されます。2022年3月末時点では、元売り業者は10社、卸売り業者は約1,100社、小売り業者は約1万6,825社、業界団体もこれらに対応して編成されます。

元売り事業者は1980年代には30社以上存在しましたが、需要の減少と競争の激化を背景とした長年の統廃合の後に現在の10社まで減少しました。また、2022年時点で卸売り事業者は約1,100社、小売り事業者は約1万6,825社存在しますが、特に小売り事業者における統廃合は過去18年間で約1万社減少するなど急激に進んでおり、現在も年間500～700社のペースで減少しています。

主要元売り会社の概況

LPガス業界の元売り10社とは、アストモスエネルギー、ENEOSグローブ、ジクシス、岩谷産業、ジャパンガスエナジー、エスケイ産業、キグナス液化ガス、全国農業協同組合連合会、太陽石油、東京ガスです。

このうち、前5社が、輸入量で92%、販売量で81%を占めています。特にアストモスエネルギー、ENEOSグローブ、ジクシスは、販売量をそれぞれ22%、24%、16%占めています（2020年度通年、および2021年度上半期の実績）。

LPガス関連団体の概要

日本LPガス協会	◎LPガス生産輸入元売り事業者
全国LPガス協会	◎LPガス卸売り、小売り、LPガススタンド事業者
日本エルピーガスプラント協会	◎高圧ガス設備の危機製造および検査事業者
日本エルピーガス供給危機工業会	◎LPガス供給機器の製造事業者
日本ガス石油機器工業会	◎ガスおよび石油消費機器の製造事業者

LPガス一次基地分布図（2022年度）

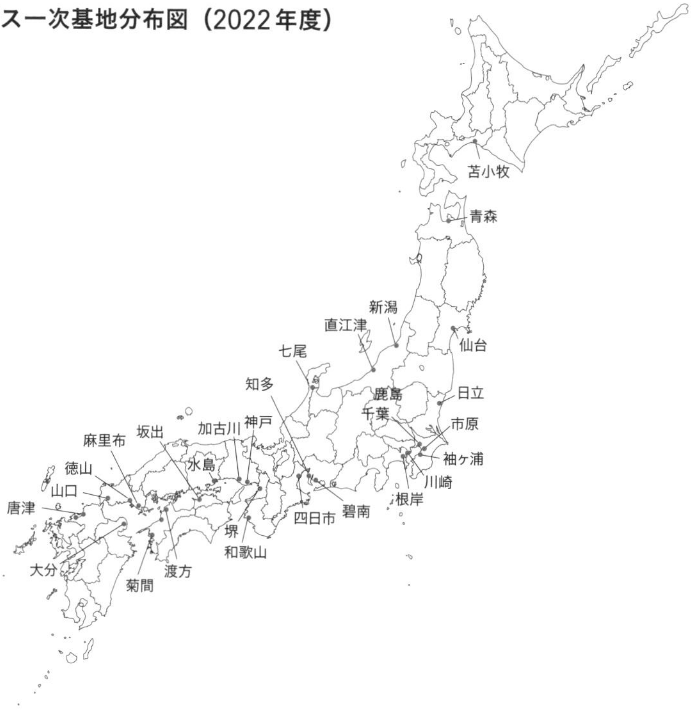

ONE POINT

有事に対応する役割

2021年10月の第6次エネルギー基本計画において、LPガスは平時のみならず、緊急時にも対応できるような強靭な供給体制を確保することが重要と明記されました。

Chapter7
08

国際機関

エネルギー情勢の変化に応じた多国間協調を促進

国際機関は、世界経済やエネルギー情勢の変化に応じエネルギーに関連した多様な課題に対処するため、多国間協調のもとで政策立案、市場分析、エネルギー安定確保等の役割を担っています。

エネルギー分野における多国間協調

エネルギーに関する多様な課題に対して、多国間での協力を促進することを目的にさまざまな国際機関が設立されてきました。例えば、第二次世界大戦以降、石油生産の大部分を掌握していた**石油メジャー**各社に対抗し、石油産油国の利益を守ることを目的に設立された国際機関が「石油輸出国機構（**OPEC**：Organization of the Petroleum Exporting Countries)」です。1970年代の石油危機を機に石油市場への影響力を強め、1980年代以降は国際石油市場における需給調整の役割を担っています。

OPEC
1960年9月に、サウジアラビア、イラン、イラク、クウェート、ベネズエラの5か国で設立された。2022年時点では13か国が加盟している。

エネルギー安定確保や再生可能エネルギー普及に向けた協調

石油危機を契機に、石油消費国間の協調を促し石油の安定供給を図ることを目的に1974年11月に設立されたのが、「国際エネルギー機関（**IEA**: International Energy Agency)」です。国際エネルギー情勢の変化に応じ、現在では、液化天然ガス（LNG)、電力、再生可能エネルギーなどエネルギー全般に関する政策分析や国際協調推進の役割も果たしています。さらに、再生可能エネルギーの普及および持続可能な利用の促進を目的として2011年4月に設立されたのが、「国際再生可能エネルギー機関（IRENA：International Renewable Energy Agency)」です。IRENAは、再生可能エネルギーに関する調査、政策提言、事業実現に向けた投資支援などを主な活動としています。設立当初の加盟国は85か国でしたが、年々増加し、2022年時点で168か国となっています。このように、ダイナミックに変化するエネルギー情勢に応じつつ多国間協調を促進する国際機関は、今後も重要な役割を担っていくと考えられます。

IEA
石油供給途絶などの緊急時への対応のほか、エネルギー市場の分析、中長期の需給見通しなど加盟国のエネルギー安定確保に資する業務を行ってきた。

OPECおよびIEA加盟国（2022年時点）

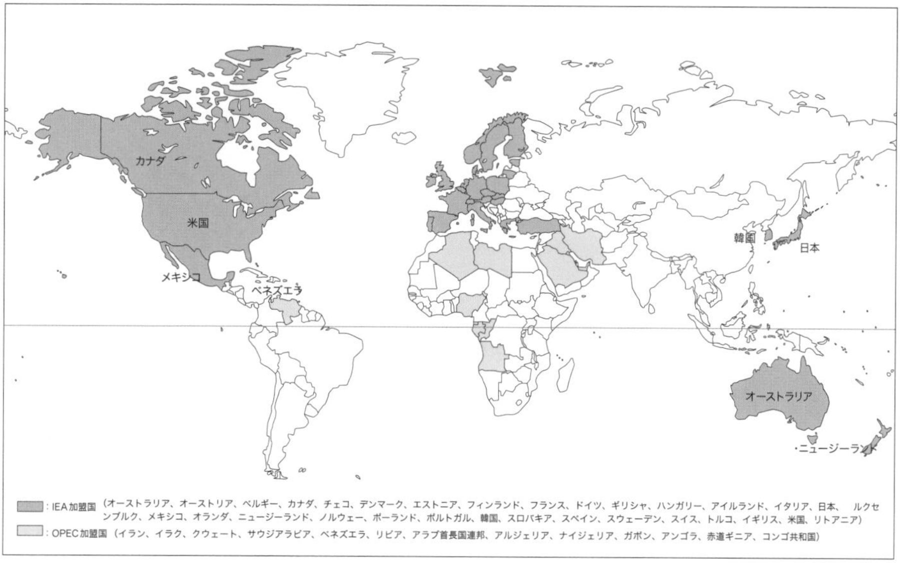

IRENA加盟国数の推移

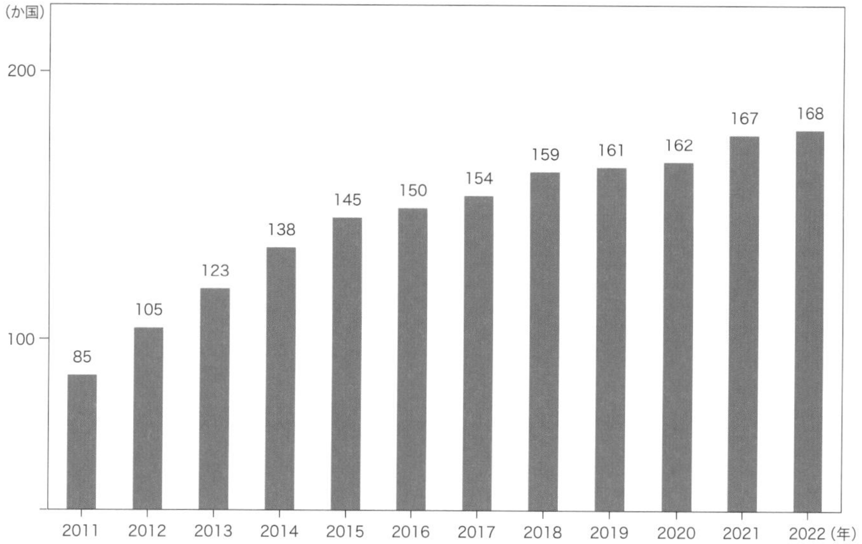

出所：IRENAのwebサイト（https://www.irena.org/irenamembership）をもとに作成

政府機関

Chapter7 09

エネルギー政策を担う主要省庁 所管する関連政府機関とも協業

各国のエネルギー政策や気候変動対策、環境政策の策定を担うのは担当する省庁などの政府機関です。中央省庁だけでなく、その外局や独立行政法人などがそれぞれの役割を担い、エネルギー政策の遂行に当たっています。

エネルギー政策を担う経済産業省、環境政策を担う環境省

エネルギー政策の策定に関して、日本では、経済産業省とその外局である資源エネルギー庁が担当します。資源エネルギー庁は、1973年に第一次石油危機を契機に設置されました。石油、電力、ガスなどのエネルギー安定供給政策や、省エネルギー・新エネルギーや原子力の政策を所管しています。また、環境省は、環境保全や公害防止に加え、温室効果ガス排出抑制といった気候変動政策や、放射性物質の監視・測定、原子力利用の安全確保を所管しています。

外務省もエネルギーや気候変動に関連した対外政策に関与します。また、総合的な観点から内閣府・首相官邸などがエネルギー政策に関わります。

2011年の東日本大震災を受けて、原子力の安全規制は、環境省の外局として新たに設置された原子力規制委員会が担い、資源エネルギー庁が原子力の推進という役割を担っています。

中央省庁が所管する独立行政法人

中央省庁はそれぞれ独立行政法人を所管しており、現在87法人が存在します。独立行政法人は、各府省の行政活動から政策の実施部門のうち一定の事務・事業を分離し、これを担当する機関に独立の法人格を与えて、業務の質の向上や活性化、効率性の向上などを目的としています。

また、独立行政法人のうち主に研究開発を行うものを国立研究開発法人といいます。例えば、経済産業省が所管する独立行政法人には、**エネルギー・金属鉱物資源機構**や日本貿易振興機構、**新エネルギー・産業技術総合開発機構**などがあります。

エネルギー・金属鉱物資源機構
通称、JOGMEC。石油・天然ガス、石炭、地熱などのエネルギー資源、工業製品に用いられるレアメタルなどの鉱物資源の開発や備蓄、探鉱業務に関わり、国内外において、日本の民間企業による開発への参入を支援する。

新エネルギー・産業技術総合開発機構
通称、NEDO。新エネルギーや省エネルギー技術の開発・実証試験、産業技術力の強化を目指した技術シーズの発掘や中長期的プロジェクトの各段階における技術開発を行う。リスクが高い革新的な技術の開発や実証を行い、成果の社会実装を促進する。

日本の行政機関

(令和４年７月１日現在)

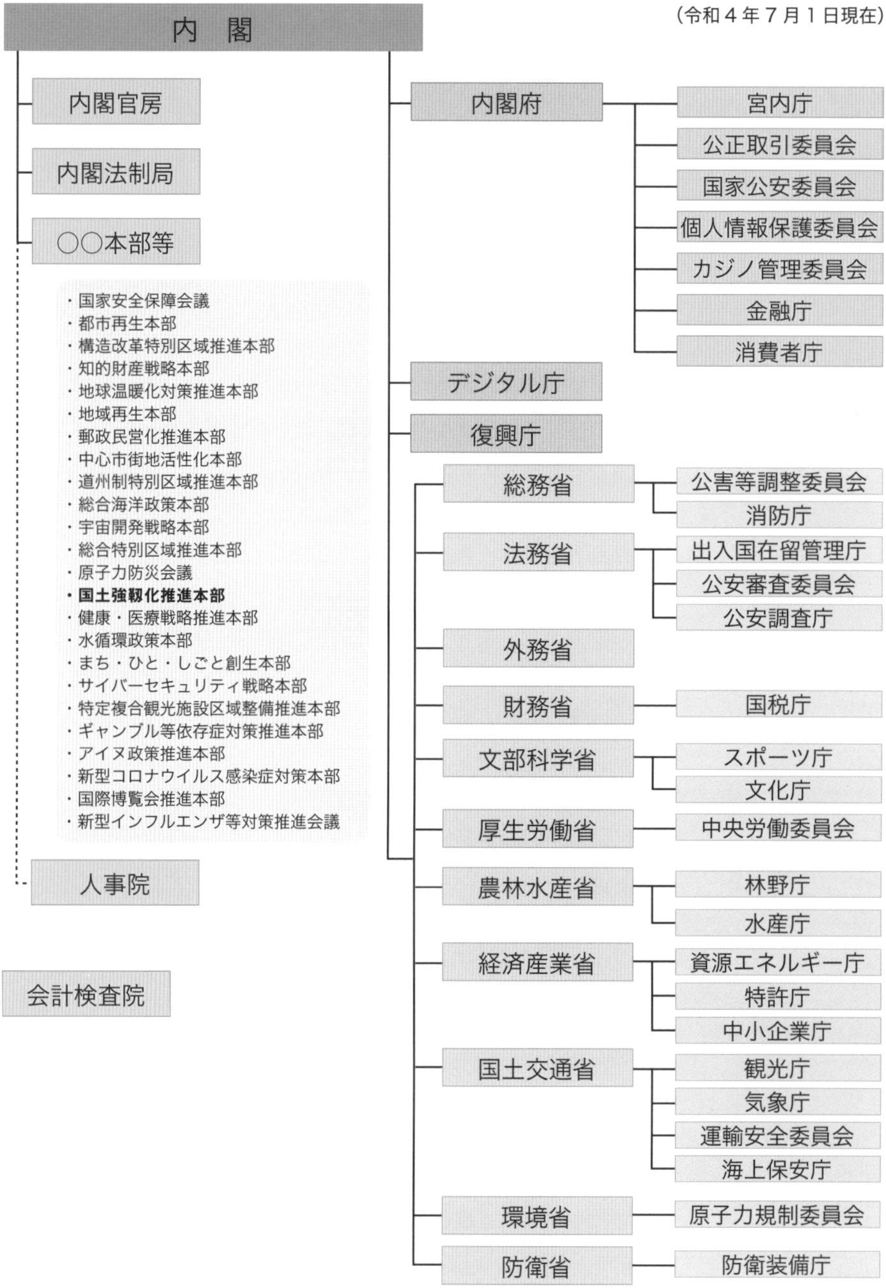

出所：内閣官房（https://www.cas.go.jp/jp/gaiyou/jimu/jinjikyoku/files/kikouzu_3.pdf）をもとに作成

Chapter7

10

金融機関

エネルギー資源確保や脱炭素化にファイナンス供与の面から貢献

金融機関は、エネルギー資源確保に向けた開発事業や資源の輸入などを実現するために重要な役割を果たしています。脱炭素化やESG投資の潮流も追い風となりエネルギー分野における金融機関の役割はさらに拡大しています。

エネルギー資源確保に不可欠なファイナンス

エネルギー資源の多くを輸入に依存する日本にとって、資源を安定的に確保する取り組みは、社会経済活動の維持に重要です。資源確保に向けた開発事業や資源の輸入などを実現するために不可欠な要素の1つがファイナンスであり、金融機関はさまざまな金融スキームを利用して事業実現を支援しています。例えば、日本政府が全株式を保有する政策金融機関である国際協力銀行（JBIC）は、石油、天然ガス、再生可能エネルギーなど幅広い分野において民間金融機関との協調のもと融資・保証および出資を通じた支援を行っています。近年は、脱炭素の潮流も踏まえ、**グリーンファイナンス**や、環境負荷低減に資する事業への移行を支援するトランジション・ファイナンスの編成も進んでいます。三菱UFJフィナンシャル・グループ（MUFG）のように投融資ポートフォリオの温室効果ガス排出量ネットゼロの実現を目指し、脱炭素化に向けた事業を支援する金融機関も増えています。

脱炭素化やESG投資の潮流を踏まえた金融機関の役割

エネルギー分野における金融機関の役割は、脱炭素化の潮流に加え、**ESG投資**の動向も追い風となり一層拡大しています。金融機関は、ファイナンス供与対象となる企業を分析および評価する際に、**ESG**を考慮した投融資行動をとることを求める動きを推進しており、石炭火力発電事業向け融資の停止や、化石燃料事業を手掛ける企業からの投資資金引き揚げ（ダイベストメント）などを実施する傾向を強めています。そして、再生可能エネルギーや省エネルギー事業向けの**プロジェクトファイナンス**や、環境への貢献が期待される事業向けファイナンスの金利優遇などの施策を促進しています。

グリーンファイナンス
温室効果ガス排出量削減や再生可能エネルギー事業への投資など環境改善に資する事業支援に特化したファイナンスのこと。

ESG投資
環境、社会、ガバナンスといった非財務情報の要素も考慮した投資のこと。

ESG
環境（Environment）、社会（Social）、ガバナンス（Governance）のこと。

プロジェクトファイナンス
特定事業から生み出される収益およびキャッシュフローを返済原資とするファイナンス手法のこと。

世界のESG投資残高推移と地域別内訳

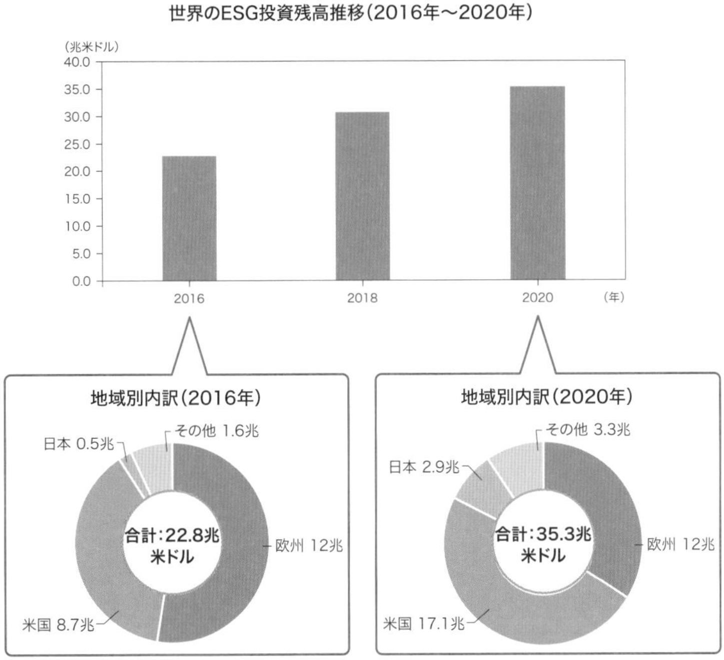

出所:Global Sustainable Investment Alliance, "Global Sustainable Investment Review 2020"をもとに作成

ONE POINT

新興国でのトランジション・ファイナンス

エネルギー需要の拡大が特に見込まれる新興国においては、脱炭素に向けた移行過程を支援するトランジション・ファイナンスが不可欠とされています。鉄鋼、化学、電力などの分野において環境負荷の低い事業へと移行する過程をファイナンス面から支援する取り組みが進められています。日本政府は、2021年6月、「アジア・エネルギー・トランジション・イニシアチブ(AETI)」を提言し、アジア諸国のエネルギー・トランジションを包括的に支援する姿勢を明らかにしました。本枠組みのもと、エネルギー・トランジションのロードマップ作成支援や、再エネ・省エネ、LNG、CCUSなどのプロジェクトに対する総額100億ドルのファイナンス供与などが検討されています。

Chapter7
11

シンクタンク

調査や分析に基づく政策提言を行う世界的に多くのシンクタンクが存在

エネルギー・環境分野の政策立案や企業による事業実施のうえで、シンクタンクもエネルギー業界の一翼を担っています。世界や日本の情報を収集・分析し、幅広い視点から提言を行っています。

シンクタンクは調査・分析を通じた政策提言を行う

シンクタンクとは、さまざまな分野に関する詳細な調査・分析を行い、その成果として政策提言や将来予測を公表する組織です。政治や経済、社会、文化などさまざまな分野を対象としており、エネルギー・環境分野もその対象の1つです。シンクタンクの多くは、中央省庁や地方自治体、民間企業などからの依頼に基づき、国内外の政策動向や産業動向の調査などを行い、その成果が政策立案や企業の事業戦略策定に反映されることになります。シンクタンクとコンサルティングファームには違いがあります。シンクタンクは、調査・分析結果を報告書にまとめて提言するのに対し、コンサルティングファームは、企業（顧客）の経営課題の解決を戦略の提案から実施まで支援します。

世界的に見ると、シンクタンクの多くは**非営利団体**です。現在の著名なシンクタンクは19世紀に設立され、例として米国のカーネギー国際平和基金やブルッキングス研究所が挙げられます。

非営利団体
営利を目的としない組織（団体）のこと。

日本では政府系と民間系に大別される

日本では1970年がシンクタンク元年といわれ、さまざまな種類のシンクタンクが存在しますが、政府系組織の傘下にある政府系シンクタンクと、民間系シンクタンクに大別されます。後者の中でも大手の民間系シンクタンクは、大手の金融機関や製造業などを親会社に持つとともに、コンサルティング部門も合わせて有することで幅広い業務領域をカバーする傾向にあります。日本では、〇〇研究所という名称が多いのが特徴です。エネルギー・環境分野では、日本エネルギー経済研究所や電力中央研究所などのほか、民間系シンクタンクの多くも同分野に参入しています。

世界シンクタンクランキング「Energy and Resource Policy」部門（10位まで抜粋）

2020 Top Energy and Resource Policy Think Tanks
1. Oxford Institute for Energy Studies (OIES)（英国）
2. Institute of Energy Economics, Japan (IEEJ)（日本）
3. Korea Energy Economics Institute (KEEI)（韓国）
4. Center for Science of Environment, Resources and Energy（日本）
5. Resources for the Future (RFF)（米国）
6. Center for Energy and Environmental Policy Research (CEEPR)（米国）
7. Energy Policy Research Group (EPRG)（英国）
8. Center for Strategic and International Studies (CSIS)（米国）
9. RAND Corporation（米国）
10. Center on Environment, Energy and Resource Policy (CEERP)（中国）

出所：米国ペンシルバニア大学ローダー研究所、「2020 Global Go To Think Tank Index Report」をもとに作成

シンクタンク数の多い国

	国	シンクタンク数
1	アメリカ	2,203
2	中国	1,413
3	インド	612
4	イギリス	515
5	韓国	412
6	フランス	275
7	ドイツ	266
8	アルゼンチン	262
9	ブラジル	190
10	ベトナム	180

COLUMN 7

時代の変化とステークホルダー間の連携

エネルギー産業に限らず産業の活性化には産官学の連携が重要と指摘されることがあります。日本ではこの連携を進めて関連政策を議論するために審議会というプロセスがあります。

参議院法制局によれば、「審議会とは国の行政機関に附属し、その長の諮問に応じて、特別の事項を調査、審議する合議制の機関」としています。審議会では、所管大臣から政策的な課題について議論するように指示が出され、業界関係者が集まって議論します。そして、議論の結果が大臣に報告され、大臣はこれをもとに政策の決定を行っています。

審議会は産業界、学界、そして事務局である官庁が参加して意見を交わす場となっています。多様な視点で政策課題を議論し、この経緯をできる限り透明性を持って社会に示すことで国会審議等とはまた違った形で政策検討を深める場となっています。

エネルギー業界についての審議会で現場の情報を有する産業界と規制権限を有する官庁との間で業界の将来と国の将来の議論の中で厳しいやり取りが行われてきました。

1990年代ごろからエネルギー産業の自由化が進む中で審議会にもエネルギー業界の新規参入者が参加し、さらに気候変動問題との関係から、官庁側でも環境省との関係の深まりが進むなど、議論のテーマの変化に伴って審議会におけるステークホルダーの範囲が拡大してきています。

また、東日本大震災後はエネルギー政策への市民参加の機運も高まっており、学界の側から審議会も含めた従来の産官学の枠組みに加えて市民の声をどう反映していくかといった課題も指摘されています。

本書を手に取られた皆様は、どの視点でエネルギー業界、エネルギーに関する課題を見ておられるでしょうか。時代の変化とともに課題の対象が拡大し複雑化していく中では産官学といった切り分けでの課題解決は難しい場合が考えられます。ステークホルダーそれぞれの知見を活用し、それらを連携しつつ新たな知見を取り込んでいくことが期待されています。

第8章

低炭素エネルギーと関連技術・システム

脱炭素化に向けて、私たちの身近にある太陽光発電や水力発電はもちろん、水素や蓄電池も低炭素エネルギーとして期待されています。しかし、これらのエネルギーも効率的に活用できなければ脱炭素化を実現することはできません。8章では主要な低炭素エネルギーだけでなく、その関連技術やシステムまでをまとめていますので見ていきましょう。

太陽光

Chapter8 01

累積導入量世界第３位の太陽光発電長期安定電源に向けた取り組みが鍵

日本における太陽光発電の導入量は、固定価格買取制度の施行以降、著しい増加を遂げています。日本の重要な主力電源とするために、技術開発や地域共生を目指した制度設計が進められています。

導入が進む太陽光発電

太陽光発電とは、シリコンや化合物などの半導体で作られた太陽電池を利用して、太陽の光エネルギーを電気に変換する発電方法です。日射量が確保できれば発電することができ、二酸化炭素を排出しないクリーンなエネルギーである点が太陽光発電の大きな利点です。2020年末時点で、日本における太陽光発電の累積導入量は約70GWに達しており、中国、アメリカに次ぐ世界第３位の導入量となっています。特に、**固定価格買取制度（FIT制度）**の施行以降、太陽光発電は再生可能エネルギーの中でも最も目覚ましい伸びを見せており、2021年時点の国内における年間発電電力量の約8.3%を占める電源となっています。

安定的な主力電源とするために必要なこと

太陽光発電は、気象条件によって出力が変動するため電力供給の安定性の面では課題があります。そのため、蓄電池の活用、火力発電との組み合わせ、電力網の整備なども必要になります。また、国内における太陽光発電の**発電コスト（LCOE）**は、事業用太陽光を中心に着実に低減していますが、国際機関の分析によると世界の水準よりも高い傾向にあります。そのため、さらなるコスト低減に向け、太陽電池の変換効率の向上、製造コストの低減などが求められており、**量子ドット型**をはじめとする高効率の太陽電池や、**ペロブスカイト太陽電池**のように既存の建物や壁面にも設置しやすいパネルの技術開発、実証が進められています。今後、太陽光発電を長期安定的な電源とするためには、以上のような課題への対処に加え、地域との共生を図りつつ、使用済太陽光パネルの適切な廃棄や処理が行われるような制度作りも必要です。

固定価格買取制度（FIT制度）
再生可能エネルギーで発電した電力を、電力会社が一定の価格で一定の期間買い取ることを国が約束する制度。

発電コスト（LCOE）
発電施設の設計・建設費や運転・維持費、燃料費など発電に必要な総コストと利潤などを合計し、運転期間中の想定発電量をもとに算出した発電量当たりの経費のこと。

量子ドット型太陽電池
量子ドットと呼ばれる微細な結晶を用いた太陽電池で、従来の太陽電池では吸収が困難であった波長の光や高エネルギーの光を有効利用することができるもの。

ペロブスカイト太陽電池
ペロブスカイトという結晶構造の材料を用いた太陽電池で、フレキシブルかつ軽量という特徴を有する次世代型太陽電池。

各国の太陽光発電導入容量（2020年実績）

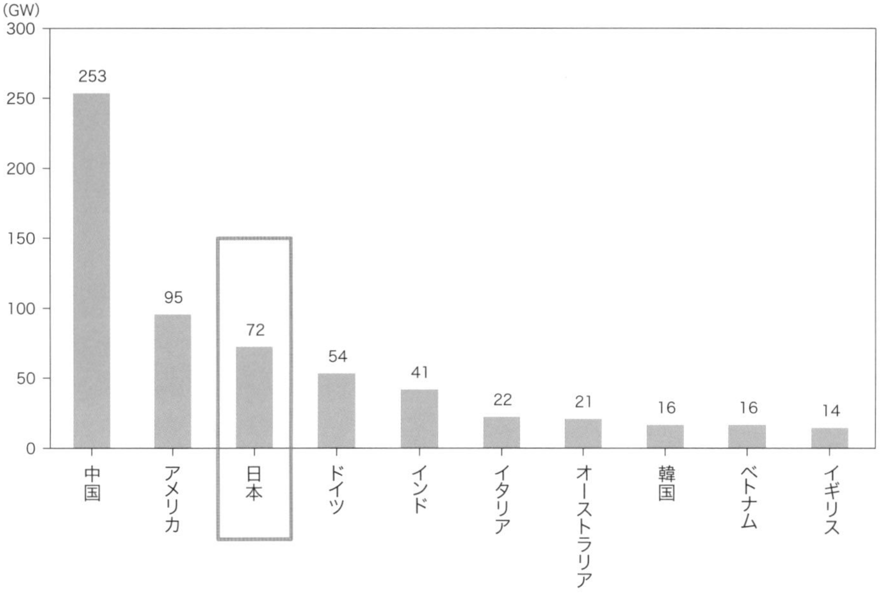

出所：経済産業省資源エネルギー庁「太陽光発電について」（2021年12月）をもとに作成

日本の発電量の電源別シェア（2021年度）

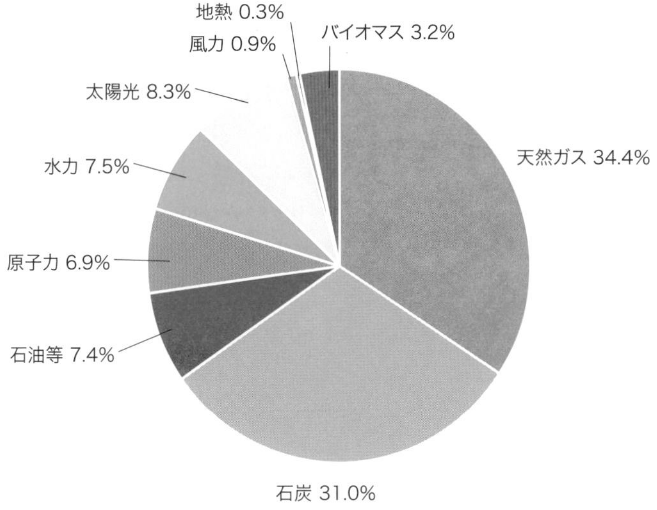

出所：日本エネルギー経済研究所「2023年の再エネ政策（含水素・アンモニア等）の課題と展望」（第443回定例研究報告会）をもとに作成

洋上風力・陸上風力

Chapter8
02

再エネの主力電源化に向けた切り札として期待高まる洋上風力

日本では、陸上風力発電を中心に導入が進められてきましたが、洋上風力発電への期待が高まり開発が加速化しています。コスト低減に加え、競争力のあるサプライチェーン形成など多くの課題を克服する必要があります。

風力発電

風力発電とは、風の力で風車を回転させ、その動力を電気エネルギーに変換する発電方法です。一定の風速があれば昼夜問わず発電でき、大規模に発電することで発電コストを抑えられるため、再生可能エネルギーの中でも効率性や経済性に優れたエネルギー源です。一方で、風向きや気候に左右されやすく、設置場所も限られるという課題もあります。日本では、陸上風力発電を中心に導入が図られてきましたが、適地が限定されることや、開発事業による環境への影響を事前に調査する手続きに長期間を要することなどから、導入量は限定的で、2021年時点の総発電量に占める風力発電の割合は、0.9％程度にとどまっています。

期待が高まる洋上風力発電

こうした中、陸上に比べて立地の制約を受けにくく、強い風を比較的安定的に得られる洋上風力発電への期待が高まっています。四方を海に囲まれた日本には、洋上風力発電の高い潜在力があるとされており、水深0～60メートル程度に設置される**「着床式」**洋上風力発電や、水深60～300メートル程度の深い海域に適用される**「浮体式」洋上風力発電**の開発が進んでいます。特に、遠浅の海域が少ない日本では、浮体式の洋上風力発電が必要となりますが、設置コストや運転開始後の**O&Mコスト**低減に加え、国内産業の活性化や競争力のあるサプライチェーン形成等の課題を克服することが求められます。2021年に日本政府が策定した「グリーン成長戦略」では、洋上風力発電は再生可能エネルギーの主力電源化に向けた切り札とされ、2030年までに1,000万kW、40年までに3,000万～4,500万kW導入する目標を掲げています。

着床式洋上風力発電
支持構造物の基礎を海底に固定し発電する技術のこと。

浮体式洋上風力発電
支持構造物の基礎を海に浮かべ、ワイヤーなどで海底に係留し発電する技術のこと。

O&Mコスト
O&Mは、Operation（オペレーション）&Maintenance（メンテナンス）の略で、発電設備などの運用及び保守点検にかかるコストのこと。

洋上風力発電の形態と水深の関係

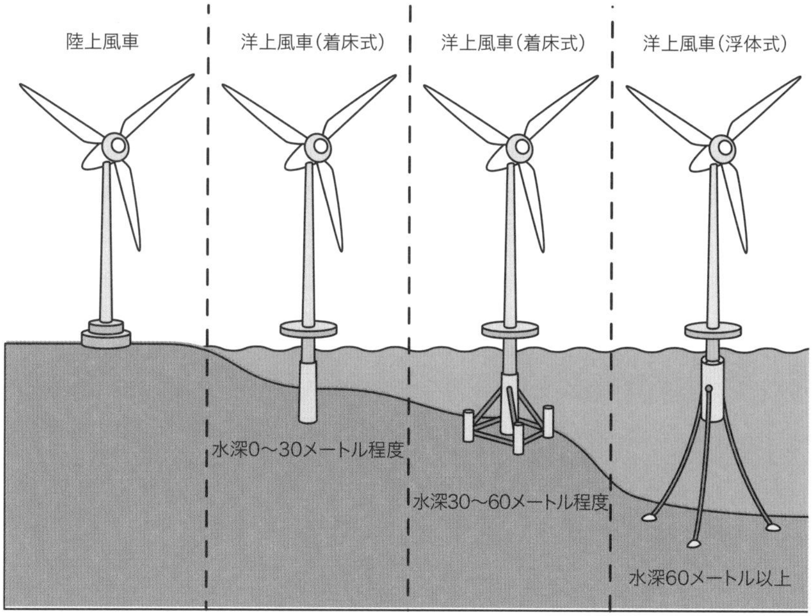

出所：国立研究開発法人新エネルギー・産業技術総合開発機構（NEDO）「再生可能エネルギー技術白書 第2版」（2014）をもとに作成

浮体式洋上風力発電の支持構造

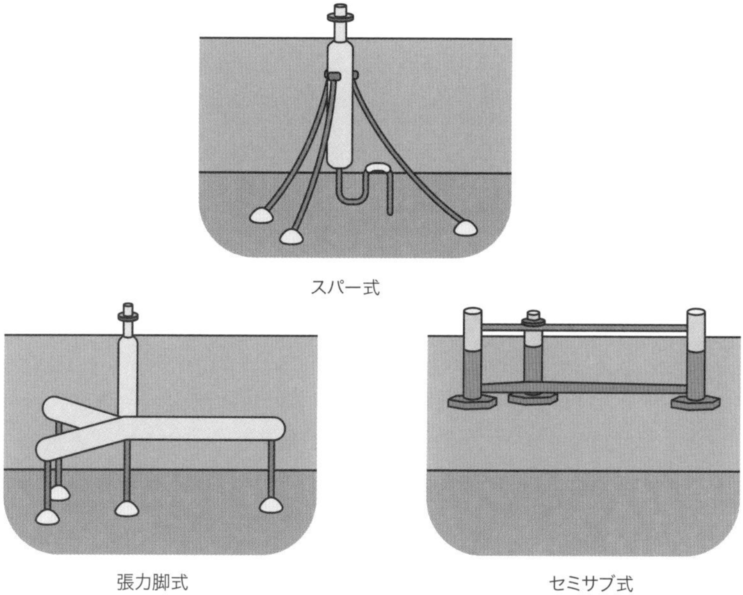

出所：国立研究開発法人新エネルギー・産業技術総合開発機構（NEDO）「再生可能エネルギー技術白書 第2版」（2014）をもとに作成

水力

安定的な電源として電力供給を支える水力発電

水力発電は、天候に大きく左右されず安定的に電力を供給できる電源です。長い歴史の中で培われた技術やノウハウを生かしさまざまな発電方式が利用されており、2021年時点で国内総発電量の約7.5%を占める電源となっています。

長い歴史を有する水力発電

水資源に恵まれた日本では、明治期から水力発電が活用されており、戦前は火力発電を上回る主流の発電方式でした。高い所から低い所へ水が流れるときの位置エネルギーを利用して水車を回転させ、水車と直結した発電機で電気を起こす水力発電の大きな特徴は、電力需要の変動に素早く対応できるという点です。太陽光発電や風力発電のように気象条件等によって出力が大きく変動する再生可能エネルギーが増加する中で、電気の需要変動に素早く対応できる水力発電は、重要な**ベースロード電源**の1つであるとともに、需給調整の役割も担っています。また、水力発電は、水を高い所から低い所へ流すときに発生するエネルギーの約8割を電気に変換することができ、火力発電も含めた発電方式の中でもエネルギー変換効率が高いという点も特徴です。また発電時にはCO_2を排出しないエネルギーです。2021年時点で、日本における総発電量の7.5%を占める電源となっています。

ベースロード電源
天候などに左右されず一定量の電力を安定的に低コストで供給できる電源。

水力発電の種類

水力発電には、長い歴史の中で培われた技術やノウハウを生かしたさまざまな発電方式が利用されています。大きくは、河川や農業用水路などに発電用水車を設置する「流れ込み式」と、ダムに貯めた水を放流し発電する「**貯水池方式**」、「**調整池式**」、「揚水式」があります。特に、貯水池を上流と下流に持つ「揚水式」水力発電は、余剰電力が発生した際に水を上流の貯水池に揚げ、電力需要が高い時間帯に下流の貯水池に放流することで短時間で発電量の調整をする重要な役割を担っています。貯めることのできない電気を水の形で貯めるエネルギー貯蔵の機能を果たしています。

貯水池方式
年間を通じた電力需要変動に対応するため、貯水池に水を貯めて発電する方式。

調整池式
一日あるいは一週間程度の短期間の電力需要変動に対応するために、調整池に水を貯めて発電する方式。

水力発電の仕組み（ダム式発電所の例）

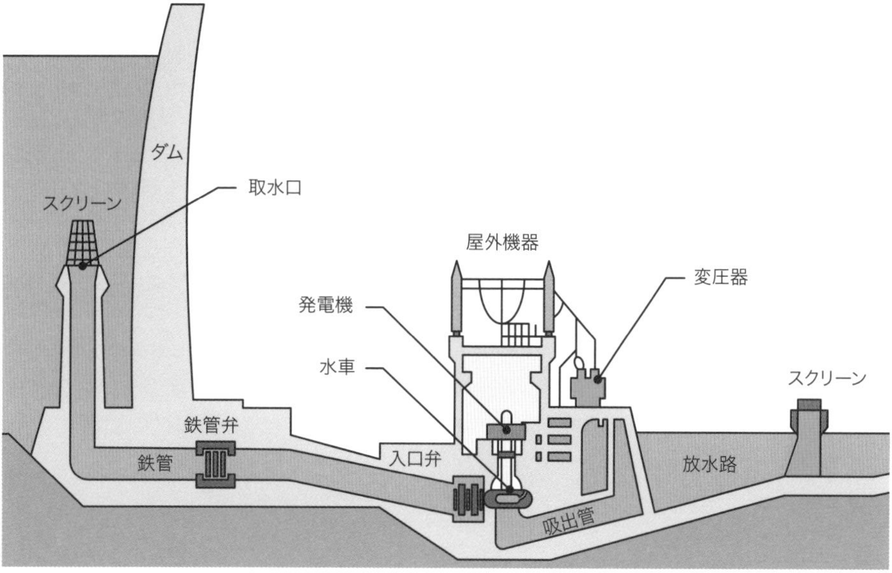

出所：東京電力リニューアブルパワー株式会社webサイト（https://www.tepco.co.jp/rp/business/hydroelectric_power/mechanism/）をもとに作成

揚水式水力発電の仕組み

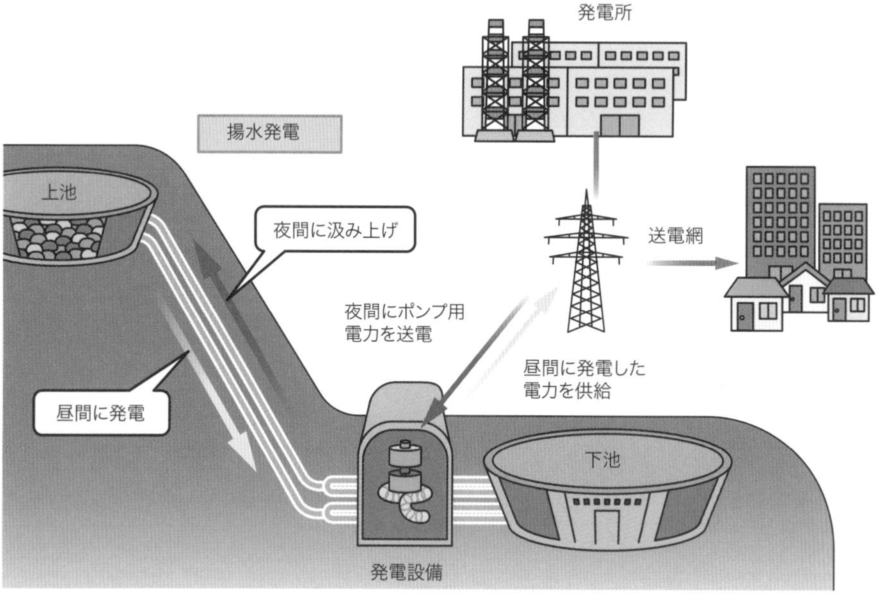

出所：TDK株式会社webサイト（https://www.tdk.com/ja/tech-mag/knowledge/189）をもとに作成

Chapter8
04

そのほかの再生可能エネルギー

安定電源として今後の開発に期待が高まる地熱発電とバイオマス発電

地熱発電やバイオマス発電は、水力発電と同様に安定した発電を見込むことのできる電源です。日本には豊富な地熱資源のポテンシャルがあり、バイオマス発電のエネルギー地産地消の効果にも期待が高まっています。

地熱発電

太陽光発電や風力発電が気象条件などに依存し出力が不安定であるのに対し、地熱発電やバイオマス発電は、水力発電と同様に昼夜、年間を通して安定した発電を見込むことができます。地熱発電とは、マグマにより生じた高温の蒸気や熱水を利用しタービンを回転させて発電する方法です。環太平洋火山帯に位置する日本は、米国、インドネシアに次ぐ世界第3位の豊富な地熱資源のポテンシャルがあります。しかし適地の多くが国立・国定公園や温泉地域で開発を進めるのが困難な状況に直面しているうえに、発電開始までの事業リスクが高いなどの課題があります。そのため、2021年時点で国内総発電量に占める地熱発電の割合は、0.3%程度にとどまっています。地熱資源を最大限活用し地熱発電の導入を拡大するため、政府による補助金や規制緩和といった施策に加え、**超臨界地熱発電**など次世代技術の開発が進められています。

超臨界地熱発電
大規模開発可能な超高温の地熱資源を利用した発電のこと。2021年に策定された「2050年カーボンニュートラルに伴うグリーン成長戦略」において、温室効果ガス削減に資するポテンシャルの高い有望な革新技術の1つに位置付けられている。

バイオマス発電

バイオマス発電は、動植物などに由来する資源を燃焼し発生する水蒸気やガスを利用して発電する方法です。間伐材や廃材などを**燃料**とするため、廃棄物や未利用資源の有効活用につながり、ベースロード電源として安定的な発電を期待できる点が大きな特長です。また、バイオマス発電は、エネルギーの地産地消にも効果があり、地域活性化を通じた経済への波及効果も期待されています。一方で、バイオマス燃料の調達・加工・輸送のコストが高く、バイオマス発電コストは太陽光発電などほかの再生可能エネルギーよりも高い傾向があり、2021年時点で国内総発電量に占めるバイオマス発電の割合は、3.2%程度にとどまっています。

燃料
バイオマス発電の燃料には、ほかに農業残渣、家畜排泄物、食品廃棄物、古紙、パーム油、産業食用油などなどがある。

地熱のポテンシャルイメージ

国内の地熱発電所位置図

出所：地質調査総合センター（2009）全国地熱ポテンシャルマップCD-ROMをもとに日本地熱協会が作成・加筆

ONE POINT

バイオマス燃料をライフサイクルベースで評価

バイオマス燃料は燃料の調達から利用に至るライフサイクルにおいて環境・社会的影響を考慮する必要性が指摘されています。食料と競合しない次世代バイオマス利用技術の開発や、燃料利用時の環境負荷などの観点から第三者認証制度の導入を行うことなどが検討されています。

原子力

Chapter8 05

脱炭素電源として期待が高まる原子力発電

原子力発電は、高レベル放射性廃棄物の処分など課題を抱えていますが、エネルギー安定供給、CO_2排出削減、電力コスト低減などの観点から重要な脱炭素電池として期待が高まっています。

エネルギー安定供給に資する原子力発電

原子力発電とは、原子炉内で**ウラン**が核分裂する際に発生した熱を利用し水を沸騰させて蒸気を作り、蒸気の力でタービンを回して発電する方法です。燃料のウランは、少量で多くのエネルギーを生み出すうえに、使用済燃料を再処理することで繰り返し利用できます。日本では、原子力発電はエネルギーの安定供給に資する発電方法として、1950年代より導入が検討され、1967年に商用炉第一号の運転が開始されました。1970年代の石油危機を機にエネルギー源の多様化を進める中で、原子力発電はさらに重視され、国内総発電量の2割〜3割前後を占める電源となりました。しかし、2011年3月の東日本大震災を経て急減し、段階的な再稼働が進められている現在は、数%にとどまっています。

原子力発電の課題と低炭素化社会に向けた役割

原子力発電は事故によって放射性物質が大気中に放出された場合に、長期的かつ多大な悪影響を及ぼすというデメリットがあります。また、**高レベル放射性廃棄物**の処分・管理の課題も存在します。高レベル放射性廃棄物の管理には安定した岩盤に閉じ込め隔離する方法が検討されています。処分地の選定も大きな課題です。一方、地球温暖化問題が世界的課題となり、ウクライナ危機でエネルギー安定供給が重視される中、フランスやイギリスをはじめ欧州で原子力発電の役割に対する期待が高まり、新規建設に向けた動きも進んでいます。日本でも、原子力の再稼働推進、既存原子力発電所の**運転期間延長許可制度**の見直し、次世代革新炉の建設などが政府の重要方針となりつつあります。

ウラン
ウランは石油に比べ世界に広く埋蔵されているため、資源確保の多角化や安定化を見込むことができる。

高レベル放射性廃棄物
原子力発電に利用された使用済燃料のうち、再利用ができずに残った強い放射能を有する物質を高温のガラスと溶かし合わせて固体化したもの。

運転期間延長許可制度
原子力発電所の運転期間に関し、原子炉等規制法に基づき、使用前検査に合格した日から起算して40年としたうえで、1回に限り20年を超えない期間で延長することができることを規定するもの。

火力発電と原子力発電の違い

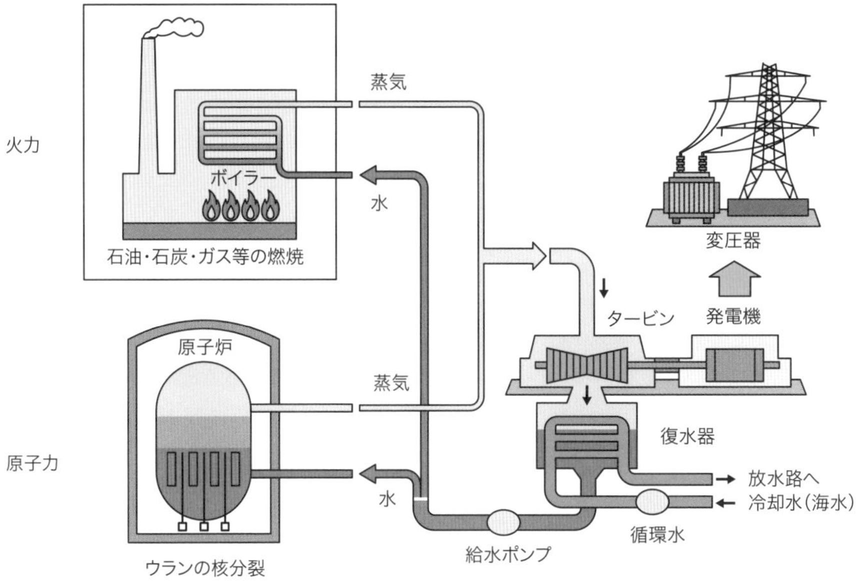

出所：日本原子力文化財団webサイト「原子力・エネルギー図面集」(https://www.ene100.jp/zumen/5-1-1) をもとに作成

ウラン資源埋蔵量（2019年1月時点）

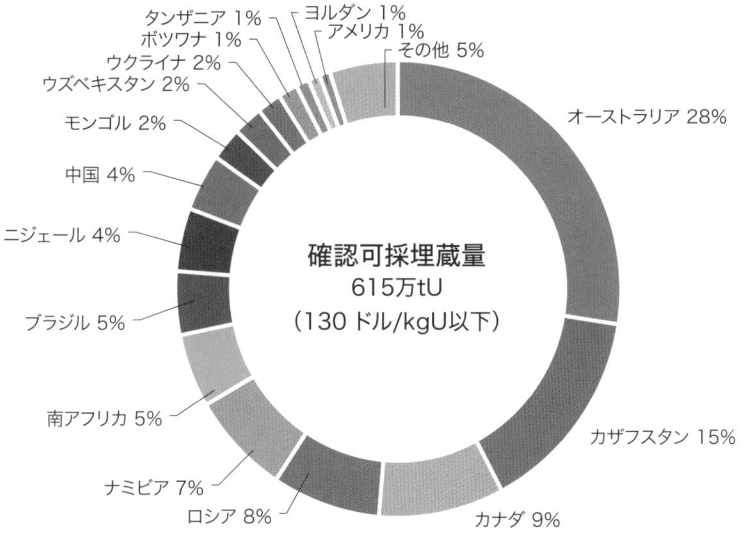

出所：日本原子力文化財団webサイト「原子力・エネルギー図面集」(https://www.ene100.jp/zumen/4-1-2) をもとに作成

Chapter8
06

小型モジュール炉（SMR）

モジュール生産と安全性向上に特徴 世界で開発推進への取り組み

小型モジュール炉（SMR）は、従来の大型炉よりも安全性の向上が見込まれ、世界各地で技術開発が進められています。再生可能エネルギーの出力変動調整や水素製造など脱炭素社会の実現に向けた貢献も期待されています。

SMRの特性

SMR（Small Modular Reactor）とは、世界で最も多く使用されている大型の**軽水炉**よりも3分の1から4分の1程度規模の小さい原子炉で、**国際原子力機関（IAEA）**の定義によると、出力が30万kW以下のものを指します。SMRは、原子炉を工場においてモジュール生産し、全体を一括で発電所設置現場に据え付けるよう設計されています。そのため、品質や工期を管理しやすく、初期投資額が小さくて済むため、大型炉の建設が困難な国でも導入しやすいという利点があります。また、SMRは炉心が小さく、施設内で取り扱う放射性物質も少量であることなどから、安全性が向上すると見込まれています。

軽水炉
核分裂で発生した中性子の速度を落とす減速材と、炉心から熱を取り出す冷却材に、軽水（普通の水）が使用されている原子炉のこと。蒸気を発生させる仕組みによって、「沸騰水型炉（BWR）」と「加圧水型炉（PWR）」の二種類に分けられる。

国際原子力機関（IAEA）
原子力分野での国際協力を進めるために、国連の後援のもと1957年に設立された機関。

世界各地で技術開発が進行

SMRの開発は、アメリカ、カナダ、イギリス、ロシア、中国、韓国、フランスなどで積極的に進められており、2030年頃までの実用化を目指しさまざまな設計が検討されています。日本企業も研究開発を活発化しており、海外の実証事業との連携や自主開発が進められています。例えば、日立製作所と米国ゼネラル・エレクトリック（GE）を株主とする日立GEニュークリア・エナジーは、カナダでSMRの商用化を推進するために事業会社を2021年に設立しました。SMRは、炉の出力に関し高い調整機能を有しているため、太陽光発電や風力発電などの出力変動に対応し電力系統の安定化を図ることができるうえに、水素製造にも利用できることが期待されています。そのため、脱炭素化社会の実現に向けた選択肢の1つとして、技術開発を加速化していくことが重要とされています。

SMR概念図

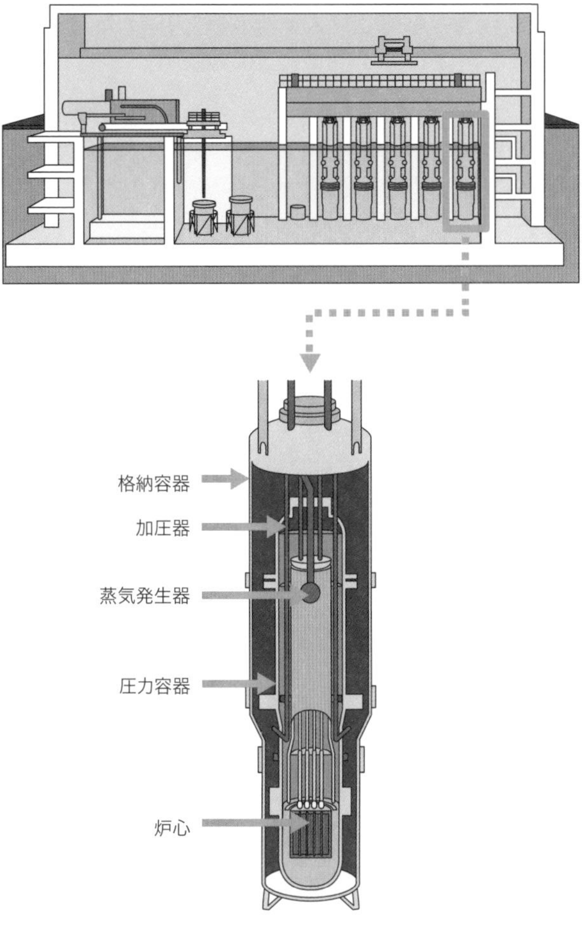

SMR 概念図

出所：NuScale Power, LLC「VOYGER-12」をもとに作成

ONE POINT

SMRの課題

SMRは従来の大型炉のスケールメリットを覆すほどの経済性は期待できないことに加え、原子力が抱える放射性廃棄物等のリスク等をゼロにすることはできません。小型炉の特徴を踏まえた安全基準や規制の導入を緻密に進めつつ、安全性や経済性向上に向けた取り組みが必要とされます。

Chapter8
07

水素

分野横断的な脱炭素化に向け鍵となるエネルギー

水素は、発電、輸送、産業など幅広い分野の脱炭素化に資するエネルギーとして注目を集めています。日本は世界に先駆けて水素戦略を策定し、コスト削減、技術開発、サプライチェーン構築などの取り組みを進めています。

脱炭素化への大きな貢献が期待される水素

水素は今から約250年前、英国の化学者によって発見された無色・無臭の気体です。水素分子（H_2）単体として存在することはほとんどなく、酸素（O）と結合した水（H_2O）など化合物の状態で地球上に多く存在します。水素はこれまで、肥料製造、石油精製、半導体加工などの用途で利用されてきましたが、カーボンニュートラルを目指す潮流が高まる中、発電、輸送、産業といった広範な分野での脱炭素化に貢献する重要なエネルギーとして注目されています。水素は利用時に二酸化炭素を排出しません。また、さまざまなエネルギー源から多様な方法で製造することができます。天然ガスや石油など化石燃料から製造する方法が現在の主な手法ですが、今後は、製造時に発生するCO_2を回収する方法や、再生可能エネルギーを利用して**電気分解**で水素を取り出す方法へと移行することが期待されています。こうした手法で製造された水素は**ブルー水素**、**グリーン水素**などと呼ばれています。

電気分解
水を電気で分解して水素を発生させる手法。アルカリ水電解、固体高分子形水電解、高温水蒸気電解などの方式がある。

ブルー水素
化石燃料から製造する際に、排出された二酸化炭素を地中などに埋めて回収する方法で製造した水素のこと。

グリーン水素
再生可能エネルギーの電力を利用して製造した水素のこと。

水素の特性と課題

さらに、水素は貯蔵、輸送の面でも優れた特性を有しています。電気は大量貯蔵が難しく、送電ロスが大きいという問題がありますが、再生可能エネルギーの余剰電力を水電解によって水素へ転換することで、再生可能エネルギーを「貯蔵」することが可能となります。また、再生可能エネルギーが豊富な遠隔地で製造した水素を輸送し、必要な場所で利用することができます。ただし、水素は、体積当たりのエネルギー密度が低く、気体のままでは貯蔵や長距離輸送の効率が低いため、液化したり水素化合物に変換したりする技術の開発が課題とされています。

水素の製造方法

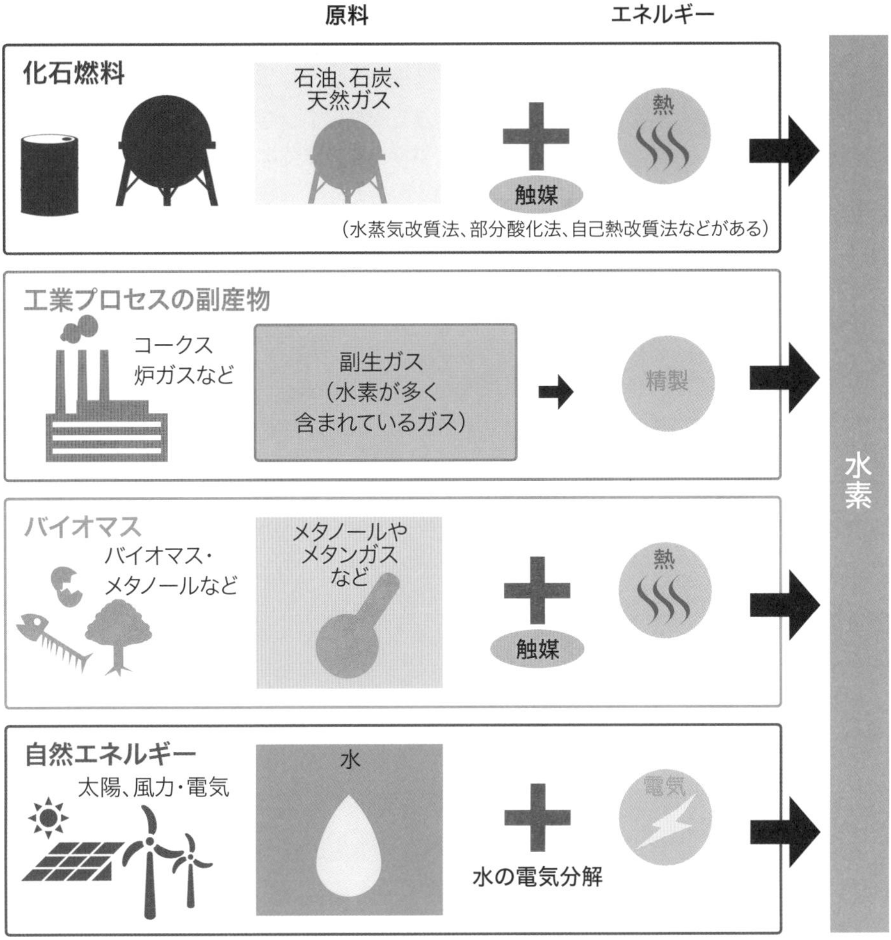

出所：国立研究開発法人新エネルギー・産業技術総合開発機構（NEDO）「水素エネルギー白書」（2015年2月）をもとに作成

ONE POINT

水素の普及に向けて

水素を本格的に普及させるためには、コストの大幅削減、関連インフラの拡充、規制の見直し、サプライチェーン構築など多くの課題を克服する必要があります。日本は、世界に先駆けて2017年12月に水素戦略を発表し、こうした課題の克服に向けた取り組みを進めています。ドイツ、フランス、豪州、EUなどでも水素戦略が策定され、水素の活用に向けた取り組みは世界中で本格化しています。

メタネーション

Chapter8
08

水素とCO_2からメタンを合成 ガス分野の脱炭素化に資する技術

ガス分野の脱炭素化にメタネーションが重要な役割を果たすことが期待されています。メタネーションに必要な水素の製造コスト低減などを目指した実証事業が欧州や日本で進められています。

ガス分野の脱炭素化に資するメタネーション

メタン
無色無臭の気体で天然ガスの主成分。都市ガスに用いられている。

メタネーションとは、水素と二酸化炭素を反応させ**メタン**（CH_4）を合成する技術です。メタンは燃焼時に二酸化炭素を排出しますが、メタネーションを行う際に発電所や工場など既存設備から排出された二酸化炭素を回収し利用することで、燃焼時に排出した分は相殺（オフセット）され、二酸化炭素の実質的な排出量をゼロとする効果があります。また、メタンを合成する際の原料にCO_2フリーの水素を利用することで、カーボンニュートラルな合成メタンを生成することができます。メタンは、都市ガスの原料である天然ガスの主成分です。そのため、都市ガスの導管など既存のインフラや設備をほぼそのまま利用し、天然ガスを合成メタンで代替することができるというメリットがあります。この利点を生かし、メタンを水素輸送の手段（キャリア）として利用する方法も検討されています。日本における産業・民生部門の約6割は熱需要が占めていますが、この熱需要に熱エネルギーを供給するガスの脱炭素化にメタネーションが重要な役割を果たすことが期待されています。

メタネーションの社会実装に向けた課題

日本では、2021年に策定されたグリーン成長戦略および第6次エネルギー基本計画において、2030年には既存インフラへ合成メタンを1%注入し（年間28万トン）、2050年にはその割合を90%（年間2,500万トン）とする目標を掲げています。合成メタンの社会実装に向けた課題としては、メタネーションの効率化や設備の大型化に必要な技術開発、水素製造コストの低減、二酸化炭素カウント手法の検討などを進める必要性が指摘されています。

メタネーションの仕組み

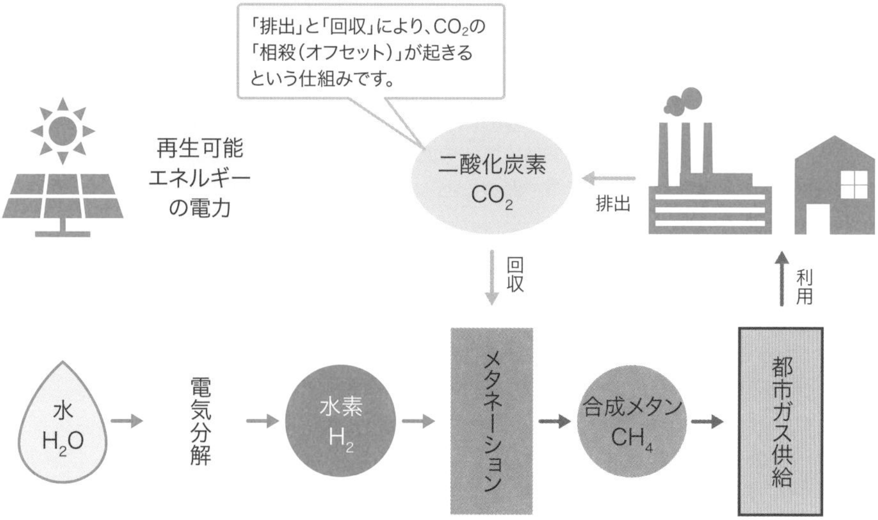

出所：東京ガス株式会社webサイト（https://www.tokyo-gas.co.jp/letter/2022/20220422.html）をもとに作成

2050年ガスのカーボンニュートラル化の実現に向けた姿

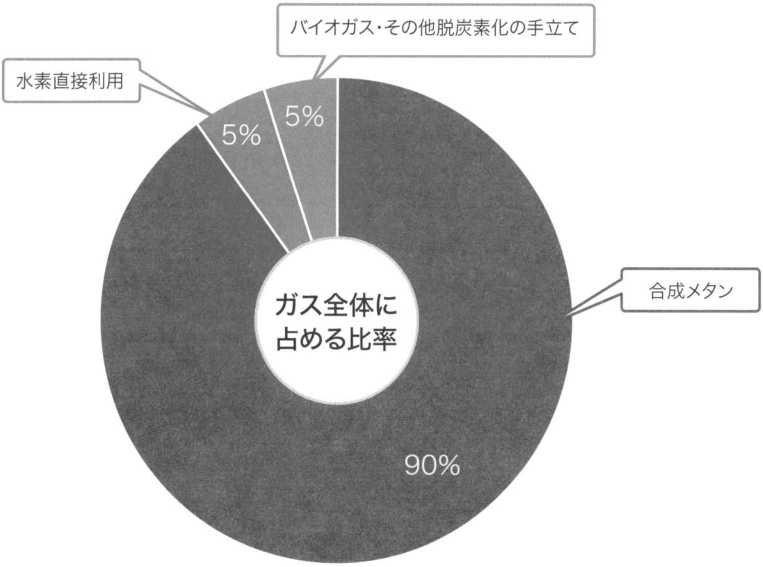

出所：経済産業省資源エネルギー庁webサイト（https://www.enecho.meti.go.jp/about/special/johoteikyo/methanation.html）をもとに作成

Chapter8
09

アンモニア

水素を輸送・貯蔵する手段とクリーンな燃料として期待高まる化合物

アンモニアは、メタンと同様に、水素を効率的に輸送・貯蔵する手段の1つとして注目を集めています。また、燃焼時に二酸化炭素を排出しないクリーンな燃料として発電や産業部門などで活用することも期待されています。

水素を運び貯めるアンモニア

アンモニア（NH_3）は、窒素と水素で構成された化合物です。20世紀初頭にドイツで発明された手法で大量に合成することが可能となって以来、主に農業用肥料の原料や化学製品の材料として世界中で広く使用されています。アンモニアは、常温常圧下では気体ですが、常圧下でマイナス33℃に冷却または常温下で8.5気圧加圧するだけで液化され、長距離輸送や貯蔵することができます。また、液体アンモニアの体積当たりの水素密度は、液化水素よりも2倍程度高いという特性があります。こうしたアンモニアの特性に加え、すでに関連インフラが整備されていることから、脱炭素化の潮流を踏まえ、水素を効率的に輸送、貯蔵する手段の1つとして水素をアンモニアに変換する手法が着目されています。

クリーンな燃料としての活用

このような**水素エネルギーキャリア**としての側面に加え、アンモニアは、炭素を含まない化合物であるため、燃焼時に二酸化炭素を排出しないクリーンな燃料としての活用も期待されています。例えば、既存の石炭火力発電にアンモニアを混焼することで火力発電所からの二酸化炭素排出量を削減する技術開発は、すでに一定の成果を出しています。また、ガスタービン発電にLNGなどの燃料とアンモニアを混焼する技術や、アンモニアだけを燃料として発電する専焼技術についても研究が進められています。一方、アンモニア燃焼時に発生する有害な窒素化合物の抑制技術の実用化や、アンモニアの低廉かつ安定的供給は重要な課題です。また、アンモニアには強い刺激臭や毒性があるため集中管理が必要となり、分散利用には適さないという安全面での課題もあります。

水素エネルギーキャリア

水素エネルギーを効率的に輸送・貯蔵する手段のこと。水素は体積当たりの密度が低いため、体積当たりの水素密度が大きく取り扱いが容易な別の物質に変換する方法が考案されており、アンモニアのほか、圧縮水素、液化水素、有機ハイドライド、メタンが主なキャリア。

アンモニアの製造とサプライチェーン

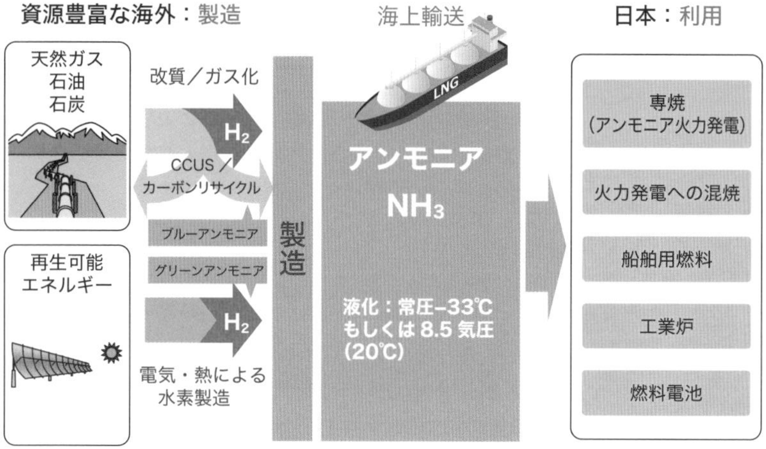

出所：経済産業省資源エネルギー庁資源・燃料部「我が国の燃料アンモニア導入・拡大に向けた取組について」(2021年5月) をもとに作成

燃料アンモニア製造方法

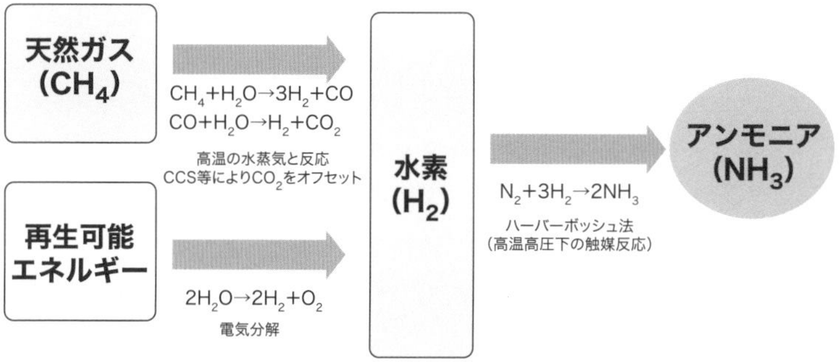

出所：経済産業省資源エネルギー庁webサイト「燃料アンモニアの導入拡大に向けた取組」(https://www.enecho.meti.go.jp/about/whitepaper/2021/html/3-8-4.html) をもとに作成

ONE POINT

カーボンニュートラル化が進められるアンモニア

アンモニアは炭素原子を含まず燃焼時に二酸化炭素を排出しないクリーンな燃料ですが、その生成過程においても二酸化炭素の排出を抑制する手法の開発が進められています。鍵となるのは、アンモニア合成のために必要となる水素の脱炭素化です。現在は、天然ガスを中心とした化石燃料から水素を製造していますが、その過程で排出される二酸化炭素をCCUS技術などによって分離回収し製造された水素を利用する「ブルーアンモニア」や、再生可能エネルギー由来の電気を利用して製造された水素を利用する「グリーンアンモニア」を生成する技術開発や実証試験が行われています。

Chapter8
10

蓄電池

カーボンニュートラル実現の鍵となるエネルギー貯蔵技術

蓄電池は、再生可能エネルギーを安定的に大規模導入し脱炭素化を進めるためにカギを握る技術の１つです。次世代型自動車の普及や電力の需給バランスを図る取り組みなどにも重要な役割を担っています。

蓄電池が担う役割

蓄電池は、2050年カーボンニュートラル実現に向け重要な役割を担う技術の１つです。太陽光発電や風力発電など出力が不安定な再生可能エネルギーを、天候などに左右されず安定的に大規模導入するために蓄電池は不可欠となります。電気を蓄え必要なときに繰り返し使える機能を持った蓄電池は、需要以上に発電した再生可能エネルギー由来の電気を貯め必要なときに放電することができます。例えば、住宅用の太陽光発電に蓄電池を併設することで、日射のない時間帯でも自宅で太陽光発電源の電気を消費することが可能となります。また、大規模な蓄電池を再エネ発電所や基幹系統につなぎ、余った電気を蓄電し電力が不足したときに放電することで、電力系統の安定化を図る機能も果たします。

次世代エネルギーシステム

加えて、蓄電池は、電気自動車（EV）やプラグインハイブリッド車（PHV）など蓄電池に貯めた電気を利用して走る次世代型自動車の普及にも重要な役割を果たします。走行中に二酸化炭素を排出しない次世代型自動車の普及は、カーボンニュートラル実現のために重要な課題とされています。国際エネルギー機関（IEA）によると、世界全体での電気自動車保有台数は2030年には2億3,000万台となることが予測されており、急速な市場拡大が見込まれています。将来的には、EVに搭載されている蓄電池を利用し、電力の需給バランスを取る**ディマンドリスポンス**などに活用することも期待されています。今後、蓄電池の普及を拡大するためには、コスト低減、**全固体電池**等の次世代蓄電の技術開発促進、電池サプライチェーンの強化などに取り組むことが重要となります。

ディマンドリスポンス
エネルギーの需要側が供給状況に応じて消費パターンを変化させることで、電力の需要と供給のバランスを図る取り組みのこと。

全固体電池
電池を構成するすべての部材が固体である電池のこと。

太陽光発電に併設した蓄電池

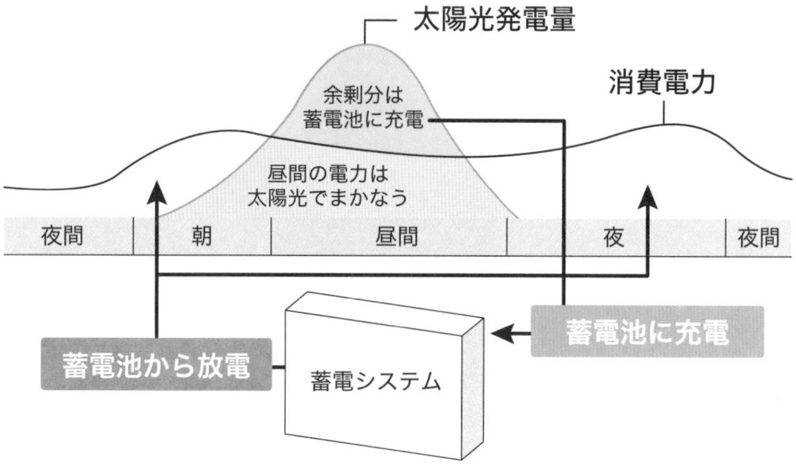

出所：一般財団法人家電製品協会 web サイト（https://shouene-kaden2.net/smart_life/home_battery.html）をもとに作成

蓄電池の役割

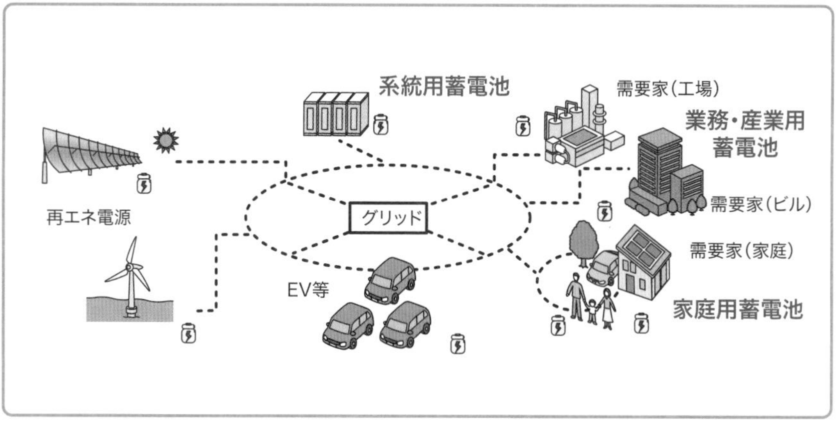

出所：蓄電池産業戦略検討官民協議会「蓄電池産業戦略」（2022年8月）をもとに作成

Chapter8

11

燃料電池

水素と酸素を利用して発電する技術 脱炭素やエネルギー安定供給に貢献

燃料電池は、水素と酸素を化学反応させて発電し二酸化炭素を排出しないため、脱炭素化に資する技術として着目されています。家庭用から業務・産業用まで幅広い分野での利用が見込まれています。

燃料電池の特性

燃料電池とは、蓄えられた電気を使う蓄電池とは異なり、水素と酸素を化学反応させて電気を発電する技術です。発電時に二酸化炭素や大気汚染物質を排出しない点や、化学反応によって直接電気を発電するためエネルギー効率が高い点が大きな特長です。小型の燃料電池は、自動車や船舶などの駆動源として利用され、運輸部門の脱炭素化に資することが期待されています。車両に搭載した燃料電池で発電しモーターを動力として走る燃料電池車（FCV）は、電気自動車（EV）と同様、走行中に二酸化炭素を排出しないクリーンな自動車として導入拡大が進められています。

エネルギー安定供給にも貢献

また、燃料電池は、発電時に発生する熱も利用し効率的にエネルギー供給を行う**コージェネレーションシステム**として家庭用から業務・産業用まで幅広い分野で利用されています。日本では、世界に先駆けて2009年より家庭用燃料電池（エネファーム）が商品化され、2021年度末時点で累計43万台が普及しています。家庭用燃料電池に使われる水素は都市ガスやLPガスを燃料としています。災害時に停電になった場合でもガス供給障害が発生しない限り電気と熱の供給が可能であることから、家庭用燃料電池は、エネルギー安定供給に資する分散型電源としても注目されています。今後、幅広い分野でさらに燃料電池の普及を拡大させるためには、製造コストの低減、水素供給インフラの整備などが課題となります。

コージェネレーション
天然ガス、石油、LPガス、バイオマス等を燃料として発電し、その際に生じる廃熱も同時に回収するシステム。熱電併給。

燃料電池の仕組み

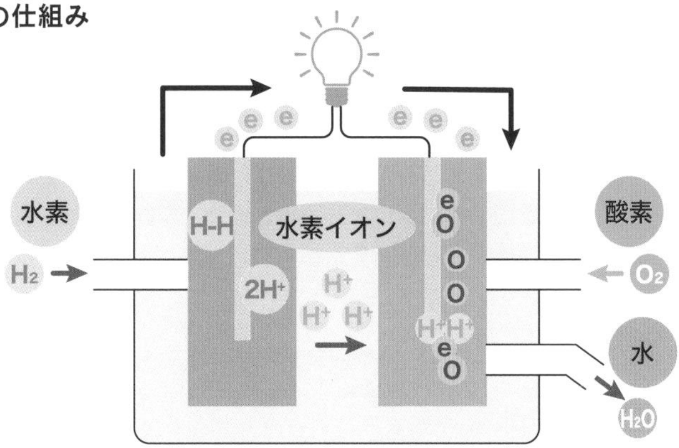

出所：中国電力 web サイト（https://www.energia.co.jp/energy/general/newene/newene3.html）をもとに作成

エネファームの普及台数と販売価格の推移

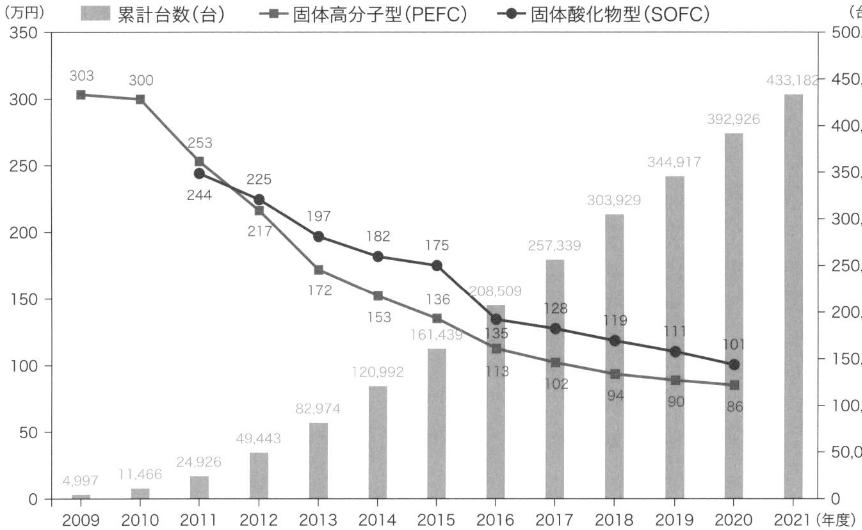

出所：経済産業省資源エネルギー庁 web サイト「あらためて知る「燃料電池」～私にもできるカーボンニュートラルへの貢献（前編）」（https://www.enecho.meti.go.jp/about/special/johoteikyo/nenryodenchi_01.html）をもとに作成

Chapter8
12

二酸化炭素削減のための取り組み 分離・回収、貯留、有効利用

世界的な課題である二酸化炭素の削減に向けた取り組みとして、排出された二酸化炭素を回収し地中に貯留する方法や、二酸化炭素を資源として有効利用する方法が開発されています。

二酸化炭素の削減に向けた取り組み

地球温暖化の要因の1つである二酸化炭素（CO_2）を削減することは世界的に重要な課題であり、各国はCO_2削減目標を掲げています。日本は、2021年4月、「2030年度において温室効果ガス46％削減（2013年度比）を目指すこと、さらに50％の高みに向けて挑戦を続けること」を表明しました。CO_2削減方法の1つとして注目されているのが、排出されたCO_2を回収し地中に長期間にわたり貯留するCCS（Carbon dioxide Capture and Storage）です。セメント、鉄鋼、化学工場や火力発電所などCO_2を多く排出する施設で、排ガスからCO_2を分離・回収し、貯留に適した地層まで輸送して安定的に貯留する技術の開発が進められています。日本では、2012年より北海道の苫小牧で日本初となる大規模な実証試験が行われています。CCSを促進するためには、CO_2の分離・回収にかかるコストの低減や、CO_2を貯留するのに適した地層を見つけることなどが重要となります。

炭素を資源として再利用

分離・回収したCO_2を地中に貯留せずに有効利用する取り組みが、**CCU**です。油田の油層にCO_2を圧入して原油をより回収しやすくする石油増進回収の技術**EOR**への利用や、溶接やドライアイスなどへ直接利用する方法などがあります。加えて、CO_2を資源としてとらえ、化学品や燃料などへ再利用する**カーボンリサイクル**も進められています。例えば、CO_2を再生可能エネルギー由来の水素と反応させ、天然ガス代替となるメタンを製造するなど、CO_2をほかの物質に変換する過程でもCO_2を排出しない取り組みが開発されています。

CCU
Carbon dioxide Capture and Utilizationの略。

EOR（石油増進回収）
Enhanced Oil Recoveryの略。油層内の原油の流動性を改善し、地下に残る原油の回収率を高めるための技術のこと。

カーボンリサイクル
二酸化炭素を資源としてとらえ、素材や燃料に再利用することで大気中へのCO_2排出を抑制しようとする取り組みのこと。

CCUSおよびカーボンリサイクル概念図

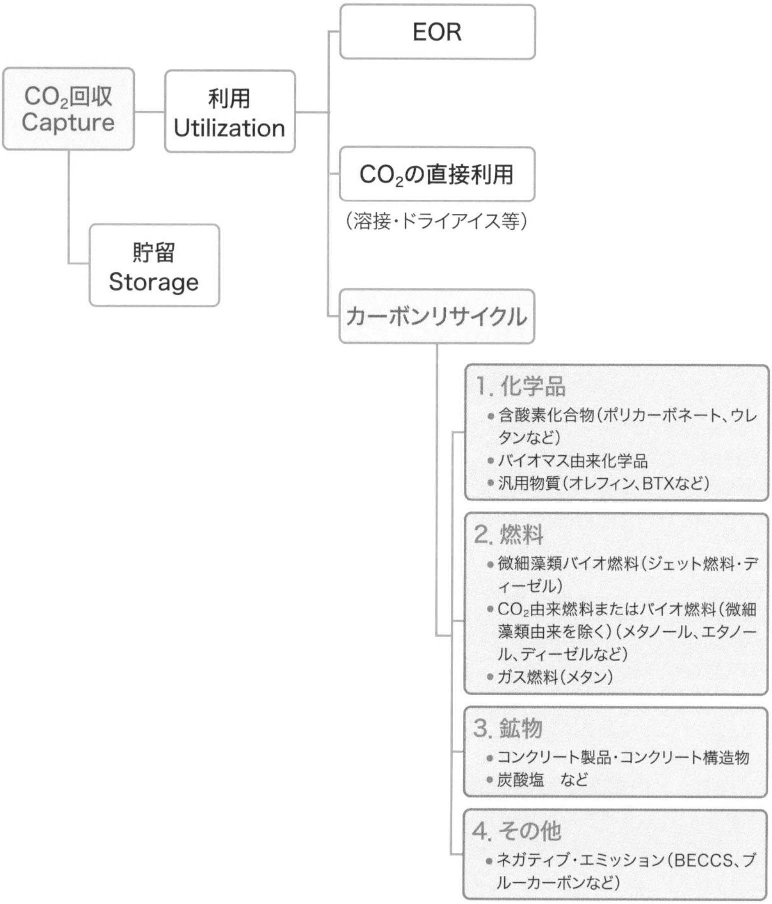

出所：経済産業省資源エネルギー庁webサイト「未来ではCO_2が役に立つ？カーボンリサイクルでCO2を資源に」(https://www.enecho.meti.go.jp/about/special/johoteikyo/carbon_recycling.html) をもとに作成

ONE POINT

国際協調が求められるCCUS

CCSおよびCCUの取り組みを総称したのが、CCUS (Carbon dioxide Capture, Utilization and Storage) です。CO_2削減という世界的な課題を解決するためには、CCUSに関連した国際協調が求められます。欧州を中心に、国際共同研究や技術開発が積極的に進められています。2022年6月には、アジア全域でCCUSを活用することを目指し、知見の共有や事業環境整備を目的とした産学官プラットフォーム「アジアCCUSネットワーク」が立ち上げられました。

Chapter8 13

ネガティブエミッション技術

二酸化炭素排出量をマイナスとしカーボンニュートラルに資する

カーボンニュートラル実現のためには、CO_2削減だけでなく、CO_2排出量をマイナスにする「ネガティブエミッション」が不可欠とされています。大気中のCO_2を回収・吸収し、貯留・固定化する技術開発が進められています。

ネガティブエミッションが必要とされる背景

国連気候変動枠組条約

1992年5月に採択され、1994年3月に発行した条約。大気中の温室効果ガスの濃度を安定化させることを究極の目的とする。本条約に基づき、1995年から毎年気候変動枠組条約締約国会議（COP）が開催されている。

国連気候変動枠組条約第21回締約国会議（COP21）で採択された「パリ協定」を契機に、二酸化炭素をはじめとする温室効果ガスの「排出量」から、植林や森林管理などによる「吸収量」を差し引いた合計を実質的にゼロとする「カーボンニュートラル」を目指す国や企業が増えています。これまで日本も含め120以上の国と地域が2050年までのカーボンニュートラル実現を宣言しています。カーボンニュートラルを達成するためには、CO_2を削減するだけでなく、CO_2削減が技術的に困難な産業等からの排出分を吸収する必要があります。そのために不可欠となるのが、CO_2排出量をマイナスにする「ネガティブエミッション」技術です。

ネガティブエミッション技術の開発

特に着目されているネガティブエミッション技術の1つが、バイオマス発電やバイオ燃料製造過程に二酸化炭素回収貯留（CCS）技術を組み合わせたBECCS（bioenergy with carbon dioxide capture and storage）という取り組みです。バイオマスは大気中のCO_2を吸収してできているため、バイオマスを燃焼または変換させてエネルギー利用しても大気中のCO_2は増加しないうえに、CCSによって回収することで大気中のCO_2排出量は実質的にマイナスとなり、「ネガティブエミッション」となります。そのほかにも、大気中に存在するCO_2を直接回収し、地中に貯留するDACCS（direct air capture with carbon storage）という取り組みや、有機物を熱分解で炭化し、燃焼させることなく土壌に埋めることで炭素を長期間貯留する技術（バイオ炭）などの開発が進められています。

BECCSの概念図および工程

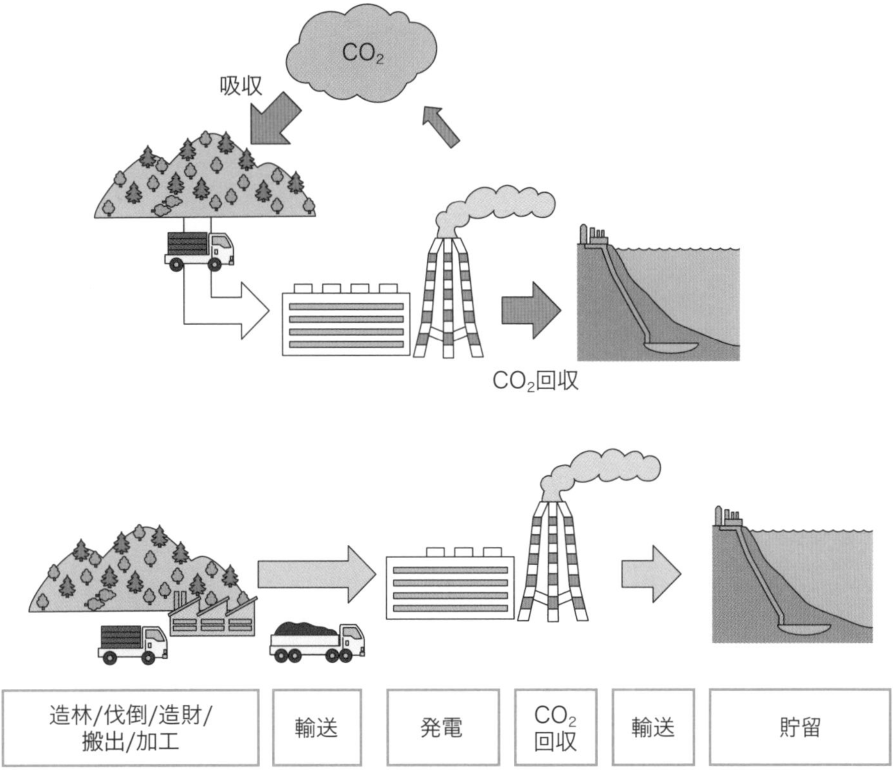

出所：国立研究開発法人科学技術振興機構低炭素社会戦略センター「バイオマス混焼発電を用いたBECCSによる炭素排出量削減のライフサイクル評価」をもとに作成

ONE POINT

国内外の取り組み事例

イギリスでは、BECCSとDACCSにより2050年には2020年の温室効果ガス総排出量の12%にあたるCO_2を除去する計画が立てられるなど、ネガティブエミッション技術の活用に大きな期待が寄せられています。また、欧米では、スタートアップ起業もBECCSやDACCSに関する取り組みを積極的に進めています。例えば、アメリカのCharm Industrial社は、収集したセルロース系バイオマスをバイオオイルに分解し、地中に貯留する事業を行っています。日本でも、例えば、川崎重工株式会社は低温で空気中からCO_2の回収を可能とするDAC（Direct Air Capture）技術の開発を進めています。

Chapter8
14

セクターカップリング

部門横断的に再生可能エネルギーを融通させることで脱炭素化を進める

電力、熱、ガス、運輸などの部門で横断的に再生可能エネルギー源の電力を融通し有効活用させることで、社会全体の脱炭素化を図るセクターカップリングという取り組みが欧州を中心に進められています。

セクターカップリング

再生可能エネルギーを大規模導入するための方策として、セクターカップリング（Sector Coupling）という取り組みが注目されています。電力、熱、ガス、運輸といった部門（セクター）を横断的に連携（カップリング）し、再生可能エネルギー源の電力を最大限に活用することで社会全体の脱炭素化を図る取り組みです。例えば、電力部門と運輸部門のセクターカップリングとしては、ヴィークルツーグリッド（Vehicle to Grid）という取り組みが挙げられます。電気自動車（EV）に搭載されている蓄電池を電力系統に接続し、日照時に充電した太陽光発電の余剰電力を系統へ**逆潮流**させることで、再生可能エネルギーの導入に伴い、発生する余剰電力を活用しつつ、電力系統の安定化を図ることが狙いとされています。

逆潮流
電力の需要家側から系統側へ電気が逆流すること。

グリーン水素やメタンを介した再生可能エネルギー大規模導入

太陽光発電や風力発電など気象条件によって発電量が変動する再生可能エネルギーの余剰電力を気体燃料に変換して利用するパワーツーガス（Power to Gas）という取り組みも着目されています。再エネ余剰電力で水を電気分解して水素を製造、あるいは、水電解で得られた水素と二酸化炭素を化学反応させメタンを生成し、発電やコージェネレーションに利用するほか、水素スタンドや圧縮天然ガススタンドで自動車向けに供給する取り組みなどが進められています。欧州では、2020年7月に「エネルギーシステム統合戦略（An EU Strategy for Energy System Integration)」を発表し、部門横断的に再エネを融通させることで脱炭素化を進める道筋を示しました。

Power to Gasの概念

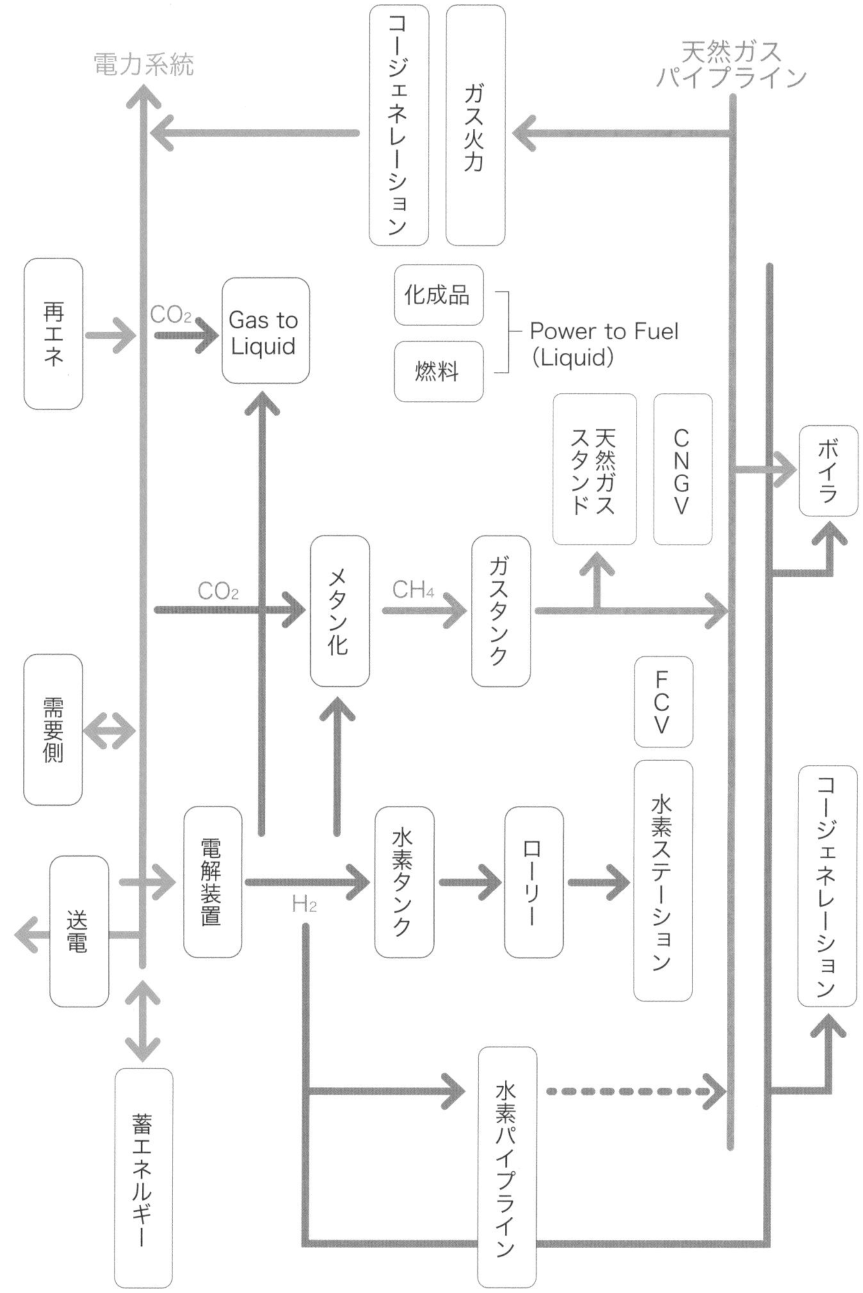

出所：柴田善朗「我が国におけるPower to Gasの可能性」日本エネルギー経済研究所（2015年12月）をもとに作成

Chapter8
15

スマートシティ

先進技術を活用し都市の抱える課題の解決を図る

スマートシティとは、都市の抱える諸課題に対し、最先端のデジタル技術を活用して解決を図る取り組みです。再生可能エネルギーや水素の利用率を高めるほか、エネルギー利用の効率化を図る事例などが世界各地にみられます。

スマートシティへの期待

IoT（Internet of Things）、ビッグデータ、AI（Artificial Intelligence）などの先進技術を活用し、都市が抱える諸課題の解決を図る「スマートシティ」の開発が世界各地で進められています。その背景として、都市人口の急速な増加に伴い、都市におけるエネルギー利用の効率化や大気汚染などの環境対策が急務となったことが挙げられます。スマートシティの開発は、欧州を中心に推進されてきましたが、近年では新興国でも活発化しています。スマートシティ推進の目的は国や地域によって多岐にわたりますが、2050年カーボンニュートラルを目指す潮流の中、エネルギー利用が集中する都市のエネルギー問題解決は極めて重要です。そこで、スマートシティは最先端の技術を活用して都市の脱炭素化を促進する有効な施策として期待されています。

IoT
「モノのインターネット」のことで、あらゆるモノをインターネットに接続して通信を行う技術を意味する。

日本におけるスマートシティの事例

日本では、2016年に発表された「第5期科学技術基本計画」で示された社会像「Society 5.0」を実装する場として、自治体や民間企業が多様な取り組みを進めています。例えば、神奈川県横浜市では、「防災性、環境性、経済性に優れたエネルギー循環都市」の実現を目指し、再生可能エネルギーや水素の利用率を高めるほか、VPP（バーチャル・パワー・プラント＝仮想発電所）構築事業などデジタル技術を活用したエネルギー利用の効率化を進めています。また、トヨタ自動車は、静岡県裾野市で「ウーブン・シティ」と呼ばれる開発事業を始動し、AI、MaaS（Mobility as a Service）、自動運転、ゼロエミッションモビリティなどの新技術を取り入れた都市空間を創造しています。

第5期科学技術基本計画
科学技術基本法に基づき政府が策定する、10年先を見通した5年間の科学技術の振興に関する総合的な計画。

VPP
蓄電池や発電設備、EVなどを、高度なエネルギーマネジメント技術により遠隔・統合制御し、あたかも「1つの発電所」のように機能させて、電力の需給調整に活用する仕組みのこと。

データ利活用型スマートシティの基本構想

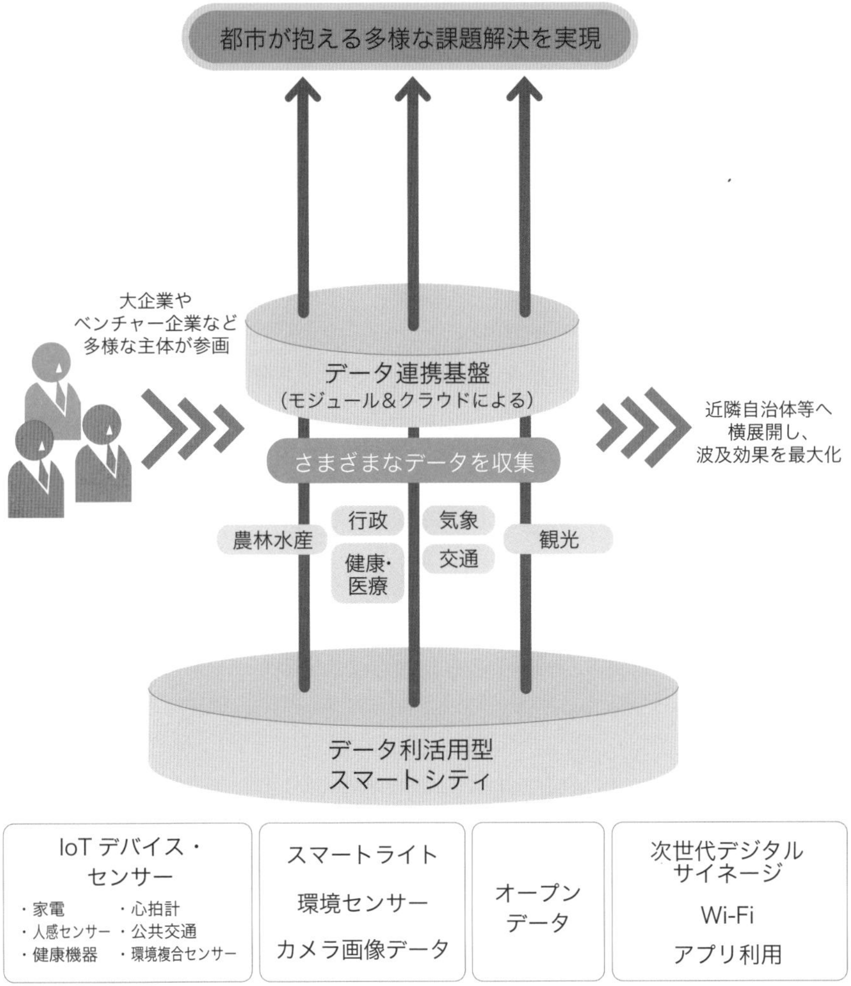

出所：総務省「情報通信白書 令和２年版」（https://www.soumu.go.jp/johotsusintokei/whitepaper/ja/r02/html/nd266210.html）をもとに作成

ONE POINT

Society 5.0

情報社会（Society 4.0）に続く、新たな社会を指すもので、サイバー空間（仮想空間）とフィジカル空間（現実空間）を高度に融合させたシステムにより、経済発展と社会的課題の解決を両立する、人間中心の社会のことをいいます。

COLUMN 8

特定国に依存せず 脱炭素化を進める取り組み

脱炭素化を進めるために必要な資源や素材を特定国に依存するリスクが改めて認識されています。ロシアは、世界最大のウラン供給国で、軽量素材のアルミやバッテリーなどに利用されるニッケルに関しては世界有数の生産国です。太陽光発電に使われるポリシリコンの生産に関しては、中国が圧倒的なシェアを有しています。また、風力発電のタービンや高効率モーターなどに使用されるレアアースの9割近くは中国が供給しています。

世界風力エネルギー協会（GWEC）の報告書によると、鉄の価格は2020年初期から2021年末までに50％増加しており、ロシアのウクライナ侵攻以降、さらに大幅な上昇がみられます。銅に関しては、60％も価格が上昇しているといわれています。風力発電機の製造に必要な鉄、銅、ニッケルなどの素材価格の上昇も踏まえ、特定国に依存しない供給網の多様化を図る必要性が一層高まっています。

こうした中、代替となる調達先を模索することに加え、代替資源の開発や先端素材の活用などを促進することも重要となります。例えば、風力発電に関しては、発電効率を高めるために風車の大型化が図られる中、より高い耐久性を持った部材が求められるようになっています。そこで着目されているのが、風車の羽に使われる炭素繊維です。先端素材の代表格ともいわれる炭素繊維は、炭素のみで構成された繊維で、鉄に比べて重さが4分の1である上に強度は10倍というのが大きな特徴です。2019年時点の世界シェアでは、東レ、帝人、三菱ケミカルの3社が世界シェアの5割強を占めています。日本企業は、風車そのものの製造からは撤退していますが、素材分野については自動車や航空機分野などで培った技術に強みを有しています。不安定な世界情勢に直面する中でも、こうした強みをさらに伸ばし、リスクをチャンスに変えていく取り組みが期待されます。

第9章

エネルギー業界の課題と展望

カーボンニュートラルを実現しつつ、エネルギー保障を強化する「エネルギー転換」が求められています。エネルギーの需要構造の変革に伴い、社会インフラや供給チェーンがどのように変化していくのか見ていきましょう。

エネルギー安定供給の課題

Chapter9 01

ウクライナ危機により不安定化するエネルギーの供給

2021年後半から世界的にエネルギー価格の高騰が進み、ロシアによるウクライナ侵攻で発生したウクライナ危機でエネルギー市場の不安定化が重大な問題になりました。日本では電力需給のひっ迫も問題になっています。

ウクライナ危機と日本の電力需給ひっ迫

2020年に発生したコロナ禍の影響で世界経済が大きく落ち込むと、世界のエネルギー価格は一時的に**歴史的低価格**になりました。しかしその後は上昇し、2021年後半以降は石油・ガス・石炭・電力のすべてが高騰、2022年2月のロシアによるウクライナ侵攻の発生でその流れは一気に加速しました。

歴史的低価格
2020年4月、WTI先物価格は1バレル当たりマイナス37ドルを記録した。

ロシアは世界最大の化石燃料輸出国です。エネルギー輸出に支障・途絶が発生すれば、国際エネルギー市場が大混乱に陥ることが懸念されます。

日本では、国際市場でのエネルギー価格高騰と不安定化の問題に加えて、国内の電力需給のひっ迫も問題になっています。2022年3月や6月には、気温要因による電力需要増加、**火力発電設備の停止**、太陽光発電の不調などが重なり、電力需給がひっ迫、安定供給が綱渡りの状況になりました。市場自由化の下で発電設備の閉鎖が進み、供給余力が低下したことも背景にあります。

火力発電設備の停止
例えば、2022年3月16日の地震でJERA広野火力（335万kW）が計画外停止し、翌17日には別途電源開発磯子火力等（134万kW）もトラブルで停止した。

エネルギー安定供給に向けて

厳しい国際エネルギー情勢を踏まえ、エネルギー源や輸入元の多様化を図る取り組みが重視されるようになっています。省エネルギーや再生可能エネルギーの推進への注目が集まり、原子力発電の強化も進められています。また、主力である化石燃料の安定供給のため、資源国との関係強化や日本企業による**自主開発**が重要になっています。市場安定化のためには、エネルギー消費国間の、そして消費国と生産国の間の連携強化・対話促進が重要です。エネルギー業界は、これらの内外での取り組みに対して、積極的に、また包括的に実行・推進していく必要に迫られています。

自主開発
日本企業が海外の石油・ガス開発プロジェクトに直接参加し権益を確保すること。

2020年以降の原油価格の推移

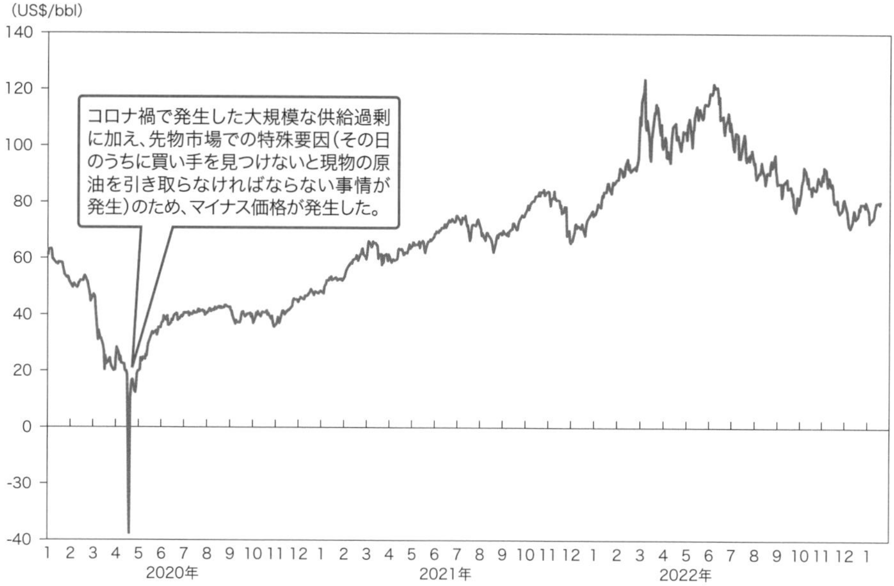

出所：各種資料（米国産WTI原油の先物価格）をもとに作成

ONE POINT

ウクライナ危機と第1次石油危機の共通点

世界を震撼させているウクライナ危機ですが、それによる国際エネルギー情勢への影響に関しては、1973年の第１次石油危機といくつかの共通点が見られます。第1には、ともに危機発生前からエネルギー価格上昇が発生していたこと。第2は、ともに特定のエネルギー供給源（例えばロシア、あるいは中東）などへの依存度が上昇していたこと。第3は、両者とも戦争が危機の端緒となったこと。第4は、同じく危機の中で経済制裁・禁輸が発生したこと。第5は、エネルギー価格高騰だけでなくエネルギー不足の問題が発生したことなどです。その結果、両方の危機ともに、エネルギー安全保障への対応が一気に世界の最重要課題になる事態を迎えました。

Chapter9
02

エネルギーの世界を劇的に変えるカーボンニュートラル

気候変動防止のためにカーボンニュートラル実現を目指すことは、エネルギーの需給構造を根本的に変革することに直結します。これはまさに未曽有の挑戦であり、エネルギー業界も重大な課題に直面することになります。

カーボンニュートラルに向けた世界の動き

カーボンニュートラルとは、CO_2などの温室効果ガスの排出と、吸収が相殺することで、大気中への排出が実質的にゼロになることです。CO_2排出はエネルギー利用に由来するものが圧倒的に大きく、現在の世界のエネルギー利用の８割強が化石燃料です。その現実を考えると、排出を実質的にゼロにするには、エネルギー需給構造を根本的かつ革命的に変革することが求められます。

世界では気候変動防止への関心が高まり、CO_2排出削減の強化が進められる中、日本や欧州連合、米国など、先進国を含めた国々が2050年までにカーボンニュートラル実現を目指すとしています。さらに、年限付きの目標を掲げた国を含めると、すでに150を超える国がカーボンニュートラル目標を発表しています。

日本は、2021年10月に閣議決定した**エネルギー基本計画**で2050年にカーボンニュートラルを目指すこと、その途中段階で2030年には排出を2013年度比46％削減する目標を明示しました。

エネルギー基本計画
日本の長期的なエネルギー政策の目標を示す最も基本的で重要な政策・計画。

カーボンニュートラル実現への取り組み

カーボンニュートラルを実現するには、省エネルギーを抜本的に進め、同時に化石燃料から**非化石エネルギー**に転換を進めることが必要です。また、電力を**ゼロエミッション化**したうえで、電力化を進めることも大事です。さらに、革新的な燃料や、化石燃料からのCO_2排出を回収して貯蔵する技術、さらには大気中からCO_2を回収して貯蔵する技術などのイノベーションが不可欠となります。エネルギー業界は、カーボンニュートラル政策を進める政府とともに、これらのエネルギー転換を具体化していく取り組みを実施していくことが求められていくのです。

非化石エネルギー
再生可能エネルギーや原子力などのこと。

ゼロエミッション化
再生可能エネルギーや原子力などCO_2を排出しない発電のみで電源を構成すること。

日本の2050年カーボンニュートラル概念図

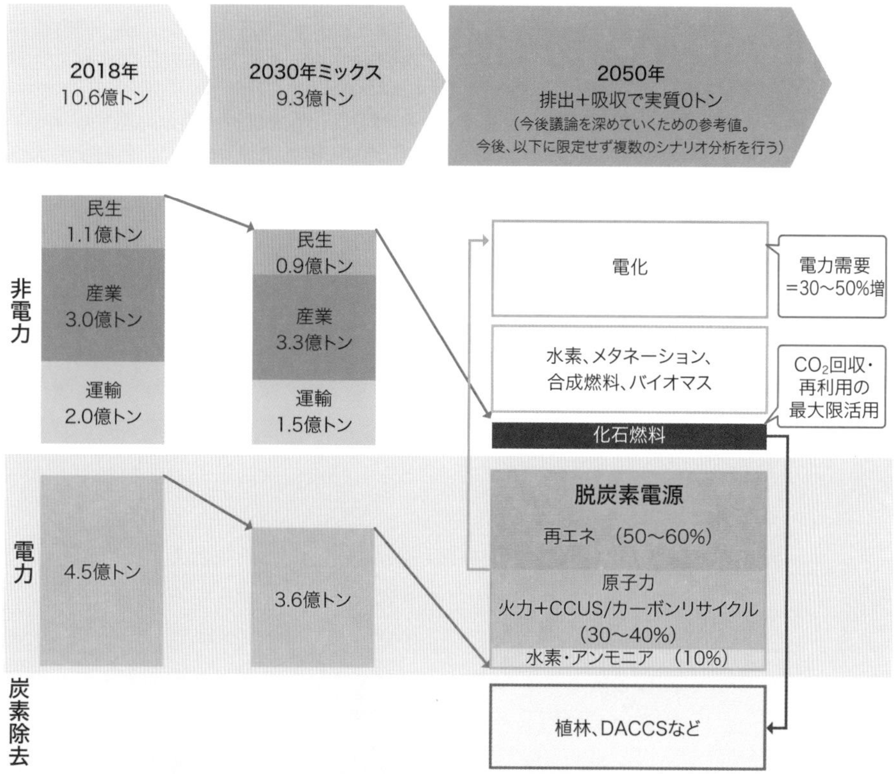

※数値はエネルギー起源CO_2
出所：内閣官房 成長戦略会議事務局「2050年カーボンニュートラルに伴うグリーン成長戦略」（2020年12月）をもとに作成

ONE POINT

カーボンニュートラル実現への課題

エネルギー需給構造を根本的に変革し、カーボンニュートラルを目指すことは気候変動防止のため重要です。しかし、エネルギーを支えるインフラ・供給チェーンは一度設置されると長期間使用し続けられるものがほとんどで、それを入れ替えていくのは時間がかかります。また、クリーンなエネルギーは環境に優しいものの、コストが高くなる場合も多く、経済的な負担の問題も発生します。また、CO_2を排出しない水素などまだ商業化されていない技術の導入には、供給コストの大幅削減や関連インフラ整備なども重要な課題であり、これらをどう乗り越え、克服していくかがエネルギー業界にとても大きな課題になるのです。

Chapter9
03

市場の自由化によって浮上した課題

市場自由化で新規参入が進み、競争が激化、電力卸売市場が発達するなどエネルギー業界を取り巻く環境は大きく変わりました。しかし、供給余力の低下や投資制約発生など自由化の課題も顕在化し、対応が重要になっています。

自由化で大きく変化したエネルギー市場

電力・ガス市場は、先行して自由化が進んだ石油市場を追いかけ、2011年以降のエネルギー政策総点検の下、一気に規制緩和・自由化が進められました。また、**小売全面自由化**が実施され、発電・送配電・小売の各部門を法的に分離して一層の競争促進を図る取り組みも行われました。

これにより、電力やガスの小売市場に新規参入が進み、消費者の選択肢が増えたことで事業者間競争が激化します。**日本卸電力取引所**でのスポット取引が急速に拡大し、その取引価格は電力産業にとって大きな意味を持つようになりました。エネルギー業界の各企業は厳しい競争に対応するため、徹底的に合理化を進め、コストを削減する努力を続けています。そのうえで、将来の成長に向けた投資や事業展開を実施する必要に迫られています。

小売全面自由化
電力・ガス小売は段階的に自由化され、電力2016年、ガス2017年に家庭用含めすべて自由化された。

日本卸電力取引所
Japan Electric Power Exchange（JEPX）。2003年設立。2005年4月電力取引開始。

自由化の課題と今後の対応

自由化によって、競争を通した市場の効率化などのメリットが得られている一方、さまざまな課題も生み出しています。例えば安定供給の課題です。競争的な卸電力市場による価格大幅高騰で事業が行き詰まり新規参入者が撤退しました。また、採算性に乏しい発電設備の閉鎖による供給力・余力の低下も挙げられます。そして、変動性の高い再生可能エネルギーの増加で電力需給安定化はさらに複雑な課題となっています。燃料の長期契約締結や脱炭素エネルギー推進も自由化の下では容易でありません。

エネルギー業界は、市場原理の活用で効率化を進めながら、これらの課題に対応して、エネルギー安定供給やCO_2排出削減を進める事業・投資を実行していくことが求められています。

電力・ガスのシステム改革

電力改革
小売全面自由化（2016年4月）および法的分離（2020年）

ガス改革
小売全面自由化（2017年4月）および大手3社の法的分離（2022年）

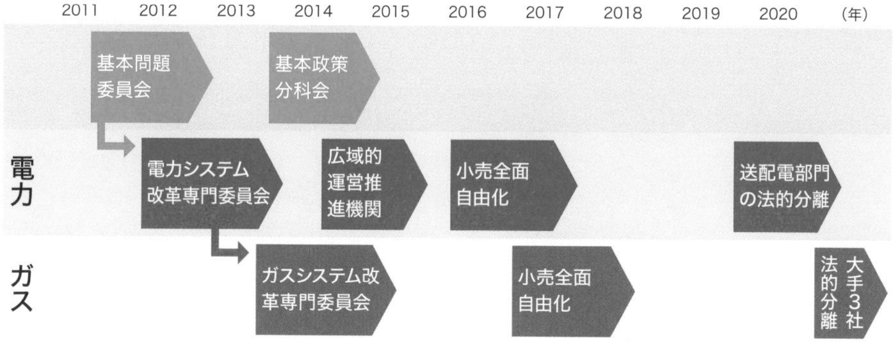

ONE POINT

注目される自由化先進国での新たな動き

欧米では日本に先駆けて電力・ガス市場の自由化が進められ、日本はその動きを参考にしてきました。最近、脱炭素化を進め、またウクライナ危機への対応でエネルギー安全保障を強化する必要に迫られている欧州では、フランスやドイツなどの大手電力会社やガス会社を国有化して、国が直接関与に乗り出す動きも出ています。また、原子力の推進・新設に舵を切った英国では、新規建設のためにかつて自由化前に一般的であった総括原価主義（必要コストの回収を認める価格設定方式）に近い制度の導入を決めるなど、新しい情勢に合わせた政策・制度対応がとられるようになっています。今後の日本のエネルギー業界にとっても参考になる興味深い動きです。

イノベーションへの取り組み

Chapter9

04

イノベーションの成否がエネルギー市場・業界を変える

カーボンニュートラルを実現しつつ、エネルギー安全保障を強化する「エネルギー転換」を進めるためには、水素など現時点では広く商業化されていない先進技術、イノベーションが成功するかどうかが重要なカギとなります。

エネルギー転換に不可欠なイノベーション

イノベーションの実現のためには、革新的な技術が市場に導入され、広く普及することが必須の条件です。

原子力分野でも、**小型モジュール炉**といった次世代型技術への期待が高まっています。しかし、特に大きな注目を集めているのは、製造段階でもCO_2排出がなく全体でCO_2フリーな水素やアンモニアといった新燃料です。水素は産業用など脱炭素化が難しい分野で大幅なCO_2削減を実現する切り札の1つと考えられています。アンモニアは既存の火力発電所で活用することで排出削減を進める費用対効果の高い対策として期待が高まっています。

大気中から直接CO_2を回収して貯蔵することで、CO_2濃度を引き下げることのできる**直接大気回収**といったイノベーションにも大きな関心が寄せられるようになっています。

小型モジュール炉
現在の主力、軽水炉より小型で固有の安全性が期待される原子炉。Small Modular Reactor（SMR）。

直接大気回収
Direct Air Capture（DAC）。大気からのCO_2回収で濃度を下げるため、ネガティブエミッション技術ともいわれる。

イノベーションの課題とエネルギー業界

これらのイノベーションは素晴らしい可能性を秘め、大きな期待が寄せられています。成功すればエネルギー転換が実現するだけでなく、経済成長にも貢献しうるからです。

しかし、そのためには、個別技術のコストを大幅に削減し、今はほとんど存在しない関連インフラを整備し、市場を開拓・整備するための制度を作るなど課題が山積しています。

エネルギー業界は、政府の支援政策を活用しながら、これらイノベーションを実行・実現していく担い手として期待されています。エネルギー業界にとってイノベーションは大きな課題であると同時に、巨大なビジネス機会とも考えられています。

エネルギーに関わるグリーン成長戦略とイノベーション重点分野

出所：経済産業省「2050年カーボンニュートラルに伴うグリーン成長戦略」をもとに作成

ONE POINT

グリーン成長とイノベーション

カーボンニュートラル実現などは容易でない挑戦です。しかし、最近はその実現に向けてイノベーション推進を図ることが、気候変動対策と同時に次の時代の経済成長を支える重要な要素になる、というグリーン成長への期待が高まっています。日本も、政府がグリーン成長戦略を発表し、イノベーション実現の重要性を強調しています。そして、実際のイノベーションの担い手になるのが民間・産業界であり、中でもエネルギー業界はその中心の１つになると考えられています。イノベーションを実現することは、世界の中での日本の影響力・存在感を維持し、高めるうえでも極めて重要なのです。

エネルギー転換と社会インフラ

Chapter9

05

エネルギー転換、需給構造刷新には社会インフラの変革も必要

現在のエネルギー需給構造は、それを支える社会インフラおよび供給チェーンから成り立っています。需給構造を大きく変換するには、それに伴なって関連する社会インフラ・供給チェーンの変革も必要になるのです。

エネルギー需給構造を支える社会インフラ

日々の暮らしや経済を支えるエネルギーは、その利用のために多種多様なインフラや供給チェーンを必要とします。燃料の生産、輸入のための設備、国内での加工・転換設備、流通設備、最終消費のための設備・機器などです。これらのインフラ・供給チェーンがあって、現在のエネルギー需給構造が成立しているのです。

これらのインフラは、形成されれば長寿命ですが、作るには膨大な投資と長い時間がかかります。作るにも利用するにも長期にわたる期間が必要という特徴があるのです。

例えば、ガソリン利用と関連インフラには相互に支え合う一体関係があります。ガソリンスタンド網というインフラがあって初めて消費者が普通にガソリンを使うことができるのです。

エネルギー転換でインフラの変革も

カーボンニュートラル実現を目指し、エネルギー安全保障を強化するための**エネルギー転換**では、これまでと大きく異なるエネルギー需給構造の実現が必要です。当然、それを支える社会インフラも変わることになります。上の例で述べたガソリンの場合、今後、**電気自動車**へのシフトが大きく進むとすれば、充電スタンドの普及が必須となります。ガソリンスタンド網から充電スタンド網へのインフラ転換が必要になるのです。このように、エネルギー利用が変われば、それに合わせて関連するインフラ・設備の変革が必要になります。エネルギー業界はこの変革の中心に位置することになります。変革をどう実現するかは、エネルギー業界にとって重大な課題であり、同時に新たな事業機会・拡大や発展の好機となる可能性もあるのです。

エネルギー転換
Energy Transition。長期的にエネルギー需給構造が徐々に変化し、結果的に大きく異なる姿になること。

電気自動車
Electric Vehicle。バッテリーに充電した電気でモーターを駆動し走行する。Battery Electric Vehicleとも。

これまでのエネルギー転換（長期的なエネルギー需給構造の変化）

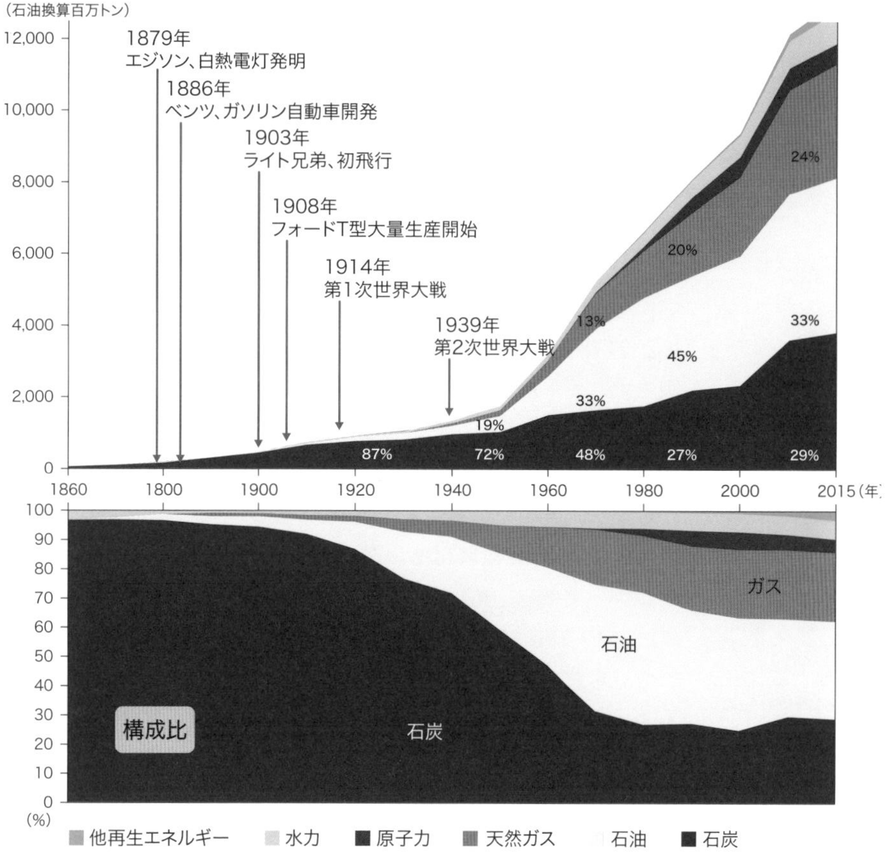

出所：「BP統計」、「Oil Economists' Handbook」等をもとに作成

ONE POINT

エネルギー転換の歴史

私たちはこれまで何度もエネルギー転換を経験してきました。産業革命前、人は自然由来のエネルギーや人、牛馬などの力を利用してきましたが、大量のエネルギーが必要になると産業革命が起こり、石炭中心のエネルギー需給構造ができました。その後、自動車の発明と普及の中で石油がエネルギーの中心になります。石油は今でも最大のエネルギー源ですがそのシェアは低下し続けています。カーボンニュートラルやエネルギー安全保障の課題に対応するため、新しいエネルギー需給構造に向けた新たなエネルギー転換の最中にあるのが現在なのです。

Chapter9
06

国際市場での存在感・影響力の維持と強化

エネルギー市場における日本の存在感

日本は世界有数のエネルギー消費・輸入国ですが、そのシェアは低下し市場規模では存在感が低下しています。今後は、日本の持つ技術力や文化・信頼度・安定度などの総合力で世界での存在感を発揮することが大事です。

市場規模での日本の存在感は徐々に低下

2021年、日本はGDPで米国、中国に次いで世界３位の経済大国です。エネルギー消費全体（一次エネルギー消費）では、中国、米国などに次ぐ５位、石油消費で５位、液化天然ガス（LNG）輸入で２位など、世界有数のエネルギー消費大国となっています。

しかし、日本のエネルギー消費・輸入は基本的に横ばいから減少傾向で2000年以降はその傾向が明確になっています。一次エネルギー消費は2005年の22.6エクサジュール（EJ）から2021年には17.7EJまで低下しました。また、世界に占める市場シェアで見ると、日本の一次エネルギー消費は1970年には世界の6%を占めていましたが2021年には3%と半減しています。

エクサジュール
Exajoule。熱量単位で、１０の１０乗ジュール（1ジュール＝0.24カロリー）。

また、1969年の輸入開始以来、半世紀近くの間、日本は世界最大のLNG輸入国でしたが、2021年には中国に抜かれ２位となりました。日本でも、太陽光など再生可能エネルギーは近年大きく増加しています。しかし、エネルギー全体としては、特にアジア新興国・途上国のエネルギー市場の大幅な成長の前に、日本の存在感は今後ますます低下していくことになってしまうでしょう。

技術力や日本の総合力で存在感の維持・強化を図る

今後も日本が世界のエネルギー市場の中で存在感や影響力を維持・強化していくには、イノベーションなどの分野で世界をリードすることが重要です。エネルギー業界が技術力で新しい事業を開拓することは、日本の存在感強化につながるのです。また日本の市場・業界の信頼性・安定性や、これまで培ってきた欧米・資源国・アジア途上国等とのネットワークを戦略的に活用するソフトパワーも今後の日本の存在感強化の重要なカギとなります。

ソフトパワー
その国の文化や価値観などの魅力で相手に影響力を及ぼす力・パワーのこと。

日本のエネルギー市場（消費）の世界シェア

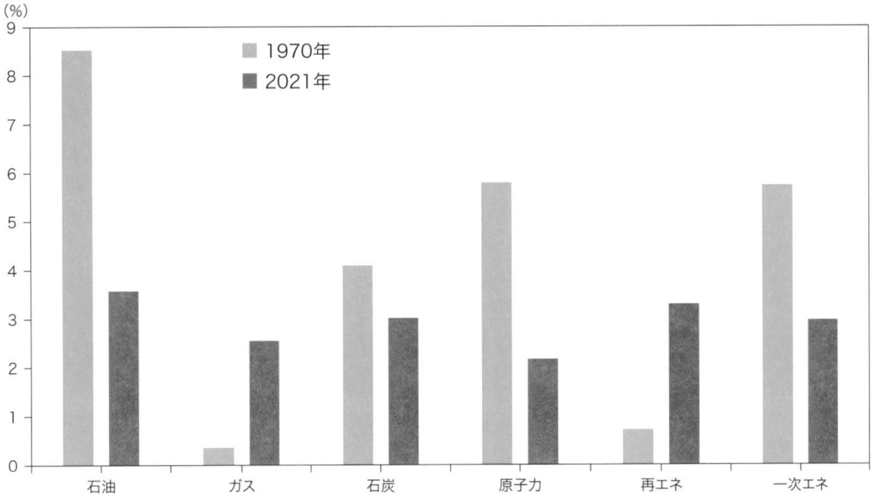

出所：bp「Statistical Review of World Energy 2022」をもとに作成

日本のエネルギー消費が世界に占めるシェア（割合）を1970年時点と2021年で比べてみると、全体として大きく低下していることがわかります。天然ガスや再生可能エネルギーについてはシェアが増大しましたが、エネルギー全体では日本のシェアは6%から3%に低下しています。石油や原子力についてはシェアの大幅低下が目立ちます。日本の消費が伸び悩む、あるいは減少する中で、アジアなどを中心に世界の需要が大きく拡大しているためなのです。

ONE POINT

先進国（G7）で日本はアジアを代表する立場に

エネルギー市場全体で見ると、1970年代初頭には先進国が全体の約7割を占め、大きな存在感を持っていました。今や先進国のシェアは半分以下です。特にアジアの新興国・途上国のシェア増大が著しく、その存在感は高まるばかりです。世界の重要問題を議論する先進7か国（G7）では、日本はアジアで唯一の参加国です。日本は成長著しいアジアのエネルギー市場の現実を踏まえ、アジアの声を代弁することで、先進国に対しても、アジアに対しても影響力や存在感を維持・強化することになります。そして、アジアのエネルギー市場の発展には日本のエネルギー業界が重要な貢献を果たしていくことが期待されます。

Chapter9
07

変化するエネルギー情勢と、成長分野への取り組み強化

エネルギー業界にとって、新たな成長が期待できる分野・市場の存在が注目されます。変化する内外エネルギー情勢を踏まえ、成長分野への取り組みを強化していくことがエネルギー業界の最重要課題となっていくでしょう。

エネルギー転換や新たな事業機会への対応

日本の国内市場でのエネルギー需要は前項で述べた通り、全体として減少傾向にあります。市場の規模が縮小しているのです。

しかし、脱炭素化に向けた長期的なエネルギー転換は必要です。**化石燃料の脱炭素化**に関わる分野や、新たなエネルギーインフラ・供給チェーン構築に関わる分野など、イノベーションやそれを通したグリーン成長の期待できる技術・事業分野が注目されています。政府も支援を強化する中、エネルギー業界も成長ポテンシャルを持つこれらの事業に積極的に取り組む必要があるでしょう。また、市場の自由化が進む中では、電力への新規参入など従来の業界の垣根を超えた事業展開が可能になるという面もあります。厳しい競争に直面する現実もありますが、新たな挑戦が可能となる事業分野の水平が広がるという面もあるのです。

化石燃料の脱炭素化
化石燃料から水素を製造する際に発生するCO_2を貯蔵あるいは利用することで、CO_2排出なしの形で化石燃料を利用すること。

成長するアジア市場への取り組み強化も重要に

世界に目を転じると、これから成長と拡大が続くエネルギー市場は多く存在します。その中でエネルギー転換への対応も必要になり、そこでも革新技術利用等の新たな事業分野が存在します。

将来的に世界で最も成長ポテンシャルの高い地域と見られているのがアジアの新興国・発展途上国です。これまでは中国がその代表でしたが、今後はインドや東南アジアの重要性が大きく高まるものと見られています。これらの国々でも、脱炭素化やエネルギー安全保障強化のためのエネルギー転換が求められています。エネルギー業界は、こうした変化を事業機会の１つととらえ、従来の経験やネットワークを最大限生かしつつ、官民一体になって取り組みを進める必要があるでしょう。

今後の地域別エネルギー需要の増加

最終エネルギー
消費増加の要因分解
（レファレンス、
2019～2050）

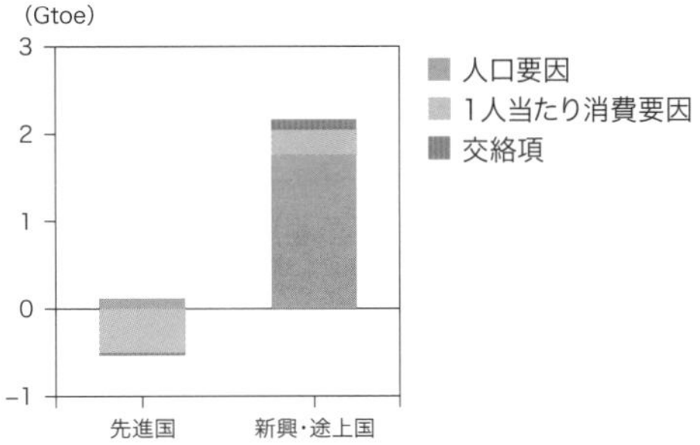

1人当たり
最終エネルギー消費

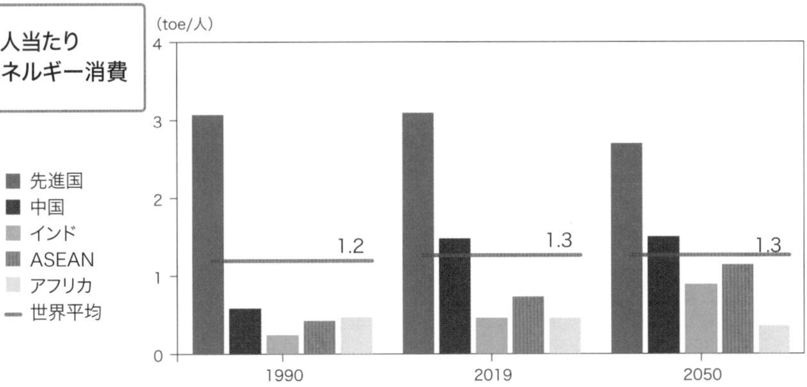

出所：IEEJアウトルック2022をもとに作成

ONE POINT

成長分野への取り組みは大きな挑戦

日本のエネルギー市場は世界有数の規模を保ってきましたので、エネルギー業界にとっては、まず、いかに国内市場での事業を維持・推進していくかが最重要課題であり続けてきました。また規制の存在でそれぞれ事業に一定の垣根も存在し、その中での事業の取り組みとなってきた面があります。しかし状況は大きく変わりつつあります。今後も国内市場への取り組みが極めて重要であることに変わりはありませんが、同時に、新たな成長分野への取り組み強化が求められます。新分野への挑戦は当然容易ではなく、難しい課題に直面し、それを乗り越えることが求められていくでしょう。しかし、大きな変化・変革の時期は、まさに事業発展のチャンスと見ることもできるのです。エネルギー業界の今後の発展に向けた挑戦が期待されています。

参考文献リスト

bp (2022)「bp Statistical Review of World Energy 2022」

European Commission「2050 long-term strategy」

ASEAN Centre for Energy (2022)「The 7th ASEAN Energy Outlook 2020-2050」

IEA (2022)「World Energy Outlook 2022」

IEA (2021)「Global EV Outlook 2021」

Joe Biden「The Biden Plan for a Clean Energy Revolution and Environmental Justice」

JOGMEC (2023)「天然ガス・LNG関連情報」

NEI (2020)「Global Nuclear Market Assessment Based on IPCC Global Warming of 1.5℃ Report」

UNFCCC「Nationally Determined Contributions Registry」

石井彰 (2008)「天然ガスが日本を救う」(日経BP)

今井伸・橘川武郎 (2019)「LNG 50年の軌跡とその未来」(日経BP)

エネルギー総合工学研究所編著 (2020)「図解でわかるカーボンリサイクル～CO2を利用する循環エネルギーシステム～」(技術評論社)

大野誠治 (1984)「炎にかける男」(国際商業出版)

外務省「気候変動に関する国際枠組み」

川村泉 (2016)「タンカーの基礎知識」(エネルギー・金属鉱物資源機構)

環境省「気候変動の国際交渉｜関連資料」

経済産業省 (2021)「エネルギー基本計画」

経済産業省 (2021)「エネルギーに関する年次報告」

経済産業省 (2021)「2050年カーボンニュートラルに伴うグリーン成長戦略」

経済産業省「電力小売全面自由化」

経済産業省「エネルギーシステムの一体改革について」

経済産業省「電力の小売全面自由化でどう変わるの？」

経済産業省「電力自由化で料金設定はどうなったの？」

国立研究開発法人 新エネルギー・産業技術総合開発機構 (2018)「環境アセスメント迅速化手法のガイド」

小山堅 (2022)「エネルギーの地政学」(朝日新聞出版)

小山堅 (2022)「激震走る国際エネルギー情勢」(エネルギーフォーラム)

自然エネルギー財団 (2020)「コーポレートPPA 実践ガイドブック」

石油連盟（2021/2022）**「今日の石油産業」**

石油連盟（2016）**「もっと知りたい!! 石油のQ&A」**

東京ガス（1990）**「天然ガスプロジェクトの軌跡」**

東京ガス（1985）**「東京ガス百年史」**

東京電力株式会社（2014）**「新・総合特別事業計画のポイント」**

日本エネルギー経済研究所（2022）**「IEEJアウトルック2023」**

日本エネルギー経済研究所編（2022）**「この1冊でわかるエネルギーのいまー新社会人のための基礎知識」**読売新聞東京本社調査研究本部

日本エネルギー経済研究所**「エネルギー・経済統計要覧」**2022年

日本エネルギー経済研究所、石油天然ガス・金属鉱物資源機構（2020）**「改訂版　石油・天然ガス開発の仕組み」**（化学工業日報社）

日本ガス協会（2021）**「「カーボンニュートラルチャレンジ2050」アクションプラン（2021年6月）」**

日本ガス協会（1997）**「日本都市ガス産業史」**

日本原子力文化財団**「原子力・エネルギー図面集」**

日本取引所グループ（2022）**「LNG取引の基礎知識」**

橋爪吉博（2020）**「石油業界の動向とカラクリがよ〜くわかる本[第二版]」**（秀和システム）

ベルトラン・バレ、ベルナデット・メレンヌ=シュマケル、蔵持不三也訳（2020）**「地図とデータで見るエネルギーの世界ハンドブック」**（原書房）

本村眞澄（2012）**「非在来型化石燃料の現状と展望」**（エネルギー・金属鉱物資源機構）

ロシア政府（2020）**「2035年までのロシア・エネルギー戦略」**

資源エネルギー庁、基本政策分科会、省エネルギー・新エネルギー分科会、電力・ガス事業分科会の各種資料

農林水産省、環境省、国際協力銀行、三菱UFJ銀行、野村アセットマネジメント、東京電力、中国電力、中部電力、九州電力、東北電力、北海道電力、電気事業連合会、家電製品協会、太陽光発電協会、日立製作所、岩谷産業、ENEOS、出光、コスモエネルギー、INPEX、JAPEX webページ

索引

さ行

た行

な行

は行

ま行

や行

■ 執筆担当
小山堅（1章1、4～7節、9章）
大森嘉彦（2章5～9節、4章、7章3～5節）
橋本裕（2章10～13節、5章、7章6～7節）
永富悠（2章1～4節、3章、7章1～2節）
笹川亜紀子（1章3節、7章8、10節、8章）
下郡けい（1章2、8節、6章、7章9、11節）

■ 装丁　井上新八
■ 本文イラスト　関上絵美・晴香／イラストAC
■ 本文デザイン　株式会社エディポック
■ 編集　株式会社エディポック
■ DTP　トゥエンティフォー
■ 担当　矢野俊博

図解即戦力《ずかいそくせんりょく》
エネルギー業界《ぎょうかい》のしくみとビジネスがこれ1冊《さつ》でしっかりわかる教科書《きょうかしょ》

2023年　3月　7日　初版　第1刷発行
2024年　4月26日　初版　第2刷発行

編　者　小山堅《こやまけん》
著　者　小山堅《こやまけん》・大森嘉彦《おおもりよしひこ》・橋本裕《はしもとひろし》・永富悠《ながとみゆう》・笹川亜紀子《ささかわあきこ》・下郡《しもごおり》けい
発行者　片岡　巌
発行所　株式会社技術評論社
東京都新宿区市谷左内町21-13
電話　03-3513-6150　販売促進部
03-3513-6160　書籍編集部
印刷／製本　株式会社加藤文明社

ISBN978-4-297-13306-1 C0034　Printed in Japan

◆ お問い合わせについて

・ご質問は本書に記載されている内容に関するもののみに限定させていただきます。本書の内容と関係のないご質問には一切お答えできませんので、あらかじめご了承ください。
・電話でのご質問は一切受け付けておりませんので、FAXまたは書面にて下記問い合わせ先までお送りください。また、ご質問の際には書名と該当ページ、返信先を明記してくださいますようお願いいたします。
・お送りいただいたご質問には、できる限り迅速にお答えできるよう努力いたしておりますが、お答えするまでに時間がかかる場合がございます。また、回答の期日をご指定いただいた場合でも、ご希望にお応えできるとは限りませんので、あらかじめご了承ください。
・ご質問の際に記載された個人情報は、ご質問への回答以外の目的には使用しません。また、回答後は速やかに破棄いたします。

◆ お問い合せ先

〒162-0846
東京都新宿区市谷左内町21-13
株式会社技術評論社　書籍編集部
「図解即戦力
エネルギー業界のしくみとビジネスがこれ1冊でしっかりわかる教科書」係
FAX：03-3513-6167

技術評論社ホームページ
https://book.gihyo.jp/116